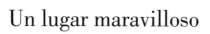

Un lugar maravilloso

Melissa Bank

Un lugar maravilloso

Traducción de Susana Contreras

EDITORIAL ANAGRAMA
BARCELONA

Título de la edición original:
The Wonder Spot
Viking
Nueva York, 2005

Diseño de la colección:
Julio Vivas
Ilustración: foto © Mark Dickson / Folio

© EDITORIAL ANAGRAMA, S. A., 2006
Pedró de la Creu, 58
08034 Barcelona

ISBN: 84-339-7102-6
Depósito Legal: B. 18542-2006

Printed in Spain

Reinbook Imprès, sl, Múrcia, 36
08830 Sant Boi de Llobregat

Para mi hermana, Margery Bates

Dueña del mundo

Iba a ser un día perfecto para ir a la playa, puede que el mejor día del verano, y tal vez el último de nuestras vacaciones, y lo íbamos a pasar en el bat mitzvah de mi prima en Chappaqua, Nueva York. Mi madre tenía pensado desde hacía semanas lo que íbamos a llevar mis hermanos y yo, hasta el menor detalle, y ahora, de repente, le preocupaba que mi vestido, que había comprado especialmente para este acontecimiento, no fuera todo lo elegante que la ocasión requería. La desesperaba la tela liviana, de algodón, y ya no veía las diminutas flores azules bordadas a mano que tanto le habían gustado cuando estábamos en la tienda. Decía que era muy niña de la pradera, que era justamente lo que a mí me gustaba. Puede que si me ponía medias quedara mejor, dijo. ¿Había traído medias? «No», le dije, y mi cara añadió: *¿Por qué habría de traer medias en verano y a la orilla del mar?*

–¿No tienes otros zapatos?

–Chancletas –respondí–. Y bambas.

–Papá dice que tenemos que salir ya –dijo mi hermano mayor desde la puerta.

Mi madre se dio la vuelta para mirar a Jack, y le preguntó:

–¿No te va pequeña esa chaqueta?

Si le iba pequeña, yo no lo había advertido, pero mi madre ya había conseguido ponerse al borde de un ataque de nervios.

–¿Cómo es posible que a alguien no le vaya una chaqueta en cuestión de semanas? –se preguntó en voz alta, como si tuviéramos ante nosotros un misterio sin respuesta, o un milagro, y no el resultado de las sesiones de levantamiento de pesas de Jack, y de que se hubiera pasado el verano corriendo. Mi hermano había perdido michelines y había añadido músculos donde antes no los había; yo le rodeaba los bíceps con la mano al menos una vez al día, y él los sacaba en mi honor.

Mi padre se asomó a mi puerta.

–Desabróchate la chaqueta y ya está –dijo.

Jack le obedeció, y mi madre soltó un «ah».

–Andando –dijo después mi padre, y eso quería decir: *Nos vamos ahora mismo.*

Y seguimos a nuestro jefe hasta la salida.

Robert, mi hermano pequeño, ya estaba en la furgoneta leyendo *Todo sobre los murciélagos*, vestido con su impecable traje de lino. Nuestro caniche estaba sentado junto a él, erguido y majestuoso, y miraba el parabrisas como anticipando el paisaje por venir.

–Quiere venir con nosotros –dijo Robert cuando mi madre trató de engatusarlo para que bajara del coche.

–El perro va a estar más cómodo en casa –respondió ella.

Todos estaríamos más cómodos en casa, pensé yo.

–Por favor, no llames a Albert «el perro» –dijo Robert.

–No molesta, Joyce –intervino mi padre.

–Está bien –contestó mi madre, con tono de decir *Me rindo*–. No llevas enaguas –me dijo cuando iba a subir al coche. Yo había decidido que las enaguas eran una formalidad estúpida, como los guantes blancos, que mi madre por fin había dejado de pedirme que llevara. Pero ella continuó–: Se te ve todo.

Yo estaba horrorizada. No llevaba más que unas braguitas blancas.

–¿De verdad?

–Solamente al sol –dijo Robert, y yo me tranquilicé; los bat mitzvah rara vez eran al aire libre.

–Todo el mundo al coche –dijo mi padre.

Yo me senté en la parte de atrás de la furgoneta, lo más lejos posible del ataque de nervios de mi madre y del fastidio de mi padre. Claro que allí también estaba muy lejos del aire acondicionado, que iban a poner cuando mi madre se diera cuenta de que el viento le estropeaba el peinado.

Pero hasta que llegó ese momento, mis hermanos abrieron las ventanillas hasta abajo, y Albert y yo disfrutamos de la brisa.

Tuve que cerrar los ojos cuando pasamos junto al aparcamiento de la playa, pero Robert se dio la vuelta en el asiento para mirar las pistas de tenis.

–Papá, si volvemos a casa pronto, ¿vendrás a jugar conmigo? –preguntó.

–No vamos a volver pronto –respondió mi padre. Y me di cuenta de que había hecho un gran esfuerzo para que su voz sonara amable.

–¿Pero si volvemos? –insistió Robert.

–En ese caso, estaré encantado de jugar contigo.

Robert iba a empezar quinto de primaria, y seguramente sería otra vez el más pequeño de la clase, pero era un jugador de tenis casi tan bueno como mi padre. Robert corría detrás de cada pelota, por inalcanzable o irrebatible que fuese; nada lo desmoralizaba. En las pistas, jugaba con cualquiera que se lo pidiera, señoras con el peinado duro de laca que necesitaban un cuarto jugador; o con el médico regordete que agitaba la raqueta con el cigarro encendido entre los dientes, o con la niñita a la que distraían las mariposas.

Mientras íbamos por la Garden State Parkway nadie abrió la boca. Mis padres no estaban nada alegres, quizá porque habían decidido no fumar en el coche. Y Robert estaba abatido porque ellos lo estaban, aunque él era la causa de que no fumaran, porque continuamente les suplicaba que dejaran el tabaco, y mis padres, de vez en cuando, hacían como que lo habían dejado.

Yo estaba deprimida porque nos dirigíamos a toda velocidad hacia ese supremo aburrimiento que sólo se puede encontrar en un bat mitzvah.

Jack, con la cabeza en otra parte, miraba por la ventanilla. Puede que imaginara que ya estaba en la universidad, esa universidad de la que hablaba sin parar con mi padre. Cada vez que yo le recordaba que todavía le faltaba un año, él me contestaba que iba a pasar muy rápido; yo le preguntaba que cómo lo sabía, pero esa pregunta, al parecer, no merecía una respuesta.

Rebecca, la del bat mitzvah, casi no estaba emparentada conmigo. Nuestras madres eran primas lejanas, que habían aprendido a caminar en la misma calle de casas adosadas del oeste de Filadelfia, y luego, cuando sus familias se habían mudado a un barrio residencial, en las afueras, las primas habían ido al mismo colegio de pago, a las mismas colonias y a la misma universidad. Yo había visto fotografías de ellas cuando eran bebés con gorros para que no les diera el sol, y niñas con shorts de cuadros en las montañas Adirondacks, y jóvenes con gafas de sol en París. Las dos eran menudas, tenían el pelo oscuro, y mi madre contaba que ambas habían estado demasiado delgadas en su etapa de admiración por Jackie Onassis.

En mi opinión, la tía Nora todavía era demasiado delgada, y Rebecca, aún más. Era bailarina –clásica, por supuesto–, siempre estaba con los hombros demasiado echados hacia atrás y la cabeza demasiado alta; a veces, y sin que viniera a cuento, hacía unos pasos de ballet. Por ejemplo, cuando las cuatro estábamos tratando de encontrar el coche en el aparcamiento.

Aquel invierno había sido la suplente de Clara en el ballet *El cascanueces,* en Nueva York, y mi madre había insistido en que fuéramos.

–¿Por si la verdadera Clara se rompe una pierna? –le había preguntado yo.

–No, vamos a ir porque será divertido –dijo ella–. Es un gran honor para Rebecca estar en el ballet.

–Pero si no está –dije yo.

Durante el ballet, yo intenté mantener mi mente libre de prejuicios, abierta a todo, pero aquello me parecía absurdo; era tan verosímil que una chica bailara con un cascanueces como con un sacacorchos o con un batidor de huevos.

Cuando la tía Nora preguntó en el almuerzo si me había gustado el espectáculo, le respondí que ese tipo de cosas no eran santo de mi devoción, una frase que mi madre me había ordenado que dijera en lugar de *¡aj!*, pero que ahora parecía provocar en la tía Nora el mismo efecto que los *¡aj!* en mi madre.

Un poco nerviosa, le dije a Rebecca que estaba segura de que el ballet habría sido mejor si ella hubiera bailado.

–Lamento mucho que no te hayan escogido –añadí, como expresión de simpatía.

No me di cuenta del error que había cometido hasta que oí el gruñido de mi prima. La tía Nora le dirigió una de sus miradas a mi madre, que era lo mismo que hablar de mí mientras yo estaba presente.

En el tren de regreso a Filadelfia mi madre se comportó como si las cuatro hubiéramos pasado una tarde espléndida. Y manifestó su admiración por la delgada y delicada Rebecca.

–Parecía una de esas rosas de tallo largo –dijo.

–Más bien parece una peluca de pelo largo, con un añadido de pelo en la coronilla –respondí yo.

Yo esperaba que mi madre se enfadara, pero en cambio parecía casi contenta. No es que lo dijera, claro que no. Lo que dijo fue:

–Quizá de mayores os haréis amigas.

–No lo creo.

–¿Por qué no, gatita?

Me encogí de hombros. Y le conté que Rebecca había rechazado el chicle que yo le había ofrecido.

15

—Yo no masco chicle, es poco femenino —dijo.

Mi madre no vio nada malo en esta frase, ella misma la podría haber dicho. Repitió un dicho de su vida anterior con la tía Nora: «No fumamos y no mascamos chicle, y no salimos con chicos que lo hacen.»

Mi madre nos había contado una y otra vez las mismas historias; puede que veinticinco veces en total. Pero si las sumaba todas, solamente quería que conociera unas dos horas de su vida.

En el peaje de la autopista de Nueva Jersey había un área de descanso, y estiramos las piernas hasta que mi madre volvió del aseo de señoras.

—Estás muy guapa, mamá —le dijo Robert.

Y lo estaba. El día antes había ido a Filadelfia a teñirse en una buena peluquería, una decisión muy sabia, pues el sol le había puesto el pelo de color naranja.

Cuando estábamos en el coche, mi padre le dijo que le gustaba el vestido que llevaba, con un estampado muy moderno en amarillo y rosa.

—Es un vestido de diseño —dije yo, porque era lo que me había contado mi madre.

Ahora que el ambiente parecía más distendido, y habían puesto el aire acondicionado, pensé en pedirle a Robert que me cambiara el sitio.

Mi padre, que a veces era lo que mi madre llamaba un esnob al revés, dijo que todos los vestidos eran de diseño, puesto que alguien los había diseñado.

—Alguien, claro que sí, pero no Pucci —dijo mi madre, muy digna y altiva.

—Ah, Pucci, el nieto favorito de su abuela —fue la respuesta de mi padre, y se suponía que era un chiste, pero mi madre no se rió.

Y yo me quedé donde estaba. Acaricié el pelaje negro y rizado de Albert, y le dije, mirándolo a los ojos, tan tristes:

—Albert, ahora sé cómo te sientes.

16

Cuando estábamos en la salida a Chappaqua, mi madre se dio la vuelta y nos dirigió una sonrisa que no tenía nada que ver con la felicidad. Era su manera de decirnos *Sonríe,* sin arriesgarse a que hiciéramos exactamente lo contrario, al menos yo.

–Me siento muy orgullosa de todos vosotros –nos dijo antes de que entráramos en la sinagoga, como si estuviera haciendo un spot publicitario de nuestra familia.

La sinagoga era el doble de grande que la nuestra, y como el servicio era en hebreo, una lengua que yo no entiendo, me pareció que duraba diez veces más.

Rebecca subió por fin al estrado, muy erguida, las puntas de los pies en direcciones opuestas, como una bailarina. Parecía muy satisfecha de estar allí, con su vestido rosa, sus leotardos blancos y sus merceditas negras. Llevaba el pelo recogido en una trenza con una cinta rosa de satén, y por la manera como la miraba mi madre, parecía como si su cabeza estuviera iluminada por un halo.

Rebecca miró un instante a la audiencia, a su familia, y a sus amigos y a los amigos de su familia, y a todos los fundamentalistas que habían decidido pasar el día más hermoso del verano bajo techo. Se me ocurrió que mi prima nos veía como si fuéramos su público, y quizá hubiera querido interpretar el papel de Clara, que tanto se había esforzado en aprender.

Después su mirada descendió a los pergaminos de la Torah que el rabino había descubierto y desplegado con gran ceremonia, y comenzó a leer en voz alta. Yo esperaba que terminara de una vez, pero ella seguía y seguía. Al parecer, mi prima iba a leer el libro sagrado de cabo a rabo.

Puede que hubiera aprendido a pronunciar en hebreo, pero era evidente que no tenía ni idea de lo que decía. Leía sin ninguna expresión, como si recitara la traducción al hebreo de la guía telefónica, o las instrucciones para preparar una sopa de sobre, y sólo parecía poner un poco de emoción cuando hacía una pausa al final del número de un abonado, o de un ingrediente de la sopa.

En cambio mi madre, que no sabía más hebreo que yo, parecía absolutamente embelesada; de vez en cuando afirmaba con la cabeza, como si encontrara esta o aquella frase particularmente sabia, o conmovedora.

Pero mi madre no solamente simulaba que sabía hebreo. Cuando le cogí la mano para mirar su reloj, y le puse una cara que significaba *Me estoy muriendo,* también fingió una sonrisa. Y luego retuvo mi mano como si estuviéramos enamoradas. Desde donde estaba no podía ver a mi padre, pero pensé que a él seguramente le gustaba que el culto fuera tan largo. Desde que murió su propio padre, se había vuelto más religioso. Antes de eso, mi padre solamente había acudido a la sinagoga con nosotros en las fiestas importantes, pero ahora también iba algunos viernes por la noche. Lo hacía a pie, como los judíos ortodoxos, aunque iba a nuestra sinagoga reformista, la menos religiosa que se podía encontrar. Mi madre solía acompañarlo, pero una noche mi padre fue solo. Yo lo estaba mirando desde mi ventana, y me pareció muy raro verlo alejarse por nuestra calle de las afueras, completamente solo.

Cuando terminó la ceremonia me sentí tan aliviada que dejé que mi madre me besara. Y después bajamos las escaleras para tomar lo que anunciaban como «refrigerio», en vez de llamarlo almuerzo.

La sala de fiestas estaba decorada con cortinas rosa, moqueta rosa y manteles rosa; un volante de tul rosa rodeaba los centros de mesa hechos de rosas color rosa. Hasta el aire parecía rosa.

Mi madre encontró la tarjeta rosa donde ponía mi nombre y el número de mesa, y proclamó que yo me tenía que sentar con Rebecca y las otras chicas de doce y trece años en la mesa número trece. *Vaya rollo.* Como todos los mayores, mi madre creía que tener poco más o menos la misma edad era todo lo que una chica necesitaba para hacerse amiga de otra inmediatamente.

Yo le dije que esperaba que a ella la sentaran con la gente de cuarenta y uno y cuarenta y dos años.

Vi que la mesa trece estaba junto a la pista de baile, pero me tomé mi tiempo para llegar hasta allí, y di unas cuantas vueltas alrededor de las otras mesas, haciendo como que no sabía cuál era la que me había tocado. Y cuando por fin me senté, Rebecca ni siquiera me miró. Me la imaginé diciéndole a su madre: *¿Y por qué Sophie tiene que sentarse con nosotros?*

El chico sentado junto a ella se parecía a Eric Green, que era el chico que me gustaba en el instituto –rubio y con hoyuelos–; debió de preguntar quién era yo, porque oí que Rebecca le decía *Mi prima,* con un tono de voz que quería decir *Nadie.*

El director de la orquesta llamó a los abuelos de Rebecca al escenario, para que nos dieran la bendición con las velas encendidas; dijo: «Ahora un aplauso para el abuelo Nathan», mientras la orquesta tocaba «Light My Fire».

Y yo me sentí autorizada a comerme mi panecillo.

Después una chica que llevaba una cadenilla de oro con su nombre, *Alyssa,* me preguntó de dónde era.

–De Surrey, Pensilvania –le respondí–. Muy cerca de Filadelfia.

–He estado en la Pensilvania Holandesa –dijo–. Ya sabes, donde viven los amish.

Yo también había estado allí, y se lo iba a decir, pero me dio la espalda, como si vivir en Pensilvania y no en Nueva York me diferenciara de ella y me hiciera más parecida a esa gente sombría que practica una religión que prohíbe conducir coches y llevar cremalleras en la ropa.

–¿Quién va a ir al bat mitzvah de Lori? –preguntó Alyssa a todos los de la mesa.

19

Y sentí pena por no haber sido invitada al bat mitzvah de una chica a la que ni siquiera conocía.

Yo estaba deseando ponerme de pie y marcharme, pero un segundo más tarde ya no era necesario; la orquesta pasó de tocar el «Hava Nagila» a «Jeremiah Was a Bullfrog», y los de mi mesa se fueron a bailar. Vi que todas las chicas llevaban medias; era muy probable que también se hubieran puesto enaguas.

Me comí el pollo mirando la pista de baile.

Estaba claro que Rebecca se creía la guapa de la fiesta, pero sus habilidades de bailarina clásica no le servían de nada con el rock and roll. Quizá no estaba acostumbrada a bailar con los talones en el suelo, y se movía como las animadoras en un desfile, o como el cascanueces de *El cascanueces*.

El chico que se parecía a Eric Green también bailaba igual que él; casi no hacía nada; sólo se sacudía para quitarse el flequillo de los ojos, y de vez en cuando musitaba alguna frase de la letra de la canción, como «Joy to the fishes in the deep blue sea».

Se quedaba clavado en su lugar mientras Alyssa bailaba con movimientos seductores a su alrededor. Yo la estudiaba, y trataba de memorizar la manera en que se meneaba y se retorcía, pero después de un rato me acordé de que había ensayado esos movimientos delante del espejo del dormitorio de mis padres, y había descubierto la gran distancia que había entre cómo quería que me vieran los demás y cómo me verían en la realidad.

Fui a hacer una visita a mis hermanos, pero Robert estaba en la mesa de los niños, haciendo su truco de magia con una moneda, y Jack se había sentado sentado entre dos chicas. La que tenía el pelo ondulado y llevaba gafas lo estaba haciendo reír, y la otra, muy guapa, balanceaba un zapato de tacón al ritmo de la música. Yo deseaba que, por una vez, a mi hermano le gustara la chica divertida, pero mientras los miraba, él invitó a bailar a la guapa.

Estuve a punto de tropezar con la tía Nora, que estaba saludando a los invitados de la mesa ochenta y tantos. Llevaba un vestido azul claro sin mangas, y el pelo recogido en un moño, pero con flequillo. Era posible que hubiera querido parecerse a Audrey Hepburn, y es verdad que tenía un aire a la actriz: las dos daban la sensación de fragilidad, aunque en la tía Nora se debía a la tensión, y en Audrey, a la inocencia.

La tía Nora hizo muac muac en el aire y me apretó el hombro; más que una muestra de afecto, parecía una afirmación; no quería decir *Me caes bien*, sino *Eres la hija de una vieja amiga.*

Yo sabía que había una frase apropiada para la ocasión, y que mi madre habría querido que la dijera, pero no la recordaba, de modo que pronuncié la fórmula de costumbre: «Gracias por invitarme.»

–Gracias por venir –respondió ella, pero sonaba *Acias por enir,* porque la tía Nora sufría de alergia.

Le dije: «¡No hay de qué!», y le pregunté dónde estaban sentados mis padres; ella me los señaló con el dedo.

Mi padre, en tanto juez, era un experto en poner cara de nada, pero me di cuenta de que no le gustaba el hombre que estaba hablando con él. Y me fui para allí.

Oí que el hombre decía: «Tengo razón, ¿no cree? ¡Claro que tengo razón!», y entonces mi padre me vio y se disculpó por interrumpir la conversación.

–¿Cómo van las cosas? –me preguntó en voz muy baja.

–Mal, muy mal –le dije.

Se puso de pie, me pasó el brazo alrededor de los hombros, me apartó de la mesa y me preguntó:

–¿Quieres bailar conmigo?

La orquesta tocaba «The Imposible Dream».

–Esto es un poco *schmaltzy* –le dije.

–¿Sabes lo que quiere decir *schmaltz* en yiddish? –me preguntó.

–Hombre, creo que empalagoso.

–Significa grasa de pollo. –Y me contó que la gente la ponía sobre el pan, y que teníamos que ir a un restaurante judío para que yo pudiese probarla.

–¿Podemos ir ahora mismo? –le pregunté.

Me cogió de la mano, y yo lo dejé que me llevara al ritmo de la música de grasa de pollo.

Cuando volvimos a la mesa, me dijo que cogiera su silla, y él se fue a buscar otra y me dejó con el señor Claro-que-tengo-razón y con mi madre, ya convertida en una actriz consumada.

–¡Hooolaaa! –me saludó, con una voz muuuuy melodiosa. Y les explicó a las otras personas de la mesa–: Ésta es Sophie, mi hija.

–Hola –dije yo.

–¿Te lo estás pasando bien? –me preguntó luego mi madre.

–Sí, genial –respondí, y acto seguido, como para que solamente ella me oyera–: Todo el mundo está mejor vestido que yo.

Y su sonrisa se esfumó, que era lo que yo quería.

No advirtió que estaba tomándole el pelo hasta que le dije que cogiera el coche y me llevara a comprarme unas medias.

Mi padre arrimó una silla a la mesa, y él y yo nos sentamos muy juntos.

Le pregunté si ya no comía más.

–Adelante, cariño, es todo tuyo –me dijo.

Yo estaba envolviendo lo que quedaba del pollo de mi padre en una servilleta cuando la tía Nora se acercó a la mesa, y todo el mundo le prestó atención.

–¿Alguien quiere bailar el «Hokey Pokey»?

Mi madre sí que quería, y ella y la tía Nora se marcharon cogidas del brazo.

Cuando yo me disponía a fugarme, las vi con Rebecca en la pista de baile. El director de la orquesta cantaba «Adelanta el pie derecho, y sacúdete con ganas», y las tres, junto con todos los demás, lo obedecían sin detenerse a pensar: *¿Por qué? ¿Por qué tienes que adelantar el pie derecho y sacudirte con ganas?* Que era precisamente lo que yo hacía.

Cuando llegué al aparcamiento, le abrí la puerta del todoterreno a Albert, y le puse agua en su bol.

—Tú crees que sufres mucho y te estás compadeciendo de ti mismo —le dije mientras le daba las sobras del pollo—, pero no sabes lo afortunado que eres.

Estaba poniéndole el collar cuando oí una voz que me decía: «¡Hola!»

Era el chico que se parecía a Eric Green.

—Hola —le dije yo.

—Me llamo Danny. ¿Tienes un cigarrillo?

—Ah —dije yo. Algunas de las chicas de mi clase habían empezado a fumar en una acampada de las girl scouts, pero yo no lo había hecho nunca. Miré a mi alrededor; estábamos solos.

—Creo que hay un paquete en la guantera —le dije, y sí, allí estaba—. Pero no veo cerillas.

—Yo tengo —me contestó. Le di dos cigarrillos, y cogió uno en la mano, y el otro se lo puso detrás de la oreja, como un lápiz.

Caminó conmigo y con Albert hasta el cerco de plantas que rodeaba el aparcamiento. Pasó la mano por las matas. Yo me acordé de la tarde en que Eric Green, a la salida del instituto, me había acompañado hasta mi casa, con un dedo enganchado en la presilla de atrás de la cintura de mi pantalón.

—Los caniches son muy listos, ¿no? —dijo Danny.

—No puedo hablar en nombre de toda la raza —respondí—, pero Albert es un genio.

—¿Y sabe hacer piruetas?

—Las piruetas son indignas de él. —Le conté que le habíamos dado ese nombre por Albert Einstein (el héroe de Robert) y Albert Camus (el de Jack).

El sol se reflejaba en los coches, y en aquella luz tan brillante vi que aquel chico se parecía menos a Eric Green de lo que yo había creído. Y entonces se me ocurrió que Danny era mayor que yo. Y lo era. Me dijo que estaba en octavo, y que en su colegio de pago ya habían comenzado las clases. Siempre empezaban antes que los demás, dijo con amargura, y añadió que se había perdido el último día de las colonias de hockey.

Yo estuve a punto de decirle *Qué pena*, pero me contuve; habría parecido que me estaba burlando.

Los matorrales se hacían más escasos a medida que avanzábamos, y al otro lado se podía divisar el campo. Y junto a una brecha entre las plantas del seto había un sendero.

−¿Quieres que...? −empezó a preguntar Danny, y yo me apresuré a decir que sí.

Cogió la correa del perro y se adelantó. Luego se dio la vuelta y me tendió la mano. Yo la cogí, y él me sujetó para que no me deslizara por la pendiente, ya que había más lodo que hierba.

−¿Estás bien? −me preguntó.

Afirmé con la cabeza.

No parecía tener ganas de soltarme la mano, y cuando me miró, sentí un cosquilleo. No eran esas chispas minúsculas que se encienden y se apagan cuando se duerme un pie, sino algo único y continuo, como volar en sueños.

La hierba estaba aplastada y formaba un sendero. Y lo que de lejos parecía un hermoso prado resultó ser un solar; había una manta raída y un montón de latas de cerveza vacías y oxidadas alrededor de las cenizas de una antigua hoguera. Pero el sol iluminaba los árboles y las florecillas amarillas de la hierba. Y se oía un coro de insectos que cantaban al unísono, primero muy fuerte, y luego suavemente.

Danny encendió su cigarrillo y dijo:

−No puedo creer que el verano haya terminado. −Y oí en su voz lo mismo que iba a sentir yo dentro de una semana, cuando comenzaran las clases en mi colegio, y de repente el verano pareció menos real.

Danny sopló un anillo de humo.

−¿Estás saliendo con alguien?

Yo volví a pensar en Eric Green, y en que ya no me hablaba.

−No, ahora no.

Albert, a mis pies, olisqueaba algo que parecía el pulgar de los guantes color carne que Jack se ponía cuando disecaba tiburones en el sótano.

Sentía sobre mí los ojos de Danny, y aunque estábamos en la sombra, me acordé de que Robert había dicho que mi vestido era transparente al sol. Y de repente empecé a sentirme nerviosa e incómoda.

—Deberíamos volver —dije.

Él no se movió; quizá esperaba que yo cambiara de idea. Encendió el segundo cigarrillo con la colilla del primero.

Conseguí que mi voz sonara normal, pero me di cuenta del temblor que había por debajo cuando le ordené «¡Vamos, Albert!» al perro.

Hice como que estaba tranquila y sin prisas, pero salí disparada, y Danny me siguió. Y luego ya no estábamos en el sendero, y ni siquiera había sendero. Yo iba saltando entre la maleza, y las espinas de los arbustos me arañaban las piernas. Por fin vi el aparcamiento por entre los matorrales. Pero habíamos salido por la parte de atrás de la sinagoga, y allí sólo estaban aparcados los camiones del servicio de catering y de mantenimiento.

Empecé a andar más despacio y caminamos uno junto al otro. Algunos invitados ya se marchaban, y unos niños alborotados correteaban alrededor de sus padres mientras ellos hablaban. El padre de Rebecca, que cargaba con un centro de mesa que parecía un tutú, lleno de volantes, ayudaba a la abuela a subir a un coche. Y entonces vi a mi padre; estaba fumando cerca de la furgoneta.

Sin pensarlo, me agaché detrás de un Cadillac, y Danny se agachó junto a mí.

—Ése es mi padre —dije.

Unos minutos después, Danny me preguntó:

—¿Quieres que mire si todavía está allí? —Y se puso de pie—. ¿Qué pinta tiene?

—Es alto. Y lleva traje gris.

–No sé si está.

Me levanté. No vi a mi padre.

Cuando subía a Albert a la furgoneta, me di cuenta de que tenía las patas sucias de lodo y se las limpié con un trapo.

Danny cogió el trapo y quitó el barro de mis sandalias y me quitó una hoja de hierba que se me había metido entre los dedos.

Cuando me abrió la puerta de la sinagoga, yo pensé que me iba a pedir la dirección para escribirme, pero sólo dijo: «Gracias por los cigarillos.»

Yo me sentí primero aliviada, y decepcionada luego.

En el vestíbulo, Alyssa corrió a su encuentro:

–Ya ha llegado mi padre –le dijo, y a mí me fulminó con la mirada. Me pregunté si sería su novia, o si aspiraba a serlo. O una cosa, o la otra.

A Danny no pareció importarle que ella estuviera enfadada. Se despidió de mí con un «hasta pronto», y la siguió al aparcamiento.

Abajo, en el palacio rosa, Robert y Jack estaban sentados con mi padre en una mesa donde ya habían quitado todo, hasta el centro de mesa.

–Por favor, dile a tu madre que ya nos vamos –dijo mi padre. Y yo fui junto a mi madre, que estaba con una mujer que llevaba un sombrero de paja de ala muy ancha y adornado con una cinta de color beige.

–Ésta es Sophie, mi hija –dijo mi madre, con su voz más falsa.

–¿Y cuántos años tienes? –me preguntó la mujer.

–Doce –respondí.

Ella se maravilló ante una hazaña tan impresionante.

–¿Y cuándo es tu bat mitzvah?

Yo iba a decirle que no iba a tener bat mitzvah, pero mi madre me interrumpió.

–Justamente ahora estamos organizándolo.

La mentira de mi madre me dejó pasmada, pero no la traicioné. Y me acordé de una frase hecha que parecía perfecta para la ocasión:

—La fiesta de Rebecca ha sido tan espléndida que será muy difícil superarla —dije.

—Esta niña es un encanto —dijo riendo la mujer.

Cuando íbamos a subir al coche, mi madre me ordenó que me sentara delante y no volvió a hablar hasta que estuvimos en la autopista.

—¿Dónde te habías metido?

—Estaba paseando a Albert.

Robert salió en mi defensa y repitió:

—Estaba paseando a Albert.

—Robert, estoy hablando con Sophie —dijo mi madre sin darse la vuelta. Y luego, dirigiéndose a mí—: Has estado fuera más de una hora.

Yo me preguntaba qué era lo que sospechaba, pero luego me di cuenta de que mi madre no sospechaba nada, sólo estaba furiosa porque yo había desaparecido.

—No se puede decir que me echaran de menos —dije—. Los de mi mesa ni siquiera me hablaban.

—Ésa no es la cuestión —me respondió ella.

Dejamos atrás tres salidas de la autopista antes de que me dijera cuál era la dichosa cuestión. Yo era una invitada, dijo mi madre; era un miembro de la familia. Y siguió hablando y hablando, pero en ningún momento dijo qué era lo que de verdad la había molestado.

Yo sabía que al final tendría que disculparme, aunque no supiera por qué y no estuviera arrepentida de nada. Pero mi madre iba a seguir hablando hasta que yo dijera que lo sentía, y se iba a enfadar cada vez más, hasta acabar exhausta y muy, muy ofendida. Y, llegados a ese punto, mi padre iba a tomar el relevo.

—Lo siento —le dije.

—Ya lo sé —me respondió ella, y me dio un beso.

Después de eso, la atmósfera en la parte delantera del coche fue un poco menos agobiante. Mi madre comentó que Rebecca había estado genial, y luego, como para sí misma, añadió que aún no tenía nada pensado para mi bat mitzvah. Miré a mi madre. Y a mi padre. Ya estaba todo decidido. Y yo no podía decir nada ni oponerme, porque se suponía que estaba muy arrepentida.

Cuando paramos en la gasolinera, me pasé a la parte de atrás con Albert, y cerré los ojos y pensé en Danny. Ya no recordaba que me había sentido terriblemente incómoda, y atemorizada. Sólo lo recordaba cogiéndome de la mano y diciéndome: «No puedo creer que el verano se haya acabado.» Y ahora eso me parecía una declaración de amor.

Después de mi primer día de estar perdida en el instituto Flynn Junior High, volví a casa y me encontré con la noticia de que me habían inscrito en el curso de hebreo que se exigía para el rito del bat mitzvah. Mi madre estaba más tranquila; había tenido miedo de que fuera demasiado tarde, pero resultó que, después de todo, aún había una plaza para mí.

Esa noche el tema de conversación fue la liga de fútbol entre universidades. Jack quería formar parte del equipo. Nos sorprendió a todos. Mi hermano hacía fotografías y pintaba; escribía cuentos y actuaba en obras de teatro; jugaba al fútbol, pero sólo en la intimidad.

Mis padres se opusieron; decían que iba a estar muy ocupado preparando su ingreso en la universidad, pero Jack argumentó con sensatez y apasionadamente. Sostuvo, por ejemplo, que si formaba parte del equipo de fútbol demostraría que era un chico muy completo, y eso podía aumentar sus posibilidades de obtener plaza en la universidad que deseaba.

Mi padre parecía muy dispuesto a ceder, y yo pensé que quizá era el momento de plantear que yo no quería el bat mitzvah. Pero todo el buen humor de mi padre fue para Robert; le sugirió que después de cenar podían ir a jugar al tenis.

Robert estaba tan excitado que se levantó de un salto de la mesa para ir a cambiarse, y ya estaba en la escalera cuando mi madre lo llamó: «¡Robert!»

—¿Me permites que me levante de la mesa? —pidió él.

—Está bien —dijo mi madre, y aprovechó la oportunidad para pedirme que le fuera a buscar sus cigarrillos. No quería pedírmelo delante de Robert, que estaba siempre anunciándoles a mis padres una muerte inminente como consecuencia del tabaco.

Se suponía que ahora se limitaban a fumar tres cigarrillos por día: el último —y el mejor— lo fumaban juntos después de la cena, con el café. Se habían pasado a los Carlton 100s para disfrutar menos y que la tentación fuera menor. Y guardaban el tabaco en el sótano; imaginaban que la incomodidad de bajar a buscarlos los haría mucho más conscientes de cada cigarrillo, pero yo esto no lo veía nada claro, puesto que la incomodidad era sólo mía.

Y esto era lo que yo iba pensando esa noche, y todas las noches, mientras bajaba la escalera del sótano y entraba en lo que todavía llamábamos el cuarto de juegos, aunque ya nunca jugábamos a nada, exceptuando alguna rarísima partida de ping-pong. La red todavía estaba puesta, pero la identidad de la mesa estaba oculta bajo los trastos que llenaban todo el salón.

Los cigarrillos estaban guardados en la nevera de mi cocina de juguete, y para llegar hasta allí tenía que saltar por encima de las pesas de Jack y esquivar las cajas y las pilas de libros coronadas con objetos tan difíciles de apilar como un teléfono antiguo con el cable cortado. Lo único intacto y ordenado era mi cocina, y yo me preguntaba si sería porque mi madre confiaba en que un día yo volvería a hacer pasteles y tartas de mentirijillas para ella y para mi padre.

Cuando volví arriba, todos estaban en el porche; mis padres sentados en los sillones y mis hermanos en el sofá; a mí me habían dejado una silla. De todas formas, ninguno de los asientos del porche era cómodo; eran de hierro forjado, y después de un rato, cuando nos poníamos de pie, se nos habían grabado en la parte de atrás de los muslos los dibujos del metal, como si lleváramos medias de rejilla.

Robert se había puesto ropa de deporte, pero la emoción de ir a jugar al tenis había desaparecido; estaba sentado en silencio, cejijunto, su atención concentrada en los dos cigarrillos que yo había dejado sobre la mesa junto a mis padres.

Cuando mi padre cogió el que le correspondía, Robert cerró los ojos y dijo:

–No puedo ver esto.

Hablaba con un tono de voz muy normal; siempre lo hacía, hasta cuando describía su futuro de niño huérfano.

–¿Prefieres marcharte? –le preguntó mi madre, comprensiva.

Robert afirmó con la cabeza y se levantó, pero dejó en la mesa su pastel de chocolate, como protesta. Albert fue tras él.

Mi padre encendió el cigarrillo de mi madre y luego el suyo. Con aire ausente, como si estuviera soñando despierto, sostuvo un instante en el aire la cerilla antes de dejarla en la concha que usábamos de cenicero. Yo esperé a que diera otra calada, y empecé a hablar:

–No quiero tener un bat mitzvah, ya lo he decidido.

Mi padre se volvió a mirarme, una mano detrás de la cabeza, en un esfuerzo inútil por estar más cómodo. Estaba acostumbrado a que la gente se defendiera ante él, y esperó a que yo expusiera mi caso.

Jack parecía estar divirtiéndose, e hice como si no estuviera, o al menos lo intenté. Ese verano, mi hermano había empezado a verse a sí mismo más como un monitor que como un niño de colonias, más como un joven padre que como el hijo mayor, y ya no podíamos contar con él.

Mi madre me miró y después miró a mi padre. En la última época, yo me peleaba con ella como nunca –esa semana le había

dicho dos veces que fuera ella misma a buscar su tabaco a la nevera de mi cocina de juguete–, y aunque ella se lo había contado a
mi padre, él aún no me había visto en acción. Se me ocurrió que
mi madre confiaba en que por fin hubiera llegado ese momento.
Yo seguí hablando muy tranquila.

–Si aceptara, sería solamente por interés. –Pensé, con una
punzada de dolor, en el estéreo que mis padres le habían regalado a Jack para su bar mitzvah–. Para terminar, creo que eso no
estaría bien.

Mi padre hizo un gesto de aprobación para que siguiera.

¿Es que no ha oído que he dicho «para terminar»?, pensé yo,
pero también hice un gesto afirmativo con la cabeza, como si
estuviera decidiendo cuál de mis poderosas razones enunciaría a
continuación.

–No sé en qué creo –dije–, por eso pienso que no debería
subir a un escenario y actuar como una verdadera creyente.

Se oyó la voz de Robert detrás de la puerta mosquitera.
Dijo «*Bima*» en voz muy baja, más para sí mismo que para nosotros. Sabía la palabra que designa el estrado de la sinagoga
porque él, al contrario que Jack y que yo misma, había acudido
a clases de hebreo desde que estaba en el parvulario. Y le encantaba. Este año le habían elegido para dar clases particulares a
los niños de quinto que eran menos listos que él, y ésa era la
única razón por la que había dejado de ir.

Todos nos volvimos para mirarlo, una pequeña figura vestida de blanco.

–¿Sabéis qué son los cilios vibrátiles? –preguntó.

–Cariño, estamos hablando –suspiró mi padre.

Robert había escrito pidiendo ayuda a la Sociedad Ameri-
cana de Lucha contra el Cáncer y a la Asociación de Neumolo-
gía, y citaba con frecuencia párrafos enteros de los folletos que
ellos le habían enviado.

–Los cilios son pequeños pelos que mantienen limpios
vuestros pulmones –citó ahora–, si fumáis, se paralizan.

31

–¿Por qué no vuelves y terminas el postre? –dijo mi madre.

–¿Me habéis oído? –replicó Robert.

–Sí, cariño, te hemos oído –respondió mi padre, y se volvió hacia mí, dándome pie a que siguiera. Yo pensé en decirle: *El bat mitzvah representa todo aquello a lo que me opongo*. Pero sabía que mi padre diría: *¿Por ejemplo?*, y yo no había preparado ningún ejemplo. Cuando estaba armándome de valor para decir: *Ya está decidido y no voy a cambiar de idea,* intervino mi madre.

Y me di cuenta de que si un momento antes ella quizá había deseado que mi padre presenciara mi comportamiento desafiante, ahora había cambiado de idea.

–Pero a ti te gustaba ir a la escuela hebrea –dijo.

–Eso era en primero de básica –respondí. Era cierto que quería mucho a la señorita Bell, mi maestra, y me gustaban las canciones como «Let My People Go» y las historias de celos, pero también era verdad que yo era tan pequeña que cuando la señorita Bell nos hablaba de Dios, Nuestro Padre, me imaginaba al mío.

Y ahora los cuatro lo estábamos mirando. A mi padre, quiero decir. Sólo faltaba que él diera su veredicto. Yo no tenía ni idea de lo que iba a decir. Podía resultar sorprendente, porque era un hombre verdaderamente justo.

–Me gustaría hablar con Sophie en privado –dijo, y Jack y mi madre se pusieron de pie y se reunieron con Robert dentro de la casa.

El cigarrillo de mi padre se había consumido casi hasta el filtro, y él aspiró la última calada. Y vi en su cara cuánto lo lamentaba; puede que ya estuviera calculando las horas que le faltaban para fumar el siguiente cigarrillo.

–Pareces muy decidida –dijo.

–Lo he pensado mucho –conseguí responder con gran esfuerzo.

–¿Sí? Es una decisión muy importante para tomarla sola.

–Sé lo que quieres decir –contesté, y lo que había dicho no

me sonó bien; me di cuenta de que había repetido una frase que mi padre usaba a menudo cuando discutíamos.

Me miró a los ojos y dijo:

–Para un judío, el bat mitzvah es una celebración importante.

Oí en su voz la inesperada magnitud de mi decisión: me separaba no solamente de mi madre, sino de él, y puede que incluso de mis hermanos. Recordé la historia de Moisés, que había hecho que se abrieran las aguas del Mar Rojo para que pasaran los judíos, y vi a mi familia a salvo en la orilla más lejana, y me saludaban con la mano mientras yo me ahogaba con los soldados del faraón en medio de un mar sin salida.

Y apenas podía oír las palabras de mi padre, como si estuviera bajo las aguas.

Me dijo que el bat mitzvah era un rito de paso a la edad adulta.

–Aún me acuerdo del mío. No me gustó nada estudiar y prepararme para la ceremonia –dijo–. A nadie le gusta.

Pues a Robert seguro que sí, pensé yo.

–Tu bat mitzvah no tiene por qué ser como el de Rebecca –dijo mi padre, y su voz sonaba más normal–. No haremos ningún plan hasta que tú nos lo digas –dijo, y seguía mirándome a los ojos–, pero quisiera que probaras a ir a la escuela hebrea.

Era más una petición que una orden, y su tono respetuoso me tranquilizó.

–De acuerdo –le respondí.

–Muy bien –dijo él.

Y un momento después me di cuenta de que había aceptado ir a la escuela hebrea.

Mi madre salió de detrás de la puerta mosquitera.

–¿Quieres un poco de fruta, o alguna otra cosa?

–Sí –respondió mi padre–. Quiero un cojín para este maldito sillón.

–Puede que para el año próximo –dijo ella–. Y ahora Robert te está esperando.

Mi padre me miró.

–¿Hemos terminado, querida? –me preguntó, y yo le dije que sí.

Mi madre me llevó en su coche a la escuela hebrea. Trajo también a Albert para que me levantara el ánimo, y dijo que no le vendría mal escuchar un poco de música, lo que quería decir que yo podía elegir la emisora que quisiera.

–Te lo agradezco –le dije.

Viajamos en silencio. El sol todavía estaba alto, el cielo era de un azul veraniego, y yo me acordé del terreno baldío y de Danny que me decía: «No puedo creer que haya terminado el verano.»

Cogimos por fin el largo camino de la entrada. La sinagoga parecía más bonita si me tapaba el ojo izquierdo y veía solamente la casa antigua, donde estaban las oficinas, y suprimía la horrible construcción nueva que le habían añadido, una especie de túnel submarino, con vidrieras de colores, donde habían puesto las aulas y el templo.

–A la tía Nora y a mí no nos dejaron tener bat mitzvahs. En aquella época eran sólo para chicos –me dijo mi madre en la entrada.

Yo la miré como si no la viera, informándole de que sus palabras me parecían absolutamente innecesarias.

–Bueno, te pasaré a buscar a las cinco y media –me dijo con una sonrisa forzada.

Yo le respondí con mi «Adiós» más malhumorado.

Cuando cerré la puerta del coche, dijo: «Sophie», y por un segundo creí que iba a decirme algo amable o, incluso, *No quiero que sufras, sube al coche que nos vamos*. Mi madre, a diferencia de mi padre, era capaz de volverse atrás.

Pero lo que dijo fue:

–¿No vas a darme las gracias por traerte?

El aula era nueva y moderna, con pupitres en forma de pétalos, un tragaluz y letras hebreas en colores fluorescentes pegadas sobre la pizarra, seguramente para hacernos creer que el hebreo era *fashion*. Pero a mí el aula me parecía la versión Muzak de un rock. Me senté en el último asiento de la última fila para estar más cerca de la puerta.

El profesor estaba escribiendo en un bloc, y no parecía consciente de la docena de adolescentes de doce y trece años que tenía delante. Yo cambié saludos silenciosos con los que conocía del instituto, incluso con Leslie Liebman, que tenía las manos cruzadas sobre su mesa.

Sonó el timbre, y justo cuando empezábamos a encontrar raro que el profesor no comenzara a dar la clase, él se puso de pie. Escribió su nombre en la pizarra y nos miró.

–Mi nombre es Moreh Pinkus –dijo muy lentamente.

Estoy segura de que todos pensamos que *moreh* era su nombre de pila, y nos extrañó; en la segunda clase nos enteramos de que, en hebreo, *moreh* quería decir «profesor».

Es probable que tuviera poco más de treinta años, pero parecía mucho más viejo, como suele suceder con las personas muy religiosas. Estaba casi completamente calvo, y yo me pregunté si se sujetaría el yarmulka con pegamento para que no se le cayera. Daba la impresión de que arrastraba los pies porque los pantalones de su traje eran demasiado largos. Yo habría dicho que era un judío ortodoxo, pero no tenía barba, ni tampoco los largos tirabuzones delante de las orejas que yo creía eran un requisito indispensable de la ortodoxia religiosa.

Moreh Pinkus, después de presentarse, rebuscó en su cartera lo que resultó ser la hoja de asistencia. La repasó de arriba abajo, e incluso dudó un instante antes de hablar; pensé que tal vez no estaba seguro de su propia voz, o quizá no le gustaba.

Empezó por mi nombre:

–¿Applebaum, Sophie?

–Presente –respondí.

Me miró fijamente durante un momento muy largo; tanto, que me pregunté si había adivinado que yo no tenía ningunas ganas de estar allí. Pero hizo lo mismo con el siguiente, y con el que vino después —decía el nombre, después estudiaba el rostro—, hasta que leyó «¿Muchnick, Margie?», y no hubo respuesta. Era posible que Margie hubiera dejado el curso, o que estuviera en la otra clase, y yo esperaba y deseaba que hubiera sucedido una u otra cosa. Margie Muchnick era una de las chicas que vivían en Foxrun Road, o muy cerca —las llamaban las Zorras—, y aunque yo no era una de sus víctimas más notorias, nadie estaba a salvo de ellas; me llamaban Sofá y me torturaban con el asunto de Eric Green.

Moreh Pinkus repitió: «¿Muchnick, Margie?», y ella entró en la clase y dijo:

—Aquí estoy.

Y, lo que es más inexplicable, se sentó a mi lado.

Margie era baja y maciza, llevaba siempre tejanos, camisetas muy holgadas y zapatillas negras. Tenía la cara redonda y el pelo rojo, que se recogía en dos moños, como dos gruesos donuts. Las pestañas y las cejas eran casi blancas, y tenía los ojos pardoamarillentos, como yo me imaginaba los ojos de los zorros.

No hice ningún gesto de reconocimiento y mucho menos pronuncié un *Hola* silencioso, como había hecho con mis otros no-amigos. Fingí que no la había visto, que era lo mismo que hacía cuando me encontraba con cualquiera de las Zorras.

Se hizo un silencio incómodo mientras Moreh Pinkus esperaba a que Margie se disculpara por llegar tarde; el profesor volvió por fin a la hoja de asistencia y leyó el siguiente nombre.

Leslie Liebman, para compensar la descortesía de Margie, ayudó a Moreh Pinkus a repartir los libros de Hebreo I.

Margie hojeó rápidamente los ejercicios y las lecciones. «¡Apasionante!», dijo por lo bajo.

Moreh Pinkus escribió en la pizarra el alfabeto hebreo; después fue diciendo lenta, lenta, muy lentamente el nombre de cada una de las letras y cómo se pronunciaban, y esperó después de cada una de ellas hasta que lo repetimos. Hacía calor, y Moreh Pinkus se quitó la chaqueta y la colgó del respaldo de la silla. Yo me fijé, cuando volvió a la pizarra, en que al pasar el cinturón por las presillas de la cintura del pantalón se había dejado una. También observé que llevaba una alianza, y se me ocurrió que no estaría mal que la señora Pinkus le hiciera un repaso a su marido antes de que fuera al trabajo. Intenté concentrarme en Moreh Pinkus, pero no era fácil.

Margie se arremangó y dejó ver una muñeca llena de pulseras de bebé –perlitas diminutas que se alternaban con pequeños cubos con letras del alfabeto, todo montado en una cadenita que te dejaba una marca verde en la muñeca–, el símbolo de amistad del último año. Yo había perdido las mías en el mar, y ahora, así como la alianza de Moreh revelaba que el profesor estaba casado, mi muñeca desnuda parecía proclamar que yo no tenía amigos.

Yo seguía deseando que Margie no se hubiera sentado junto a mí. Me pregunté si llamaría mucho la atención que me cambiara de lugar.

Pero la propia Margie resolvió el problema. Tuvo un acceso de tos, muy ruidoso y evidentemente falso. Pensé que estaba tratando de divertirse, o tal vez quería que el profesor dejara de escribir en la pizarra y se volviera para mirarla. En verdad, estaba montando un número que le sirviera de excusa para escapar: salió de la clase como si necesitara desesperadamente un poco de agua.

Me sentí mejor cuando se marchó. Repetí junto al resto de la clase lo que nos decía Moreh Pinkus, pero las letras hebreas se negaban a entrar en mi cabeza. Me sumergí en una especie de aburrido sopor, que interrumpía solamente para mirar la hora en el reloj de la pared, deseando que la aguja que señalaba los minutos hiciera tictac más rápido.

Miré a la pizarra y luego a mi cuaderno, e hice como que tomaba notas, aunque lo que escribía era la letra de «Highway

61 Revisited», la canción de Bob Dylan. Me demoré en «God said to Abraham kill me a son / Abe said: "Man, you must be puttin' me on"»,[1] una respuesta que me parecía pertinente.

Hasta que no tuve que ir al aseo no advertí que Margie se había marchado hacía mucho rato. *Volverá en un segundo*, pensé. Escribí toda la letra de «I Shall Be Released» hasta que comencé a desesperarme por ser libre yo también. Y me fui de la clase.

Margie no estaba en el surtidor ni en el pasillo, y no se veía absolutamente a nadie. Por si acaso, en lugar de ir al aseo que quedaba dos aulas más allá, me dirigí al que estaba al otro lado del templo, al final del corredor, pasadas las aulas, el vestíbulo y la tienda de regalos.

Abrí la puerta del aseo de señoras, vi a Margie e hice un esfuerzo para aparentar tranquilidad. Estaba sentada de lado, las piernas colgando por encima del brazo de uno de los grandes sillones de terciopelo color granate dispuestos frente al espejo.

–Ah, hola, Sofá.

–Qué tal, Margie –respondí, y entré por la segunda puerta en la zona de los retretes y los lavabos.

No pensaba decirle nada cuando pasara a su lado para irme, pero fue ella la que me habló:

–¿No te parece increíble?

Di por sentado que se refería al sufrimiento de estudiar hebreo, y le respondí:

–Sí que lo es.

–¿Tienes caramelos, o un chicle?

–No, lo siento.

Sacó un paquete de cigarrillos y me preguntó si quería uno.

Dudé un instante, pero cogí el cigarrillo, y cuando encendió la cerilla me incliné hacia la llama. Imité a mi madre cuan-

---

1. «Dios le dijo a Abraham mata a tu hijo para mí / Abe respondió: "Eh, tío, me estás tomando el pelo."»

do dejaba que mi padre le encendiera el cigarrillo, y solté el humo como lo hacía ella, hacia el techo.

Margie sostenía su cigarrillo entre los dientes como un matón; ella también estaba imitando a alguien; puede que al Pingüino de *Batman*.

Me fascinaba verme a mí misma fumando, pero hice un esfuerzo y le di la espalda al espejo, por si Margie me estaba mirando. Mantuve la mirada fija en el papel de las paredes, decorado con un motivo de mujeres en granate y plateado con los cabellos ondulando en grandes remolinos, como las que se ven en los dibujos de Peter Max. Y entonces, de tanto mirar los remolinos, me sentí mareada. Y, para poder poner la cabeza entre las piernas, simulé que se me había caído un pendiente en la moqueta.

—¿Qué has perdido? —me preguntó Margie.

Yo no podía hablar.

Cuando me encontré mejor, hice como que me ponía el pendiente, y me senté.

Mantuve el Marlboro entre los dedos hasta que se consumió lo bastante como para considerarlo fumado, y fui a tirarlo al váter.

Me quedé un momento en la cabina; me sentía tan aliviada que la sensación era casi de júbilo: no me habían pillado fumando y no había hecho nada como para que Margie pudiera burlarse de mí, o contárselo a las Zorras.

En el tocador, Margie me tendió la mano y yo comprendí que me estaba proponiendo o desafiando a un pulso chino. Me senté otra vez. Enlazamos los dedos. Nuestros pulgares dieron los golpecitos de rigor, de lado a lado, uno, dos, tres.

Su ágil pulgar bailaba mientras el mío se arrastraba; el de ella era un espadachín, y el mío, un oso polar. Por fin torció con fuerza mi dedo y lo inmovilizó.

—Gané —dijo.

Yo traté de copiar sus ágiles movimientos de pulgar, pero volvió a ganarme.

Después de siete pulsos, anuncié que volvía a clase y ella no me retuvo.

Margie volvió cuando la clase estaba a punto de terminar y Moreh Pinkus copiaba en la pizarra los deberes de Hebreo I.

—¿Eso son deberes? —preguntó Margie sin levantar la mano.

—¿Cómo dices?

—Ya nos dan deberes en el colegio. Yo tenía entendido que usted no nos iba a dar nada para hacer en casa.

Me pregunté si sería cierto —confiaba en que lo fuera—, pero probablemente no era más que otro ataque de tos.

—Si quieres aprender hebreo —respondió él con su voz pausada, interminable—, tendrás que estudiar.

Se despidió de nosotros con un formal «Shalom», y unos pocos le respondimos murmurando shaloms mucho más tímidos.

Margie caminó junto a mí hasta donde estaban esperándonos todas nuestras madres y sus furgonetas. Cuando encontró a las suyas, se volvió y me dijo:

—Hasta luego, Lucas.

—¿Qué me cuentas? ¿Ha sido la tortura que esperabas? —me preguntó mi padre en la cena.

—Peor —contesté yo, y estaba preparada para dar más explicaciones. Confiaba en que si le contaba la verdad, él me diría que le alegraba que al menos lo hubiera intentado, que era lo que finalmente había dicho con respecto al tenis.

Pero vi que sentía que yo le había fallado, y aquello lo molestaba un poco; se le puso cara de cansancio, como cuando miraba mis notas del colegio.

Robert empezó a hablar de su primer día como profesor particular de Doug Sloane, que había repetido dos cursos, y me rescató; mi hermano se puso a imaginar en voz alta la terrible experiencia de repetir curso.

Es imposible que tú repitas, pensé, *porque eres un genio, y Doug Sloane un retrasado mental.*

Jack comentó que el hermano mayor de Doug, que también había repetido, estaba en el equipo de fútbol. Y esto llevó a una descripción de un pase que había conseguido interceptar en el entrenamiento, en una jugada que él llamaba «una bomba». Después dibujó el diagrama de la jugada en una servilleta y nos la fuimos pasando.

–Entonces, ¿tú piensas que estuvo mal que le hicieran repetir el curso a Doug? –preguntó mi padre, dirigiéndose a Robert.

–Me da pena por él.

–Te comprendo –dijo mi padre–. Pero todo lo que habías aprendido en cuarto te ha servido luego para quinto, ¿no es verdad?

Discutieron durante un rato acerca del sistema educativo, y lo que éste podía hacer por Doug, y luego Robert me preguntó:

–Tú conoces a Doug Sloane, ¿no?

Mi hermano sabía muy bien que yo lo conocía, y sólo trataba de incluirme en la conversación.

–¿Tenéis idea de cuál es el índice de analfabetismo entre los adultos en este país? –intervino mi madre. Yo dudaba de que ella lo supiera. Mi madre, como yo, no registraba hechos ni adquiría conocimientos, sino que experimentaba sensaciones, sentimientos. Se sentía insegura por no ser lo bastante culta, por ejemplo.

Nos miró, y ninguno de nosotros sabía cuál era el dichoso índice.

–El diecisiete por ciento –dijo.

Y yo pensé: *El ochenta y cinco por ciento de las estadísticas se inventan sobre la marcha.*

Yo casi nunca veía a Margie en el instituto. El Flynn Junior High era enorme comparado con Surrey Elementary, la escuela primaria, y no teníamos ninguna clase en común. La primera vez que me la encontré en el corredor, me saludó con un solemne «Shalom», y por como se rieron las otras Zorras comprendí que creían que me estaba imitando a mí y no a Moreh Pinkus.

Un día, cuando para ella era la hora del desayuno y yo estaba en clase de matemáticas, miré por la ventana y la vi sentada en lo alto de la tapia del patio; las demás Zorras estaban tendidas en hilera, tomando el sol, con las camisas levantadas para que la barriga se les pusiera morena. Margie se levantó, dijo algo que sonó como «Adiós, mundo cruel», saltó y se dio un buen golpe contra el suelo. Las demás Zorras ni siquiera la miraron.

A diferencia de los otros profesores de hebreo, Moreh Pinkus no nos daba un descanso en medio de las clases; cuando Margie se lo sugirió, él no la entendió y le dijo: «Puedes ir al aseo cuando quieras.» Ella salió inmediatamente de la clase y volvió sólo para marcharse de nuevo.

Moreh Pinkus repasó con nosotros el alfabeto hebreo, pero ahora la clase podía repetir en voz alta, sin la ayuda del profesor, el nombre de las letras y su pronunciación. Al parecer, yo era la única que había olvidado hacer los deberes, la única que no había memorizado el alfabeto, ni había estudiado las palabras del vocabulario. Hacía apenas dos semanas que habíamos comenzado y yo ya era la Doug Sloane de Hebreo I.

Cuando Margie volvió a clase, me marché yo.

Cuando estaba en el pasillo oí que me llamaban y me di la vuelta. Era la señorita Bell, mi profesora de cuando yo era pequeña.

Era emocionante que se acordara de mí.

Me contó que ya no daba clases; ahora ayudaba al rabino. Y justamente iba al despacho de él; yo la acompañé.

–¿Le gusta su nuevo trabajo? –le pregunté.

–Echo de menos a los alumnos como tú.

Cuando me preguntó quién era mi profesor y si me gustaba el hebreo, recordé la decepción de mi padre al decirle la verdad. Y le respondí a la señorita Bell que Moreh Pinkus y el hebreo eran geniales.

Después, ella giró a la izquierda para ir al templo, y yo a la derecha, directo al aseo de señoras. Me estaba lavando las manos cuando se abrió la puerta.

–Coge una toalla de papel –dijo Margie.

Y la usó para dibujar la horca y los espacios del juego del ahorcado.

Jugar no me molestaba, lo que me molestaba era que me lo impusieran. Yo jugaba mejor al ahorcado que a los pulsos chinos. Y Margie acabó colgada una vez tras otra. Pero seguía diciendo: «Una partida más.» Cuando me levanté para marcharme, me ofreció los cigarrillos que le quedaban si yo jugaba una vez más.

Y jugué, pero no acepté sus cigarrillos.

–Vamos, son tuyos –dijo, y me contó que tenía una despensa sin fondo; sus padres compraban cartones enteros de cigarrillos.

–No les importa –dijo, y yo di por sentado que era su manera jactanciosa de decir que no se daban cuenta. Se quedó con un cigarrillo y me arrojó el paquete.

Yo lo cogí casi sin darme cuenta.

–De acuerdo. Gracias –dije, y me levanté para irme.

–Sophie.

Me quedé pasmada al oír que Margie me llamaba por mi verdadero nombre. Me llevó de vuelta a una época en la que yo no le tenía nada de miedo. Cuarto grado de primaria, girl scouts. Y me adoré de cuando me despertaba en una tienda y la ropa que me ponía estaba tibia porque la madre de Margie, que era la monitora, había hecho que la guardáramos en el fondo de nuestros sacos de dormir.

Cuando me di la vuelta y la miré, Margie se había metido un cigarrillo en cada uno de los agujeros de la nariz.

43

Tuvimos un veranillo de San Miguel que duró varios días, y la gente se reunía en el patio. Desde mi clase de matemáticas vi a un grupo de chicos, debían de ser de octavo, o de noveno quizá, que hablaban con las Zorras mientras ellas tomaban el sol en la tapia. Margie estaba sentada bien al fondo y, para divertirse, hacía muecas parodiando a los chicos.

Cuando volví a mirar hacia el patio, Margie ya no estaba. Pero en cambio vi a Eric Green –un ramalazo de su pelo rubio, en verdad–. Y luego, por entre los huecos de la multitud, lo vi caminar empujando su bicicleta –una Peugeot blanca de diez velocidades–, pero no pude ver mucho más hasta que llegó a la arcada. Y entonces tuve una vista perfecta de Eric desde atrás: su brazo rodeaba los hombros de una chica que yo no conocía, y había enganchado un dedo en la presilla de la cintura de los tejanos de ella.

Y faltó poco para que le diera las gracias al señor Faye, el profesor de matemáticas, cuando bajó las persianas y cerró la ventana.

En la escuela hebrea, Moreh Pinkus pasó lista y llamó dos veces a Margie, igual que el primer día, y luego la señaló como ausente.

Al parecer, no se había aprendido casi ningún nombre, con la sola excepción de las estrellas de la clase: Mitchell Cohen, un genio tímido que me recordaba a Robert, y Leslie Liebman, cuya mano estaba perpetuamente levantada y tenía siempre una palabra hebrea –o una frase, a medida que la clase progresaba– lista para salir de sus labios de niña repipi.

Cuando alguien que no fuera ellos levantaba la mano, Moreh Pinkus decía «¿Sí?» de mala gana. Pero prefería llamar al «señor Cohen» o a la «señorita Liebman», cuyas respuestas eran siempre correctas, como si tuvieran una garantía.

Los que nunca levantábamos la mano parecíamos invisibles. Cuando me fui de la clase ni siquiera me miró.

Caminé por el pasillo hasta el vestíbulo y miré el contenido de la vitrina que llamaban pomposamente «tienda de regalos», y que siempre estaba cerrada. Allí no había nada que yo deseara –ni las menorahs, ni las joyas con motivos judíos, ni tampoco los libros ilustrados para niños sobre la historia o las fiestas judías–, pero repasé los estantes por si pudiera haber un álbum de Bob Dylan que yo no tuviera, o las blusas campesinas bordadas con punto de cruz que me gustaban.

Y de allí, al aseo de señoras. Estaba arrellanada en uno de los mullidos sillones cuando oí unos golpes que venían del baño.

Abrí la puerta. Margie intentaba sacar las monedas de la máquina de compresas.

–No sabía que estabas aquí –dije.

–Es que no estoy –respondió.

Me impresionaba que Margie no estuviera dispuesta a permanecer en clase ni siquiera un segundo para decir: *Presente*. Esto hacía que su rechazo pareciera más valiente y rotundo que el mío.

–¿Tienes algo para comer? –me preguntó.

Yo no tenía nada.

Cuando encendió un cigarrillo para mí, noté que todavía llevaba sus pulseras de bebé. Era la única. Ahora estaba de moda entre las chicas y los chicos una pulsera de identidad de acero inoxidable que llevaba grabado el nombre y el número de serie de un soldado desaparecido en Vietnam. La llamaban una pulsera DEC –Desaparecido en Combate–, y yo tenía la impresión de que las hacían sobre pedido, ¿pero a quién había que dirigirse? Le pregunté a Margie si lo sabía.

–No sé de qué estás hablando –me respondió, y se levantó e intentó abrir la puerta del armario de suministros. Estaba cerrada con llave, pero unos minutos después Margie se puso otra vez de pie y volvió a intentarlo, como si la puerta pudiera abrirse sólo con tiempo y paciencia. Yo no comprendía su atracción por ese armario, y le dije que lo más seguro es que sólo hubiera toallas y papel higiénico.

45

–¿Eso crees? ¿Y por qué entonces lo cierran con llave? –me preguntó.

Anuncié que volvía a la clase.

–¿Para qué?

–Estoy aprendiendo hebreo –respondí.

Y allí mismo inventó un espléndido idioma que no quería decir nada y que sonaba tan hebreo como el propio hebreo. Yo le contesté de la misma manera, mezclando las pocas palabras de hebreo verdaderas que conocía con las falsas. Al principio estábamos muy animadas y teatrales, pero yo luego me puse seria y le conté que había visto a Eric Green con su nueva novia. Encontré las palabras, en ese hebreo inventado, para describir con exactitud cómo me sentía. Y fue un alivio poder contarlo.

Margie respondió con un discurso en broma, agitando las manos, y yo pensé: *¿Pero no has comprendido la importancia de lo que acabo de contarte?* Después me dije a mí misma que yo no había hablado en inglés. Aun así, me costó perdonarla.

Me levanté y dije: «*Mishpoka*», que quería decir: *Nos vemos*, y ella también me respondió: «*Mishpoka.*»

Y después, afuera, al vestíbulo. Pero aún no me decidía a volver a la clase, así que me detuve en la tienda de regalos para mirar otra vez todas aquellas cosas que no querría ni regaladas.

–¿No deberías estar en clase? –me sobresaltó la voz de la señorita Bell.

Me di la vuelta y esperé que me reconociera, que reconociera a la estudiante que la hacía añorar la época en que daba clases.

Lo único que hizo fue parpadear.

Y yo sólo pude afirmar con la cabeza, decir: *Sí, ahora voy*, y marcharme.

Caminé por el largo pasillo de vuelta a la clase. Antes de abrir la puerta, me di la vuelta y vi que la señorita Bell todavía estaba en el vestíbulo, de brazos cruzados, mirándome.

46

Cuando volví a casa después de la clase de hebreo, Jack estaba sentado en el suelo de la cocina leyendo su novela favorita, *El extranjero*, y Albert estaba a su lado.

Yo también me senté en el suelo.

–Odio la escuela hebrea –dije.

–Ya, como todos –dijo Jack.

Me di cuenta de que mi hermano había vuelto pronto a casa.

–¿No tienes entrenamiento? –le pregunté.

Hizo como que no había oído mi pregunta, pero yo había aprendido de mi padre que si esperabas el tiempo suficiente, Jack acababa por responder.

–Teníamos que jugar un partido fuera –dijo por fin.

–¿Y por qué no has ido?

Hablaba en voz tan baja cuando contestó, que yo pensé que no quería que lo oyera.

–Yo no iba a jugar, de todas formas.

–¿Por qué no?

Su voz se elevó hasta alcanzar un volumen normal, pero sonaba más alta porque antes había hablado en un tono muy bajo.

–¿Por qué? –dijo–. Porque no soy lo bastante bueno.

Iba a decir: *Eso no es cierto*, pero me di cuenta de que sí lo era; de no ser así, mi hermano no lo habría dicho. Esperé un minuto, y luego le dije:

–Qué coñazo.

Mi hermano se rió, y yo respiré, aliviada.

–¿Quieres que veamos dibujos animados? –me preguntó después.

–¿Dibujos animados?

–He estado pensando que ya nunca ponemos dibujos animados.

¿Acaso alguna vez lo hicimos?, pensé yo.

Cogimos vasos de leche y un plato con galletas de avena, y subimos al cuarto de invitados, que era donde estaba la tele.

Jack puso una cadena donde daban *Spiderman*, y dijo:

–Mira, es Spidey.

–Tendríamos que comprarnos un televisor grande, y en color –dije yo.

–Mamá y papá no quieren otro televisor –respondió él, como si yo no lo supiera.

Cuando llevábamos tres minutos con *Spiderman*, mi hermano dijo:

–El problema es que ya no me gustan los dibujos animados.

–Pues a mí no me han gustado nunca. –Me levanté y cambié a la cadena donde reponían *The Brady Bunch*–. ¿Cuál es el problema?

–Me imagino que me da miedo que se me estén acabando las cosas que me gustan –dijo, y hablaba en serio.

–Pero te gustan cosas nuevas. Como el fútbol.

Pero no bien lo dije, me arrepentí. Y seguí hablando para tratar de borrar mis palabras.

–En verdad, ni siquiera entiendo por qué se te ocurrió empezar a jugar.

Esperé un rato largo, muy largo, a que me contestara. Y finalmente le puse la mano en los bíceps y él, sin decir nada, los sacó para mí.

Le pregunté si se le ocurría algo para que yo pudiera dejar la escuela hebrea.

–Habla con papá –me dijo.

–¿Y qué le digo?

–Di que interfiere con tus clases en el instituto.

Yo prácticamente no había hecho deberes desde que empezó el curso.

–No, creo que no puedo decirle eso.

Me miró fijamente durante un instante.

–Deberías hacer los deberes, Sophie –me dijo. Luego apagó la televisión y se marchó a su cuarto.

Yo volví a encenderla, pero estaba demasiado furiosa para mirar nada.

Al pie de la escalera que llevaba a su dormitorio, que antes era nuestro trastero, di unos golpes en la pared.

–No subas –me dijo desde arriba.

–Quiero hablar contigo.

No me contestó.

–No vuelvas a decirme que tengo que hacer los deberes –grité–. Tú no eres mi padre.

Bajó la escalera en chándal.

–¿Me has oído? –le pregunté.

–Sí, no soy tu padre.

–Exactamente –le dije, y fui tras él a la cocina.

–De acuerdo –dijo, en el tono que usaba mi padre cuando decía: *Tienes razón.*

Me quedé mirándolo mientras se ponía los calcetines y se ataba los cordones de las zapatillas.

Mi hermano ya estaba con medio cuerpo fuera cuando dije la frase de *Sonrisas y lágrimas* que había repetido este verano cada vez que él se iba a correr: «No puedes escapar de tus problemas, Liesl: tienes que enfrentarte a ellos.»

Hasta entonces, mi hermano siempre se había reído cuando yo se lo decía; le gustaba repetir los chistes tanto como a mí. Pero me di cuenta de que éste ya no le hacía gracia; abrió la puerta y se marchó corriendo por la avenida.

Cuando volvió, sudoroso y con la cara encendida, yo estaba ayudando a mi madre con la cena. Jack hacía estiramientos contra la furgoneta. Abrí la puerta y, sin pensarlo, hice el chiste que hacía siempre cuando él volvía.

–¡Sabía que algún día volverías!

Esta vez sonrió, y yo entonces seguí con la broma. Fingí que mi hermano había estado ausente durante años, y él me permitió que lo abrazara.

–¡Ya te dije que volvería! –le dije a mi madre–. ¡Hay que celebrarlo!

Decidí que iba a hablar con mi padre después de la cena; le diría que no tenía aptitudes para el hebreo, y también intentaría que comprendiera el mensaje de la canción de Bob Dylan «It Ain't Me, Babe».[1] Aunque era evidente que había sido escrita pensando en una novia, la canción contenía el mensaje que yo tenía que transmitir a mis padres: Por desgracia, todos teníamos que enfrentarnos al hecho de que yo no era la persona que ellos querían que fuera.

La puerta del despacho de mi padre estaba abierta pero, como de costumbre, Jack estaba dentro. Decidí esperar en el vestíbulo. Acababa de sentarme cuando oí que Jack decía:

–Interfiere con mi ingreso en la universidad.

–No veo por qué –respondió mi padre.

Se hizo un silencio, y supe que mi padre estaba esperando que Jack le dijera la verdad.

–Quiero pasar más tiempo con Robert y con Sophie antes de irme de casa –dijo mi hermano por fin.

–Es una buena idea.

–Estoy preocupado por Sophie –dijo Jack.

–Eso ya no es asunto tuyo, colega.

–No sé, da la impresión de que está perdida –dijo Jack.

Yo pensé: *¿Perdida? ¿Qué dice? ¿Por qué estoy perdida?* Y, de repente, me sentí perdida.

–¿Quieres dejar el fútbol para cuidar de Sophie? –le preguntó mi padre, que tenía el don de volver a formular una idea con las palabras justas para que uno pudiera darse cuenta de la idiotez que había dicho–. Yo creía que el fútbol te gustaba.

–No lo sé. Ya no sé qué me gusta y qué no –dijo Jack. Y luego empezó a hablar de *El extranjero* y de la carencia de sentido de las cosas. Como todo eso para mí no tenía sentido, pensé en subir a mi habitación a preocuparme por mí misma.

La voz de mi padre era amable, pero advertí que comenzaba a impacientarse cuando dijo:

1. No es culpa mía, cariño.

–Dejemos el existencialismo para otra ocasión.

Después hizo la misma pregunta que yo, que por qué se le había ocurrido a Jack jugar en el equipo de fútbol, y yo pensé: *Sophie, has marcado el primer tanto.* Puede que yo no estuviera tan perdida, después de todo.

Jack tardó mucho rato en responder.

–Me imagino que porque quería ser uno de esos tíos que juegan al fútbol.

–¿Y cómo son esos tíos? –preguntó mi padre, y era justamente lo que yo quería saber.

–O porque no quería ser uno de esos tíos que *no pueden* jugar al fútbol.

–¿Y qué tiene de malo ser un intelectual judío gilipollas? –le preguntó mi padre. Quería decir alguien como él.

Era divertido oír a mi padre usar una palabra como *gilipollas,* y yo esperaba que Jack se riera, pero dijo:

–Me he esforzado mucho. –Y había tanta tristeza en su voz que se me hizo un nudo en el estómago.

Mi padre dijo cosas como «Antes no habías jugado nunca al fútbol» y «Lo importante es conseguir entrar en la maldita universidad», y luego empezaron a hablar de otras universidades en las que mi hermano también podría solicitar el ingreso, y de las ventajas de Penn frente a Cornell.

Yo me acosté en la alfombra e investigué su trama. Estaba raída y había un largo hilo que parecía que tenía ganas de que alguien tirara de él. Me dije a mí misma que si me contenía, y no tiraba de él, mi padre me permitiría dejar la escuela hebrea.

Desperté con mi padre diciéndome: «¡Cariño!», y la áspera alfombra en la mejilla.

Me senté.

–¿Querías hablar conmigo? –me preguntó.

Asentí con la cabeza, y bostecé.

Él también bostezó, y me preguntó si podíamos dejarlo para mañana; le dije que sí.

Pero mañana era jueves, la noche que jugaba al tenis, y el viernes decidió ir a la sinagoga. Robert fue con él, y se comportaba como si aquello fuera un convite maravilloso. Desde mi ventana los vi alejarse calle abajo, la mano de mi padre en el hombro de mi hermano.

Mientras estaba en la clase de matemáticas, y a pesar de que desde la semana del veranillo de San Miguel el señor Faye había mantenido las persianas bajas, yo era consciente, aun sin verlos, del cielo gris y la llovizna, y de la tarde tan fría y triste.

El ruido de una pelota que golpeaba contra una de las paredes hizo que el profesor fuera hasta la ventana y levantara la persiana.

Todos nos dimos la vuelta para mirar. Margie estaba en el patio, sola. Tenía una pelota de un color entre pardo y rojo oscuro en la mano, y cuando el señor Faye abrió la ventana, estaba a punto de dejarla caer para volver a darle con el pie.

—Perdón —dijo antes de que él abriera la boca.

Cuando el señor Faye cerró la ventana y bajó las persianas, yo recordé a Margie jugando al *kickball* en Surrey. Cuando le tocaba a ella, los demás jugadores se alejaban todo lo que podían. Yo la había visto patear la pelota por encima de la valla por un *home run*. La recordaba corriendo hacia las metas. Después del partido siempre tenía un aspecto desastroso —acalorada, sudorosa, los ojos bizcos, sin aliento—, pero ahora me daba cuenta de que ella entonces era feliz.

Casi nadie jugaba al *kickball* en Flynn, y menos las chicas. En ese momento sentí pena por Margie, pero no creo que ella se compadeciera de sí misma. En el mismo instante en que el señor Faye volvía a la pizarra, otro pelotazo retumbó contra la pared.

Aquel miércoles llevé una bolsa de galletas de jengibre a la escuela hebrea. Sabía que Margie no iba a estar en clase, pero pensé que tal vez estaría en los aseos, y así fue.

Se había sentado al revés en el sillón de terciopelo, la cabeza en la alfombra y las zapatillas de baloncesto en el aire. Tenía en las manos el álbum de cuando terminamos sexto grado en Surrey, titulado «Recuerdos: tal como éramos».

Me pidió que recuperara su cigarrillo del cubo de la basura y lo hice, y también me aseguré de que no hubiera iniciado un incendio que hiciera arder la sinagoga.

Cuando me dio las gracias por las galletas, lo hizo con una voz completamente inexpresiva, y yo imaginé que se debía al esfuerzo que significaba hablar cabeza abajo.

Pensé que ojalá hubiera llevado un poco de leche. Con leche las galletas de jengibre sabían mejor, sobre todo si, como yo sospechaba, estaban tan pasadas como las de mi bolsa. Margie se sentó y se las comió pausadamente, pensativa, ablandando cada bocado en la boca antes de masticarlas.

Me senté en el sillón contiguo al suyo, y compartió conmigo el álbum de graduación. Lo había abierto en una página donde una de las Zorras había escrito: «¡No cambies nunca!», y otra: «¡Zorras para siempre!» En la página opuesta, vi mi propia foto y mi firma. Lo que yo había escrito ahora parecía una ironía: «¡Buena suerte en el instituto!»

–Me alegro de haberlo conservado –dijo, como si el álbum fuera un indicio fundamental que iba a demostrar, en un futuro tribunal de la amistad, la inocencia de ella y la culpabilidad de las Zorras–. No soy yo la que ha cambiado –dijo luego.

Y, de repente, me enfurecí. Recordaba a las Zorras, en el recreo, atacando en pandilla a cualquiera que estuviera solo. Pensé en sus víctimas habituales: a Richie, que era delgado y pálido, le llamaban «Mariquita»; a Sheralynn, que era tímida, «la Rarilla», y a Charles, que era retrasado, pues eso, «Retrasado».

«Sofá», en comparación, era muy suave, y al principio no me había importado que cantaran «Sofá y Eric están sentados en un árbol, y se besan muac muac muac». Hasta había confiado en que la canción le hiciera ver a Eric sus verdaderos sentimientos y volviera conmigo. Pero esto no pasó y la canción se convirtió en una tortura, y también el ruido de besos con que la acompañaban.

Sabía que mi madre no podía ayudarme; ella pronunciaba la palabra *clique* en perfecto francés, y me iba a decir que las Zorras estaban celosas y que no les hiciera caso.

Y fui a hablar con mi padre. Como de costumbre, quiso que le contara toda la historia, y también mi parte en el asunto: «¿Y por qué se burlan de ti?»

Le conté que decían que era rara.

–Ah, cariño, los mansos heredarán la Tierra –dijo mi padre.

En aquel momento, yo sólo había escuchado que era mansa, y eso me sonó aún peor que oír que me llamaban *loca de amor* y *Sofá*. Pero ahora recordé el tono de voz de mi padre, tan cariñoso, y me pregunté si él no había querido decir que mansa era lo opuesto a déspota y si el mensaje no dicho era que un día los tiranos caerían.

Y, al parecer, ese día había llegado para Margie. Ahora se había vuelto importante ser bonita, y ella no lo era; había que gustar a los chicos, y ella no gustaba a nadie. Todas las chicas que yo conocía habían abandonado las girl scouts. Estaba segura de que todas las Zorras lo habían hecho, y hasta dudaba de que siguieran considerándose Zorras, salvo en su acepción de «chicas sexy».

Margie se apretaba los párpados con los pulgares –estaba llorando–, y me sorprendió descubrir que sentía pena por ella. Traté de pensar en qué podía decirle. Recordé que parecía muy feliz cuando estaba en las girl scouts, con su uniforme verde claro y su fajín verde oscuro lleno de insignias. Para ganarlas, había que realizar tareas imposibles, como visitar a una persona mayor durante todo un año; al final de mi temporada en las girl scouts, yo había prendido a mi fajín exactamente tres insignias, ni una más ni una menos. Y ahora me maravillé en voz alta del montón de insignias que había ganado Margie.

54

–Me ayudaba mi hermana Joy –dijo.

Sus dos hermanas ahora estaban estudiando en Penn State, y casi nunca iban a casa, «sólo para las vacaciones», dijo.

Le conté que mi hermano se marchaba a la universidad el año próximo y que ya estaba muy cambiado.

–Joy se ha prometido –dijo, como si ésta fuera la traición definitiva. Un instante después, añadió–: Él se llama *Ted*.

Se la veía más triste que nunca, así que traté de llevar la conversación de vuelta a las girl scouts.

–¿Sabes lo que me gustaba de los campamentos?

–¿Qué? –Y me dio otro cigarrillo.

No tenía preparada una respuesta, e intenté recordar qué era lo que me había gustado.

–Las actividades al aire libre.

Me dijo que dentro de dos semanas había una excursión.

–¿Quieres venir?

–¿Puedo ir aunque ya no sea girl scout?

–Lee irá. –Cuando vio que yo no sabía quién era Lee, añadió–: La señorita King.

La señorita King –o la señorita K., como la llamaban algunas chicas– cantaba y tocaba la guitarra cuando íbamos de campamento. Siempre llevaba la misma ropa, pantalones y camisa tejanos, una chaqueta de ante y unas botas viejas de cuero como las que se suponía que usaban los cantantes de country. Era fuerte y fornida, su cara se parecía a la de Arlo Guthrie y llevaba el pelo como Bob Dylan. Yo había intentado, sin éxito, que me gustara; en una ocasión, después de que todos cantáramos a coro «Blowin' in the Wind», la señorita K. dijo que yo desafinaba.

–Claro, pero ella puede ir porque toca la guitarra, ¿no?

–No, va porque es la mejor amiga de mi madre –dijo Margie–. Vive prácticamente en nuestra casa.

Tiempo después oí decir que la señorita King estaba enamorada de la señora Muchnick.

—A mi padre no le cae bien —siguió Margie.

No me podía imaginar a ninguna amiga de mi madre, ni siquiera a la tía Nora, viviendo con nosotros, sobre todo si no le caía bien a mi padre.

—De todas formas, puedes venir si quieres.

—Lo preguntaré en casa —respondí, aunque sabía que no lo haría.

Sonó el timbre y ni siquiera pude volver a la clase para buscar mi libro de Hebreo I, lo que hizo que me sintiera como una delincuente.

A la hora de la cena, mi padre dijo que hacía días que quería preguntarme cómo me iba en la escuela hebrea.

Tragué saliva y respondí:

—Igual.

—¿Pero te estás esforzando de verdad?

Me había olvidado que esperaban de mí que hiciera algo más que decir «¡Presente!» todos los días, e imaginándome mi libro de Hebreo I olvidado sobre mi mesa en la sala a oscuras, apenas pude asentir con la cabeza.

Cuando me enviaron a buscar cigarrillos al sótano después de la cena, me alegré de poder estar sola unos minutos. Me detuve delante de mi cocina de cartón. Había sido antes de Rebecca, y cuando la tía Nora me la dio como regalo de cumpleaños, parecía haber soportado años de preparación de menús institucionales y banquetes. Yo me había sentido amargamente decepcionada, sobre todo por la cocina propiamente dicha: era blanca con tres círculos concéntricos rojos para los quemadores, y el que debía ser el cuarto fogón había sido arrancado y se veía el cartón ondulado de color pardo. Yo había mirado la cocina entre incrédula y atónita, y había pensado: *¡Yo con esto no puedo cocinar!*

—¿No vas a darle las gracias a la tía Nora? —había preguntado mi madre.

–Gracias.

Y la tía Nora, delante de mí, le había dicho:

–Tendrías que ser más severa con esta chica.

Más tarde mi madre me había reprendido por mi mala educación:

–¿Pero no es de mala educación regalar algo usado? –dije yo.

–A veces eso hace que un presente sea aún más valioso –me respondió ella.

Moreh Pinkus tenía en la mano mi libro de Hebreo I, y me lo dio. No sabía si darle las gracias o disculparme. Al final, no dije nada.

Cuando terminamos, anunció que la semana siguiente no habría clase «para cumplir con el rito de Yom Kippur, el Día del Perdón», y aunque su voz sonaba muy seria debido a la importancia de la festividad, yo de todas formas experimenté la alegría que da un indulto inesperado. Habría aplaudido si alguien más lo hubiera hecho, pero en cambio escondí las manos bajo la mesa y mis dedos interpretaron una alegre danza tradicional.

Es posible que los demás estuvieran tan emocionados como yo; cada vez que Moreh Pinkus hacía una pregunta, casi todos levantaban la mano. Era como si de repente todos se hubieran transformado en Leslie Liebman y Moreh Pinkus, ante semejante metamorfosis, los dejara responder a sus preguntas.

Al cabo de un rato, dijo:

–Dejad los libros en el suelo, por favor, y coged un bolígrafo.

Usted no puede a hacernos un examen sin avisar, pensé yo. Pero nadie más parecía sorprendido, y me di cuenta de que el profesor debía de haber anunciado el examen al final de la clase de la semana anterior, cuando yo estaba en el aseo; yo había estado en clase tan poco tiempo, que no me habría enterado de que había un examen aunque Moreh Pinkus lo hubiera repetido cien veces.

La primera mitad del examen era en hebreo, y la segunda,

57

en inglés; dieciséis frases en total y todas con un espacio en blanco debajo para que escribiéramos la traducción.

Yo pensé: *¿Usted nunca ha oído hablar de las preguntas de elección múltiple?* Cuando alcé la vista, él me estaba mirando.

—Haz lo que puedas —me dijo.

Yo contemplé el examen durante un largo rato, especialmente la frase «El profesor trajo el libro a la escuela», y rogué para que una fuerza divina le dictara a mi cerebro la traducción en hebreo. Pero nadie dijo nada, y no tenía sentido tratar de adivinarla. Por fin resolví escribir una nota:

Estimado Moreh Pinkus:
Yo no tenía el libro y por eso no he podido estudiar para este examen.
Le ruego me disculpe.
Sophie Applebaum

Entregué mi examen y, aunque sentía que Moreh Pinkus me estaba mirando, me fui caminando por el pasillo hasta los aseos.

Margie estaba delante de la puerta del armario. Tenía las mejillas encendidas como después de jugar a la pelota y observé que llevaba el pelo peinado hacia atrás, sujeto con un pasador, y no recogido en los dos moños de siempre.

Se hizo a un lado y abrió ceremoniosamente la puerta del armario de suministros; como una guapa azafata de un programa de televisión señaló los estantes llenos de artículos envueltos en plástico de la tienda de regalos.

—¿No estaba cerrado con llave? —pregunté.

Se soltó la encrespada melena e insertó el pasador en la cerradura para hacerme una demostración.

Ya había hecho una pila en el suelo con lo que quería llevarse: la mayoría eran joyas, pero también había cajas de velas de colores de Hanukah y bolsas de red llenas de monedas de chocolate envueltas en papel dorado.

—Échale un vistazo —me dijo, y me dio una gran bolsa de plástico llena de alhajas, cada pieza en su propio saquito. Yo vacié la bolsa sobre la mesa delante del espejo. Margie trajo su botín para probárselo junto a mí.

Encontré un brazalete de plata que se parecía mucho a las pulseras DEC, salvo que el nombre del soldado y el número estaban escritos en hebreo. Miré mi pulsera en el espejo y luego me vi a mí misma, toda entera, y nos vi a las dos, y contemplé la enormidad de nuestro delito a través de los ojos de mi padre: si Dios existía, lo que habíamos hecho era, en el mundo actual, como robarle a Él; era una ofensa tan evidente, al menos simbólicamente, como fundir todas las joyas y hacer un becerro de oro para adorarlo.

Pero no fue Dios ni la religión ni mi padre lo que hizo que me quitara la pulsera. No tenía nada que ver con que nos pillaran, o con meternos en un lío, sino conmigo misma.

Pensé: *¿Qué estoy haciendo?*, y me di cuenta, sorprendida, de que lo había dicho en voz alta. Y tan pronto como lo hice, tuve una sensación estupenda; era como si hubiera estado metiendo la tripa para adentro durante mucho tiempo —sólo que no había sido la tripa, sino mi personalidad— y ahora la soltara.

—¿Cuál es tu problema? —fue todo lo que Margie dijo, pero habló como si una vez más fuera la dueña del mundo y se estuviera dirigiendo a la Sofá de antaño.

Me miró en el espejo; estaba abrochándose un collar con la estrella de David. Iba a usarlo.

Se me ocurrió una cosa y se la dije de inmediato:

—Quieres que te pillen.

—Me da lo mismo —dijo—. Creo que mis padres se van a divorciar.

Yo no acababa de comprender qué tenía que ver el divorcio de sus padres con el robo, pero me daba cuenta de que estaban relacionados. Puede que Margie se estuviera vengando de ellos, o quizá sentía que se merecía la mercancía robada como compensación por lo que le estaban quitando.

59

–Lo siento mucho –le dije, y de verdad lo sentía.

Se encogió de hombros.

–¿No quieres quedarte con nada?

–No.

Cuando me fui, ni siquiera me miró.

La señorita Bell se acercaba por el pasillo.

Y en vez de decir hola, me preguntó si sabía que había un aseo mucho más cerca de las aulas.

–Sí.

–¿Y por qué no lo usas?

–Éste es mejor.

Me miró como si yo no hubiera respondido a su pregunta.

Me daba un poco de miedo marcharme y dejarla allí plantada, del mismo modo que me había dado miedo abandonar a Margie, pero estaba decidida: no sería la esclava de nadie.

En la clase unos pocos estudiantes todavía luchaban con sus exámenes. Leslie Liebman leía sus respuestas con un placer evidente; no podía dejar de admirar lo correctas que eran.

Moreh Pinkus estaba diciendo: «Vayan terminando», cuando la señorita Bell apareció en la puerta. «Un momento, por favor», dijo él, y salió al pasillo a hablar con ella. Todo el mundo se dio la vuelta para mirarlos; Margie también estaba en el pasillo.

La señorita Bell parecía muy agitada y furiosa, y Margie, en cambio, tranquila y aburrida.

Yo trataba de convencerme a mí misma de que no me habían pillado y de que no me había metido en un lío, pero en el fondo sabía que me habían descubierto y que la había hecho buena.

Cuando Moreh Pinkus volvió a la clase, yo esperaba que me dijera que recogiera mis cosas. Pero él pasó a mi lado y sólo me miró a los ojos cuando estuvo de vuelta en su mesa. Suspiró y pidió que le entregaran los exámenes.

Aquella noche mis padres anunciaron que habían fumado su último cigarrillo. Yo subí el paquete que guardaban en mi nevera de cartón, y ellos cumplieron el ritual de mojar los cigarrillos que quedaban en el grifo de la cocina, como ya lo habían hecho en el pasado.

En los días que siguieron, Robert describió la marcha triunfante de los cuerpos de mis padres de regreso a la salud, la expansión de sus vasos sanguíneos, el despertar de sus cilios. A la hora de la cena, dijo:

–¿Verdad que ahora todo sabe mejor? –Y luego–: ¿Por qué no vamos a correr un poco?

Mi padre hacía rechinar los dientes y mi madre se retorcía las manos.

El día de Yom Kippur, mi padre quería ir caminando a la sinagoga, pero mi madre tardó mucho en vestirse, y como habían dejado el tabaco todo les parecía mucho peor.

Y llegamos tarde a pesar de que fuimos en coche.

Sólo quedaban asientos en la última fila, detrás de Moreh Pinkus y su familia. Mi madre se sentó justo detrás de él y yo detrás de su hijo pequeño.

Tenía cuatro hijos y todos vestían trajes de rayas, como los que llevaba Moreh Pinkus los miércoles. El profesor se había puesto un traje negro, y la señora Pinkus, un vestido con un estampado de flores y un sombrero morado, y tenía el cabello brillante y peinado en una media melena. Mi madre me contó luego que era una peluca.

Delante de mí, el más pequeño de los Pinkus se estaba doblando el pulgar hacia atrás todo lo que podía, lo soltaba y luego lo doblaba de nuevo. Sólo se tenía a sí mismo como juguete, y tras hacer lo mismo con todos los dedos, empezó a experimentar con la movilidad de su oreja.

La novedad de observar a los Pinkus duró muy poco, y el servicio se volvió igual a todos los otros a los que había asistido. El rabino, con una especie de túnica negra que me recordaba la toga que mi padre llevaba en el tribunal, hizo lo que parecía

61

una imitación de Dios; cuando levantaba los brazos para indicarnos que debíamos sentarnos o ponernos de pie, las mangas le colgaban como las alas de un murciélago. Mascullaba con tono monocorde, y cuando en el devocionario aparecía la palabra *congregación,* nos tocaba a nosotros hacer lo mismo.

Miré a mi alrededor para ver si alguien estaba expiando sus pecados. Sabía que Leslie Liebman probablemente llevaba «expiación» escrito sobre su rostro, en buen hebreo, pero desde donde estaba la veía de espaldas, junto a su familia.

–Mi reino por un caramelo de menta, pásalo –me susurró Jack en el oído.

Se lo dije a mi madre, que abrió el bolso y sacó los caramelos de menta sin azúcar que llevaba siempre que intentaba dejar de fumar. Cogí uno, aunque no sabían a nada. La fugaz diversión que le proporcionó a mi boca era mucho más de lo que recibían mis ojos y mis oídos.

Y fue entonces cuando Moreh Pinkus empezó a murmurar y a balancearse hacia delante y hacia atrás en su asiento. De pequeña debí de ver a mi abuelo haciendo lo mismo, porque recordé de inmediato que así era como rezaban los hombres piadosos.

Pero a mi madre se la veía incómoda, casi como una jovencita avergonzada.

Jack acercó su boca a mi oreja y murmuró: «Rock and roll.»

Yo le respondí con un «Shhh» casi inaudible.

Se me ocurrió que tal vez Moreh Pinkus era la única persona verdaderamente religiosa en toda la sinagoga, el único que creía y comprendía lo que estaba diciendo. Ni siquiera leía del libro, y era posible que estuviera usando sus propias palabras para hablar con Dios.

Por respeto a Moreh Pinkus, callé cuando toda la congregación recitaba el pasaje que tocaba. Yo leía en silencio. Pero ¿qué quería decir «Escucha, oh, Israel»? ¿Y «El Señor es uno»? ¿Cuántos iba a ser, si no? Esto quizá conmovía a los israelitas hace miles de años, y en el desierto, pero no a mí, hoy día y en un barrio residencial.

Resolví que iba a tratar de arrepentirme de mis pecados.

Con Moreh Pinkus balanceándose delante de mí, no era difícil encontrar cosas que había hecho mal, ni tampoco me costaba sentirme culpable con mi padre sentado en la misma fila. Pero no se me ocurrió la manera de arreglar nada hasta que todos comenzaron a recitar la plegaria por los muertos. Era en hebreo, y aunque la había oído muchas veces –la decían en todos los servicios religiosos–, nunca la había aprendido. Había una transcripción fonética en inglés y yo comencé a leerla, en voz baja al principio y luego más alto. La decía lo más claramente que podía, recordando a mi abuelo, y esperaba que mi padre me oyera.

Cuando terminó el servicio, Moreh Pinkus se quedó de pie en el pasillo, al final de nuestra fila.

–Hola –le dije, que era la única palabra que le había dicho nunca, aparte de «Presente».

Me estrechó la mano entre las suyas, y dijo:

–*Gut Yomtov*, Sophie.

Yo no sabía si debía responderle *Yomtov* o *Yuntov*, así que solamente dije «gracias» y «lo mismo para usted».

Mis padre estaban allí, y aunque yo tenía miedo de lo que Moreh Pinkus pudiera decirles de mí, los presenté:

–Éste es Moreh Pinkus; éstos son mis padres.

Mi padres dijo «*Gut Yomtov*», exactamente igual que Moreh Pinkus; la pronunciación de mi madre era tan precisa y abrupta que su «*Good Yuntov*» sonaba más a inglés británico que a hebreo.

Se dieron la mano, y luego Moreh Pinkus volvió con su familia.

–¿Ése es tu profesor? –preguntó mi madre cuando nos dirigíamos al coche.

–Sí –respondí.

—Es ortodoxo —le dijo luego a mi padre.

Él no le contestó.

—¿Qué clase de profesor es Moreh Pinkus? —me preguntó mi padre.

Yo me esforcé por dar con una palabra que lo describiera.

—Manso —dije.

Estaba buscando mi libro de Hebreo I cuando oí que mi madre se sonaba la nariz en la cocina. Cuando entré, estaba sentada a la mesa, llorando. Albert tenía una pata en su regazo.

—¿Qué te pasa? —pregunté.

—Es que me gusta demasiado fumar, nada más —me dijo, y yo le cogí la mano y no se la solté ni siquiera cuando dejó de llorar.

—Has sido una buena chica y has ido a la escuela hebrea —dijo.

—No, mamá, no lo he sido.

—Pues has ido a clase —dijo saliendo en mi defensa—, y sin protestar.

Observé que hablaba en pasado y adopté el mismo tiempo verbal.

—Iba, pero en verdad era como si no estuviera allí.

—Lo has hecho lo mejor que has podido —respondió, y parecía convencida de que así era.

—Me he limitado a seguir las reglas —dije, usando la misma expresión que mi padre después de asistir a mi primera lección de tenis.

—Cariño, en la vida muchas veces no se puede hacer otra cosa.

En mis días más combativos, le habría contestado: *Eso será en* tu *vida,* pero ahora me quedé callada.

—Si no quieres seguir yendo, no estás obligada —me dijo al cabo de un minuto. Yo sabía que decir aquello la hacía feliz; aliviar mis penas mitigaba las suyas, al menos de momento.

Yo no había pensado que mi madre tuviera la autoridad necesaria para tomar esta decisión.

–¿De verdad?

Asintió con la cabeza.

–Iré una última vez –dije.

–No tienes por qué hacerlo.

–Ya lo sé.

Llegué a la escuela antes que Moreh Pinkus. Leslie Liebman estaba contándole a todo el mundo que Margie había robado en la tienda de regalos y había sido expulsada de la escuela.

–¿Cómo le va a Margie? –preguntó cuando advirtió mi presencia.

Yo no lo sabía; no la había visto en el instituto.

–Ella odiaba la escuela hebrea –fue lo único que se me ocurrió decir.

Llegó Moreh Pinkus y, después de unos minutos, encontró por fin nuestros exámenes en su cartera. Se tomó su tiempo para repartirlos. Le dio la vuelta al mío para que nadie pudiera ver que estaba en blanco, salvo por la nota que yo le había escrito, y su respuesta: «Repetir el examen.»

Yo pensé: *¿Repetir el examen?*, y me imaginé a Moreh Pinkus repitiendo la clase de la semana pasada una y otra vez. No era nada divertido.

Moreh Pinkus escribió en la pizarra la traducción correcta de cada una de las frases y yo las copié en mi examen en blanco con los gestos de una devota estudiosa de la lengua hebrea.

El profesor abrió a continuación el libro de Hebreo I en la segunda parte.

Yo estaba resuelta a asistir a clase todo el curso. Era un acto de contrición y un esfuerzo algo tardío por cumplir el compromiso que había adquirido con mi padre. Y también lo hacía por mi madre; si ella podía soportar el mono del cigarrillo, yo podía resistir la tortura que representaba la escuela hebrea.

Pero mi tormento era mayor de lo que había esperado. Y después de un tiempo que me pareció interminable, me concedí un descanso.

—¿Por qué has tardado tanto? —oí cuando abrí la puerta del aseo. Margie, como de costumbre, estaba sentada de lado en el sillón de terciopelo, fumando.

Sabía que ella podía tener problemas simplemente por estar allí, e iba a preguntarle por qué había venido, pero me detuve justo a tiempo. Margie estaba allí para despedirse de mí.

Repitió lo que nos había dicho un rato antes Leslie Liebmann y añadió que la señorita Bell era «una borde total. Pensaba que tú también eras culpable».

Eso me dolió.

—Pero Morón Culo Gordo le dijo que tú no eras una ladrona.

—¿De verdad lo dijo?

—¿Tienes algo para comer? —me preguntó.

Negué con la cabeza.

Encendió un cigarrillo para mí, y yo lo cogí, aunque era consciente del lío en que me podía meter. Me dijo que la habían transferido a Susquehanna, un instituto privado; sus padres habían llegado a la conclusión de que los chicos del Surrey Junior High eran una mala influencia.

Le pregunté si sus padres seguían pensando en divorciarse.

—Ahora van a un psicólogo.

—Eso está bien.

Nos quedamos calladas, tal como lo habíamos hecho antes durante los largos minutos y horas que habíamos pasado allí. Margie se levantó y fue hasta el armario de los suministros e intentó abrirlo, me imagino que en homenaje a los viejos tiempos. Y yo recordé que la señorita Bell podía llegar en cualquier momento. Me puse de pie y tiré mi cigarrillo en el inodoro. Se apagó con un ruido.

Miré que no hubiera nadie en el pasillo, y luego salimos juntas del aseo. Nos dijimos adiós en el vestíbulo. Yo le deseé suerte en Susquehanna, y me fui a mi clase. Ella esperó hasta que yo abrí la puerta, y me gritó:

–¡Hasta luego, cocodrilo!

Todos me miraron mientras me sentaba.

Yo había oído decir que la mejor manera de aprender una lengua era estar en el país donde se hablaba, y me dije que quizá eso me sucediera a mí, aquí y ahora. Y me puse a escuchar atentamente todo lo que se decía en hebreo a mi alrededor, y esperé el milagro de la comprensión hasta que sonó el timbre de salida.

Moreh Pinkus pronunció su «Shalom» de todos los días.

Y todos le respondieron al unísono.

Yo me quedé mirando largamente a Moreh Pinkus y le manifesté con la expresión de mi cara mi agradecimiento por saber que yo no era una ladrona. Y después salí de la clase, seguí por el pasillo, salí de la escuela y por fin estuve en la calle.

Y me dije: *Por fin libre, por fin libre, gracias a Dios, por fin soy libre.*

Encontré nuestra furgoneta en la hilera de coches. Robert se había sentado en el asiento de atrás con Albert, para que yo pudiera ir delante.

Cuando arrancamos miré a los otros chicos que buscaban los coches de sus padres, y pensé: *Shalom, gilipollas.*

Robert retomó la conversación que mantenía con mi madre. Le estaba diciendo que por mucho que se esforzara, no conseguía que Doug Sloane comprendiera las fracciones.

–Creo que lo que quiere es que yo le haga los deberes.

Y después, de repente, Robert se calló.

Mi madre no pareció advertirlo. Conducía más lentamente que de costumbre y miraba por las ventanas de una casa, que según decía ella, le daba ideas para decorar la nuestra.

Cuando me di la vuelta, Robert me estaba mirando.

–¿Qué pasa?

Sacudió la cabeza sin decir nada.

Cuando llegamos a casa, se dirigió al piso de arriba sin siquiera quitarse la chaqueta. Cuando yo subí, me estaba esperando en mi habitación, y cuando entré cerró la puerta.

–Lo sé todo –dijo.

Respiré hondo y sentí una opresión en el pecho.

–¿Y qué es lo que sabes?

–Has estado fumando –respondió–. He notado el olor cuando veníamos en el coche. Noté el sabor del tabaco en mi aliento.

–Sólo lo he probado.

–No me mientas –dijo–. Esto es un asunto de vida y... –Pensé que iba a decir «aliento», como una publicidad de la televisión contra el tabaco, pero dijo «muerte». Su cara estaba tan seria como en el funeral de nuestro abuelo.

Me preguntó si fumaba mucho y con quién y dónde, y yo se lo dije.

Cuando pronuncié el nombre de Margie, él asintió con la cabeza y musitó para sí mismo «de las girl scouts» y «una de las Zorras». Robert recordaba todo lo que yo le contaba.

Después de contestar a sus preguntas, le conté que Margie había robado en la tienda de regalos y que la habían expulsado; repetí lo que ella había dicho del divorcio de sus padres, y que la señorita King vivía en su casa. Era un alivio contárselo, aunque él sólo fuera mi hermano pequeño.

–Bien –dijo, y sonaba como el sheriff en una película del Oeste–. No creo que a partir de ahora pases mucho tiempo con Margie Muchnick. –Después preguntó–: ¿Dónde guardas los cigarrillos?

Abrí el último cajón de mi mesa, y Robert cogió el paquete de Marlboro que me había dado Margie.

–¿Se lo vas a contar a mamá y a papá?

–Sí, si no tengo más remedio. –Y añadió que haría cualquier cosa con tal de que yo dejara de fumar–. Te haré la vida imposible –dijo, y yo sabía que cumpliría su palabra.

El Toy Bar

Venice Lambourne era famosa como sólo pueden serlo las chicas guapas en un pequeño circuito de lugares y de fiestas, pero casi nadie la conocía. *Un trueno* era la expresión que la gente usaba para describir a Venice, o *una bomba*, y es verdad que parecía provocar la violencia; los hombres parecían poco menos que furiosos con ella por ser tan hermosa.

Conocí a Venice cuando las dos teníamos dieciocho años. Era mi compañera de habitación en Rogers, la no-demasiado-buena Universidad de Klondike, Nueva York (según la *Guía Barron de Universidades de América*, para ingresar sólo es necesaria una media en la Prueba de Aptitud Académica de 1.100 puntos, y un promedio de notas de graduación de 2,9). Venice decía que ella estaba allí porque, por alguna razón, los resultados de sus pruebas de aptitud no habían llegado a las otras universidades —mejores que Rogers, claro está— en las que había solicitado el ingreso; y también decía que su solicitud de ingreso en Rogers había sido una llamada de teléfono que su tío había hecho al comité de ingresos. Yo no me lo acababa de creer, de la misma manera que no me acababa de creer casi nada de lo que contaba Venice, pero esto resultó ser cierto, o al menos, bastante cierto.

Venice no llegó al campus hasta la noche antes del comienzo de las clases, horas después de que los últimos padres se hubieran despedido con un beso de sus hijos y se hubieran marchado en sus furgonetas a Darien, a Connecticut, a Katonah, a Nueva York o, en el caso de mis padres, a Surrey, Pensilvania. Venice llegó en taxi, y llevaba ella misma su única maleta.

Llamó a la puerta que en ese momento se convirtió en *nuestra* puerta y entró en lo que a mí todavía me parecía *mi* habitación.

Era muy delgada y muy alta, un metro setenta y ocho con zapatos planos. Siempre llevaba zapatos sin tacón, el mismo par hasta que se gastaba, y luego compraba otro. No tenía muchas cosas: no tenía mucha ropa, ni tampoco otras posesiones; Venice creía que sólo había que tener cosas perfectas o, como decía ella, «una cosa perfecta».

Su pelo era rubio y lacio, y se lo metía detrás de las orejas, y tenía unos ojos azules que se destacaban aún más porque sus cejas eran muy oscuras y espesas.

–Soy Venice Lambourne –dijo, y me tendió la mano con un gesto tan formal que me desconcertó, y le respondí como me habían enseñado cuando era una niña:

–Encantada de conocerte. –Y añadí–: Yo soy Sophie. Sophie Applebaum.

Me dijo que había estado viajando y que estaba agotada; venía directamente de Antibes.

Yo no había oído hablar de Antibes, pero recordaba de una manera borrosa una película llamada *Brigada antisecuestro*, que pasaba en Entebbe. ¿Y dónde estaba, en Israel o en algún lugar de África? ¿O Israel estaba en África?

«¡Uau!», exclamé, y luego sugerí que sería mejor que fuera a saludar a nuestra consejera residente, una osita de nariz redonda llamada Betsy que se había mostrado preocupada por su tardanza.

Venice no pareció oírme.

–Necesito una copa –dijo.

Cuando le comuniqué que había una máquina expendedora de gaseosas en el sótano, se volvió y me miró como si yo fuera el último y más difícil tramo de su largo viaje. Cuando venía había visto un bar que quedaba cerca y estaba abierto.

–Y puede que ésas sean sus únicas virtudes –dijo–, pero en este momento son las únicas que me importan.

Yo vacilé; con la misma falta de conocimiento de mí misma que iba a mostrar en los próximos años, me había inscrito en una clase a las ocho de la noche.

Le dije que el bar que había visto era el Pines, y que era el bar de la universidad, el único que había, en verdad, pero estaba bien; yo confiaba en que si le hablaba durante un buen rato, ella acabaría por darse cuenta de lo cansada que estaba.

Arqueó sus espesas cejas y me preguntó por qué perdía el tiempo hablando del bar cuando ya deberíamos estar en camino.

–Tengo una clase a las ocho –le dije yo.

–Pues yo ni siquiera sé qué materias voy a hacer –contestó ella, y con este argumento me ganó.

Le llevó unos treinta segundos estar lista. No se cambió de ropa –una camiseta celeste con escote barco, pantalones pirata blancos y zapatos negros, todo perfecto–, y no se maquilló, ella misma una cosa perfecta. Lo único que hizo fue lavarse la cara.

Cuando nos íbamos, advirtió mi violín en su estuche.

–¿Tocas el violín?

–Lo rasco –respondí, y me sentí igual que cuando era pequeña y tenía que defender a mi hermano menor de alguien mayor que nosotros y no sabía si podría hacerlo.

–¿Y lo rascarás para mí algún día? –preguntó, en tono burlón.

–Creo que no.

El Pines estaba lleno. Nos abrimos paso hasta la barra y nos quedamos esperando, sedientas, a que nos atendiera uno de los atareados camareros. Y mientras estábamos allí, yo dije en voz alta lo que había observado durante todo el fin de semana:

–¿No te parece que aquí son todos terriblemente guapos?

–No –respondió Venice después de mirar a su alrededor.

Yo pensé que su *no* quizá era el desquite por mi *creo que no.*

–Te he dicho que no tocaría mi violín para ti porque...
porque nunca toco para nadie –le dije.

–¿Y por qué no?

Yo no quería confesarle que no era lo bastante buena, así que puse cara de estar meditando la respuesta hasta que se nos acercó uno de los camareros. Era el mayor de todos, y resultó ser el dueño.

–¿Qué os pongo, chicas?

–Hola –lo saludó Venice.

La expresión del hombre no cambió.

–He viajado todo el día, así que necesito algo bueno, pero bueno de verdad –dijo ella.

Había un montón de estudiantes junto a nosotras esperando su turno.

–¿Qué vino tinto tiene? –preguntó, pero enseguida dijo «No», y luego otra vez «No», y después se preguntó a sí misma «¿Cassis?», «¿Campari?».

Para mí, era como si estuviera nombrando las ciudades que rodeaban a Entebbe.

Por fin se le alegró la cara: una bebida con frutas le iba a devolver la marcha, una piña colada, por ejemplo, o tal vez un daiquiri. ¿Los preparaba con fruta fresca? No.

–Un bourbon, quizá –dijo. ¿Le podía hacer un julepe de menta?

Él ya había calado a su clienta.

–No tengo menta –le respondió.

–No hay menta –repitió Venice, pero se resignó, con un suspiro, como si pensara que aquí iba a soportar privaciones que nunca había conocido.

Yo pedí un Ruso Blanco, mi bebida habitual en los bares de la costa de Nueva Jersey, donde había trabajado de camarera aquel verano.

Venice me miró como si hubiéramos estado discutiendo y de repente comprendiera el porqué de mi elección.

–Que sean dos –dijo, y el camarero vació la copa donde ya había puesto bourbon.

Yo pagué por las dos –ella dijo que había pagado el taxi con sus últimos dólares, que sólo le quedaban francos y liras–, y mientras esperaba el cambio, vi que un chico nos estaba mirando. Les dijo algo a los tíos que estaban con él, y ellos también nos miraron.

Acabábamos de sentarnos, cuando uno de ellos se nos acercó.

–Hola –saludó. Era mono y, como muchos estudiantes de Rogers, rubio; sólo en Escandinavia se podría encontrar un porcentaje más alto de rubios.

–Hola –contesté.

Me preguntó si éramos de primero, y le dije que sí, y también le habría dicho: *Si quieres, puedes besarme.*

Y entonces Venice intervino, nos presentó a ambas, y yo comprendí que estaba siendo más cortés que amistosa, y él también lo entendió así, y cuando nos dijo su nombre, parecía algo alicaído.

Una vez que supo su nombre, Venice lo usó:

–Tad –dijo, y luego le contó que estaba muy cansada, y que había viajado durante todo el día, y que por favor la disculpara, pero se sentía incapaz de entablar una conversación.

–Claro –dijo él–. No te preocupes.

Pero no se fue, quizá porque sus amigos lo estaban mirando.

–¿De dónde vienes? –preguntó.

Ella lo miró largamente, como regañándolo, antes de contestar.

–De Antibes.

El «Uau» de él sonó más entusiasta que el mío, pero me di cuenta de que era un colega sedentario cuando de inmediato llevó la conversación de nuevo al mundo que conocía.

–¿Dónde vas a vivir?

75

Venice le había dado una oportunidad para que se marchara con elegancia, y él no la había aprovechado; ahora ella le respondió con el aire distante de quien sigue hablando sólo por cortesía.

–En Bancroft.

–Bancroft está bien –dijo él–. Es bonito.

Ella se volvió hacia mí, una señal para que continuáramos nuestra conversación. Él también me miró, pidiéndome ayuda. Me fue difícil no dársela, pero me daba cuenta de que el asunto era entre ellos dos, y que mi papel era secundario: yo era la enfermera y Venice el médico; yo la canguro, y ella la madre.

–Bien –dijo él.

–Me alegro de haberte conocido, Tad –dijo Venice.

–Yo también –se despidió Tad.

Sentí pena por él cuando se fue, y dije:

–Parecía simpático.

Venice no me contestó. Cerró los ojos, y pensé que era verdad que estaba cansada, y que Tad la había fatigado aún más, y que nos iríamos pronto a casa. Y yo tal vez conseguiría levantarme a tiempo para mi clase de las ocho de la mañana, y me volvería por fin la estudiante aplicada que siempre había querido ser.

Pero cuando Venice abrió los ojos, en su cara había una expresión soñadora y no soñolienta.

–Esta mañana yo estaba en Antibes –musitó, casi como si hablara consigo misma, y yo pensé: *Voy a estar aquí toda la noche.*

Llegamos a Bancroft después de la una. Nos desnudamos dándonos la espalda, y yo observé que la suya era de un moreno sin interrupciones desde los hombros hasta las bragas. No tenía ni una señal del sostén del bikini. Me pregunté si se lo habría desabrochado y se habría bajado los tirantes, o si habría tomado el sol sin nada.

Ya estábamos en nuestras camas cuando la miré, y vi que entre Venice y el colchón sólo había una toalla de playa. Y estaba usando sus camisas como manta.

–¿Quieres una sábana o algo para poner en la cama? –le pregunté.

–Estoy bien así, gracias –respondió. Y me explicó que había enviado su ropa de cama por correo desde Italia hacía un mes, y que seguramente estaba esperándola en la oficina de correos.

–Claro que tú ya sabes lo lento que es el correo italiano.

No, yo no lo sabía, y por eso mismo no le ofrecí mi sábana de arriba ni mi cubrecama.

Nos dimos las buenas noches y apagué mi lámpara.

Pero cuando estábamos a oscuras pensé que Venice probablemente era la única estudiante de primer año a quien sus padres no habían acompañado hasta la universidad. Me pregunté si eso la afligía. Y también me pregunté si sus padres se lo estaban pasando tan bien en Antibes que no podían volver y ayudarla a prepararse para la universidad, y comprarle sábanas, y montarle el aparato de alta fidelidad y los altavoces, y conocer a los otros padres. Y descubrí que sentía pena por ella.

Volví a encender la luz, y juntas hicimos su cama. Yo tenía una sola almohada, pero dos fundas, y me ofrecí a rellenar la que no utilizaba con calcetines.

–¿Te importa si me acuesto con tu marido? –me dijo con una voz infantil y como pidiéndome perdón.

La miré atónita. Me llevó un minuto comprender que se refería al cojín que yo usaba para leer, y que era de pana y con brazos.

–¿Te has inventado tú ese nombre? –le pregunté cuando se lo di.

–Así es como lo llaman –me respondió.

Pasó un año antes de que me atreviera a contarle que en ese instante yo pensé que era una ninfómana con doble personalidad. Después de aquello, Venice, en cualquier momento, de repente y porque sí, ponía voz de mujer muy sexy y un poco chalada y me preguntaba: «¿Te molesta si me acuesto con tu marido?»

Volví a apagar la luz, de nuevo nos dimos las buenas noches, y luego ella dijo mi nombre, no me estaba hablando, sólo pensaba en voz alta: «Sophie. Es un nombre bonito.»

–Me lo pusieron por mi bisabuela –dije.

–Sí, es un poco anticuado –dijo ella, y eso era precisamente lo que yo odiaba de mi nombre–. No es un nombre que se oiga mucho.

–¿Y qué me dices del tuyo? –pregunté yo, aunque no estaba segura de si era una pregunta o una agresión.

–Llevo el nombre de la ciudad donde fui concebida. –Y sonaba como si afirmara que la ciudad llevaba su nombre. Pero luego añadió–: Por suerte no me llamaron Góndola. O Canal.

–Y entonces la intensa antipatía que me inspiraba se transformó en simpatía, y el giro en mis sentimientos fue tan radical, que sentí que esa simpatía podía incluso ser cariño.

Venice despertó un gran interés en esas primeras semanas. Íbamos juntas a las fiestas –nos desplazábamos en grupos de cinco o seis a los clubs de estudiantes–, y en cuanto llegábamos, la rodeaba una corte de admiradores.

Pero había noches en que ella decía: «Hoy nos quedamos en casa», y se comportaba como si estuviéramos faltando a una clase.

Por lo general nos quedábamos en casa para ver una película que ponían en la televisión, y que Venice decía que yo *tenía* que ver: *Doce hombres sin piedad*, *El bazar de las sorpresas*, *Los mejores años de nuestra vida*. Bajábamos a la sala de la tele, en el sótano, y apagábamos todas las luces. En la oscuridad, sólo se veía la pantalla del televisor, y el resplandor rojizo de la máquina de gaseosas y su letrero de *No hay cambio*, siempre encendido.

Me encantaban todas las películas que le gustaban a ella, y *La heredera* me gustó tanto que me olvidé de que Venice estaba allí hasta que en la pausa publicitaria empezó a repetir los diálogos que más le gustaban.

Su réplica favorita llegó al final de la película: Morris vuelve muchos años después de haber dejado plantada a Catherine la noche en que se iban a fugar, y llama a su puerta, y al ver que no le abren comienza a aporrearla, y ella le dice a la criada: «Echa el cerrojo, Maria.»

–Echa el cerrojo, Maria –recitó Venice–. El grito de guerra universal de todas las mujeres abandonadas.

Venice guardaba en su armario una botella de jerez La Cacería. No era más que un jerez común semiseco, pero su nombre me hacía pensar en sabuesos y caballos, en mantas de cuadros y chimeneas donde ardían los leños. Algunas noches, después de estudiar, bebíamos en las copas que ella había robado del comedor. Nos echábamos en nuestras camas y hablábamos. Y yo fumaba.

Venice hablaba sobre un libro que había leído para una clase –ella estaba al día con las lecturas obligatorias, algo que yo nunca había podido hacer–, o comentaba un artículo del *New York Times*. Sólo ella leía el periódico todos los días. O leía en voz alta algunas páginas de una novela que la enloquecía; aquel otoño era *Lolita*, y en el invierno, *Ana Karenina*.

Venice no me hizo ninguna confidencia hasta mucho tiempo después de conocernos, y cuando por fin habló, parecía menos una confidencia que una historia que quería contarme porque era interesante.

La primera historia que me contó fue sobre Georges. Sus familias habían alquilado juntas la villa de Antibes, y él había ido a pasar allí la última semana. Me di cuenta, mientras Venice hablaba, de que aquella primera noche, en el Pines, cuando su voz se volvió soñadora y dijo: «Esta mañana estaba en Antibes», estaba pensando en Georges.

–Es increíblemente listo –me dijo–. Pero también muy tierno. Y eso es raro, creo.

Yo me acordé de Doug, el camarero que me había ligado en mi última noche de trabajo, y se me ocurrió que no era particularmente listo, ni tampoco muy tierno.

–Pues sí.

Georges tenía muy buenos modales.

–Siempre se levanta cuando una mujer entra en la habitación –dijo–. A mí esas cosas me encantan.

–También a mí –afirmé, porque de repente me gustaban esa clase de gestos, aunque no recordaba haber visto nunca a un chico de mi edad que se levantara por una mujer, a menos que ella llegara justo cuando él iba a marcharse.

Venice me contó que Georges hablaba perfectamente seis idiomas, y aunque uno de ellos era el inglés, los enamorados se entendían en francés.

Dijo que no se habían acostado juntos hasta la última noche, y cerró los ojos, recordando.

–¿Qué?

Y repitió algo que Georges le había dicho en francés.

Le dije que sonaba muy romántico, pero que mi conocimiento de lenguas extranjeras era cero patatero.

–Me decía todo el tiempo: «Por favor, no te duermas», y cada vez que el sueño me vencía, me despertaba diciendo: «No te duermas, mi amor. No me dejes antes de tiempo.»

–¡Uau!

–Sí, ya sé.

Puede que se diera cuenta de que yo no acababa de creerme su historia, porque sacó sus aerogramas en papel celeste, y me leyó y me tradujo línea por línea lo que le escribía su romántico chico francés.

–Un momento –le dije–. ¿*Mon puce* quiere decir «cariño»?

Me respondió que, traducido literalmente, *mon puce* significaba «mi pulga», pero era como nuestro «bichito», nadie piensa verdaderamente en un animal pequeño.

Y yo entonces le pedí que me tradujera literalmente cada

«cariño» o «mi corazón»: *mon chou* quería decir «mi col», y *mon lapin*, «mi conejo».

Después de contarme cómo había perdido su virginidad con un monitor de esquí suizo, me miró, expectante. Sabía que Venice estaba esperando que le contara mi historia, y por un instante pensé que podría inventarme algo. Pero acabé por reconocer que yo nunca había esquiado.

Nuestra consejera nos dijo: «Me gustaría charlar un rato con vosotras», y nos invitó a Venice y a mí a su acogedora habitación. Preguntó si queríamos té o café, y luego también nos ofreció chocolate y sopa de pollo con fideos. A mí me sedujo la idea de tomar sopa de pollo con fideos.

–Yo tomaré un poco de sopa –dije–. Gracias.

Venice me dirigió una mirada: *No prolonguemos esto más de lo estrictamente necesario.*

–Yo no quiero nada, gracias –dijo.

Betsy enchufó su hervidor. Nos preguntó si nos gustaba Rogers y cuáles eran nuestros profesores preferidos. Era una simpática muchacha que venía de Syracuse, y se notaba que se tomaba en serio su trabajo de consejera.

Me dio mi tazón de sopa; estaba caliente, y yo soplé.

–Chicas, pasáis muchísimo tiempo juntas. –Parecía esforzarse para encontrar las palabras–. Y ya sabéis que éste es el momento ideal para hacer nuevos amigos, para conocer a todos vuestros compañeros –dijo.

Ambas respondimos que habíamos hecho otros amigos, lo que era un poco más cierto en mi caso que en el de Venice.

–Sólo quiero asegurarme de que estáis abiertas a otras relaciones –dijo Betsy.

–Yo lo estoy –respondí.

Venice, incapaz de pronunciar una frase semejante, asintió y abrió mucho los ojos para demostrar lo abierta que estaba a nuevas relaciones.

–En la universidad se hacen las amistades que durarán toda la vida –dijo Betsy, y parecía muy triste mientras lo decía.

Y siguió con un tópico tras otro, como si saltara desde una piedra a la siguiente por encima de aguas muy revueltas, hasta que Venice finalmente le dijo:

–Creo que entiendo lo que quieres decirnos. –Aunque ninguna de las dos entendía nada.

Pero unos pocos días después descubrimos el porqué de todo aquello: corría el rumor de que Venice y yo éramos lesbianas. Venice no se preocupó en lo más mínimo, y yo traté de comportarme con tanta desenvoltura como ella. Le pregunté si no tenía miedo de que el rumor pudiera impedir que un hipotético hombre se enamorara hipotéticamente de ella.

Me respondió que el rumor no iba a impedir nada a nadie, sino todo lo contrario: según Georges, el noventa por ciento de los hombres fantaseaban con lesbianas.

–¿Y si él pertenece al otro diez por ciento? –pregunté yo.

–El otro diez por ciento es gay –respondió Venice.

Y luego Venice conoció a Hugh, y se acabó toda esta historia.

La guapura de Hugh, técnicamente, no era comparable a la belleza de Venice. Su pelo era negro y llevaba siempre una barba de tres días. No tenía buena piel; enrojecida, áspera y probablemente dañada por un antiguo acné, puesto que se le veían algunas cicatrices. Pero esto parecía volverlo aún más atractivo, algo que jamás le habría pasado a una mujer. Aunque Hugh, como Venice, también era admirado de lejos, producía un efecto tan intenso en las mujeres como ella en los hombres, y puede que aún más profundo. Algo que él ignoraba, claro está.

Vivía fuera del campus de la universidad, en un piso cutre amueblado con sillas viejas con el tapizado raído y un tresillo de skay verde oliva, pero con los hermosos paisajes que pintaba apoyados contra las paredes. El piso tenía una galería –sin calefacción, claro está– que daba al lago, y Venice contaba que Hugh se envolvía en su abrigo, se ponía unos mitones y pintaba allí.

Los dos siempre estaban invitando a la gente al apartamento, antes y después de las fiestas. Hugh ofrecía Pimms –había estado en Londres un año antes y se había traído cajas enteras–. Y si querías otra bebida, la llevabas tú mismo. Venice era el alma de esas reuniones. Hugh no estaba en su elemento en las fiestas, ni siquiera en las que daba en su propia casa. Parecía mayor –mucho mayor– que sus invitados, casi un abuelo. Me recordaba a alguien sordo, o que apenas oía; le costaba seguir una conversación y contribuía con las observaciones más absurdas en el momento menos apropiado. En una ocasión vi cómo interrumpía un chiste sobre Reagan para decir que Millard Fillmore había nacido cerca de Locke, Nueva York. No parecía darse cuenta de lo raro que era, o tal vez se daba cuenta y le daba lo mismo. Creo que solamente le importaba lo que Venice pensara de él. Confiaba en su opinión y siempre quería saber lo que ella pensaba; cuando a ella no le gustaba algo que él había dicho, quería saber por qué. Y quería saberlo de verdad.

No se decían «cariño», ni «nena», y mucho menos «bichito» o «col»; sólo eran Venice y Hugh. Casi no se tocaban delante de otras personas. Sus besos de «hola» o de «adiós» no proclamaban *Sexo*. Pero había intimidad entre ellos, una intimidad envidiable. Eran una pareja que no excluía a nadie, pero la relación que había entre ellos parecía superior a la que pudiera tener cualquiera de los que estaban en la habitación.

Nunca había visto a Venice enfadada. Incluso después de su peor pelea con Hugh –él había encontrado, y leído, un aerograma de Georges–, Venice sólo había dicho: «Hugh se ha puesto tonto.» Por eso fue conmovedor y terrible encontrarla una tarde llorando en nuestra habitación.

Yo no sabía qué le pasaba, y durante mucho rato estuvo llorando con tal desesperación que no podía hablar. Hasta que por fin consiguió decir que la habían aceptado en Brown. No me había contado que había solicitado el traslado, y yo me pregunté si se lo habría dicho a Hugh. No es que importara demasiado; Hugh estaba a punto de graduarse y Brown estaba más cerca que Rogers de Manhattan, que era donde Hugh buscaba trabajo.

–No tienes por qué irte, si no quieres –le dije.

Me dirigió una mirada que me recordó la primera noche, cuando ella quería tomar una copa y yo le había hablado de la máquina dispensadora de gaseosas.

Y siguieron las lágrimas.

Le dije que haría cualquier cosa con tal de que dejara de llorar.

–Toca el violín para mí –dijo de inmediato.

–Joder –contesté, pero lo saqué del estuche y busqué entre mis discos uno que me sirviera de acompañamiento. Las únicas canciones que sabía eran baladas de vaqueros y de mineros, de la variedad llamada High Lonesome, pero puse la que me pareció más alegre, una canción que hablaba del amor de un vaquero por su caballo.

Hacía mucho tiempo que no tocaba el violín para nadie y no estaba segura de poder hacerlo. Tuve que darle la espalda a Venice, lo que ya de por sí me hacía sentirme incómoda.

Cuando terminé de tocar, Venice sonrió; fue un gran alivio, aunque no sabía si me sonreía o si se reía de mí.

Aquel verano, Venice me envió todas las semanas una postal desde Europa. Había visto a Georges en la Toscana, y me describía el encuentro en seis lenguas, incluido latín bárbaro: «Elt-fay othing-nay.»

A fines de agosto, me llamó desde Capri para invitarme a pasar el fin de semana del Día del Trabajo en la casa que la familia de Hugh tenía en Long Island. A mí nunca me habían llamado por teléfono desde Europa y no sabía cuánto costaba la comunicación, y dije que sí porque era más rápido que decir que no, que me habría obligado a dar una explicación. Hugh y Venice fueron a buscarme a la estación de tren en la vieja furgoneta de sus abuelos. Venice me cedió el asiento delantero, y yo miré por la ventanilla del coche los matorrales de hortensias, los grandes árboles frondosos y las casas con sus tejados de madera de cedro gris plateado. La casa de Hugh estaba junto a la bahía, en Dune Road, frente a la playa. Era grande, pero destartalada; su familia había logrado conservar la propiedad, pero no tenía dinero para mantenerla en condiciones. Abrías un cajón y el tirador se te quedaba en la mano.

Tenía miedo de sentirme incómoda, por ser una invitada de Venice, o sea la invitada de una invitada. Pero Hugh me presentó a su madre, a sus abuelos y a su hermana como su «gran amiga», y así fue como me sentí.

Mi momento preferido del día era a la caída de la tarde, cuando el sol doraba el oceáno y la arena y las hierbas marinas y las dunas. Venice decía que en las películas la llamaban «la hora mágica». Lo sabía porque para entonces ya había leído unos cuantos guiones que le había dado un director de cine que había conocido aquel verano.

En uno de esos atardeceres mágicos, después de bañarnos, nos pusimos nuestros tejanos y jerséis y sacamos la cena que habíamos traído, hecha con los restos del mediodía: cangrejo frío, mazorcas asadas y ensalada de tomate que Venice había aderezado con albahaca fresca. Hugh encendió una hoguera, y bebimos vino y nos quedamos en la playa hasta muy tarde.

Todo el mundo dormía cuando volvimos, y Venice se fue a la habitación de Hugh, como hacía todas las noches. Regresaba a la nuestra justo cuando comenzaba a aclarar, y yo a veces me despertaba y recordaba dónde estaba, y me sentía más feliz que nunca en mi vida.

Hasta el Día del Trabajo, los tres fuimos felices como perdices. El cielo estaba cubierto, y se me ocurrió que por eso la mañana parecía tan lenta, tan espesa.

Hugh sugirió sin mucho entusiasmo que fuéramos a navegar. Venice no parecía muy convencida; primero nos hizo notar que no había viento, y luego dijo:

—Nuestro tren sale a las cuatro.

—Sé muy bien a qué hora sale vuestro tren –le respondió Hugh.

Venice no reaccionó ante el tono de él, y puede que al principio ni siquiera lo hubiera notado. Yo sabía que por muy disgustada que estuviera cuando supo que la habían aceptado en Brown, ahora estaba encantada de marcharse. No hablaba del asunto, pero irradiaba la alegría y la excitación que se sienten cuando te mudas a una nueva ciudad o comienzas algo nuevo.

Hugh no se marchaba a ninguna parte, ni iba a empezar nada; todavía no había encontrado trabajo.

Nos fuimos por fin a navegar sin que ninguno de los tres lo deseara de verdad. El velero era pequeño, no más grande que un Sunfish, y parecía viejo. Tan pronto como subí le pregunté a Hugh cuándo lo había usado por última vez.

Hugh tardó un momento en responderme, y yo me imaginé el titular: *Tres jóvenes mueren ahogados en un trágico accidente.*

Venice y Hugh sabían llevar un barco, y yo lo único que hice fue mirarlos y contemplar el paisaje de la bahía, bajar la cabeza cuando pasaba la botavara, y desear que regresáramos para darme mi última ducha en el jardín antes de irnos a la estación a coger el tren.

El cielo se cubrió aún más, no se veía el sol ni tampoco había viento.

—Deberíamos volver –dijo al fin Venice.

Hugh no le respondió; solamente hizo virar el barco. Tuvieron que navegar dando bordadas –en zigzag–, hasta cruzar la bahía. Hugh suspiraba y parecía enfadado. Le daba órdenes a Venice, «Haz esto o aquello», y ella le obedecía. No se la veía furiosa, ni molesta ni incómoda, que es como me habría sentido yo en su lugar. Pensé que quizá la falta de viento era más grave de lo que yo había imaginado y que los dos estaban siguiendo el procedimiento para situaciones de emergencia en el mar, que incluían que el capitán se comportara como un gilipollas y que su segundo conservara la calma.

Pero cuando estuvimos cerca de la costa y fuera de peligro ninguno de los dos cambió su actitud, y yo me pregunté una vez más si Venice no estaría con la mente ya lejos de allí, no en el lugar donde se encontraba entonces, sino donde estaría más tarde.

Estábamos arrastrando el barco a la playa cuando me di cuenta de que yo estaba completamente equivocada. Venice, detrás de Hugh, tenía cara de comprenderlo muy bien, de saber exactamente lo que él sentía: la vida que Hugh había conocido hasta entonces estaba a punto de terminar; acabaría tan pronto como Venice se subiera al tren. Ella sabía que él tenía miedo de perderla y que también temía no encontrar trabajo, y ésta era su manera de decirle a Hugh que no tenía nada que temer.

Venice hizo unas volteretas sobre la arena, y él también lo intentó, sin éxito. Pero Venice se rió y consiguió hacer reír también a Hugh.

Venice fue la primera en ducharse cuando regresamos a la casa. Yo estaba haciendo la maleta cuando llegó Hugh y me dijo desde la puerta de la habitación:

–¿Por qué no te quedas esta noche?

Le dije que mi hermano mayor me esperaba en Manhattan.

–Quédate conmigo –me pidió, y su mirada me hizo saber que le haría un favor.

Nos sentamos en la terraza de un restaurante de Main Street, y cenamos con whisky. Sin hablar. Yo me sentía incómoda y traté de pensar en temas de conversación que no fueran la novia que se había marchado ni el trabajo que no había conseguido. Y me alegré infinitamente cuando Hugh vio a un chico que conocía y lo llamó.

–Toma una copa con nosotros –lo invitó Hugh, poniéndose de pie.

–He dejado algo a medias. –El chico señaló la barra con un movimiento de cabeza, y su tono indicaba: *Estoy en medio de un ligue.* Después me saludó y se presentó–: Soy Michael Whitmore –dijo, y yo le dije mi nombre y nos estrechamos la mano–: Llámame a la oficina el martes –le dijo luego a Hugh, y se marchó.

Y, después de otro año de silencio, Hugh dijo:

–Yo debería haber estudiado económicas.

Y yo entonces recordé cómo me había sentido cuando preparaba mi solicitud de ingreso en la universidad. Me sentaba noche tras noche en el despacho de mi padre mientras él me leía en voz alta la *Guía Barron.* Leía el nombre de la universidad, cuántas plazas había para hombres y para mujeres, y luego la descripción, escrita en la típica prosa de las guías.

–¿Qué te parece? –me preguntaba, y yo pensaba: *Es el último lugar al que me gustaría ir.*

Me llevó unas cuantas noches darme cuenta de que mi padre sólo leía las universidades en las que yo tenía posibilidades de ingresar; es decir, no Brown, pero sí Bowling Green; tampoco Wesleyan, y sí Ohio Wesleyan; nada de William o de Smith, pero sí William Smith. Hasta entonces no se me había ocurrido que mis notas y los exámenes que había soportado en el curso de los años fueran algo más que humillaciones personales; no me había dado cuenta de que un día todo aquello sería sumado y serían puntos en contra.

Mi padre acababa de leer la descripción de una de aquellas universidades y estaba esperando mi reacción. Me miró.

–¿Qué pasa? –preguntó.

–Ojalá alguien me lo hubiera dicho –dije.

–¿Y qué es lo que tendrían que haberte dicho?

No le respondí. Yo ya había comprendido que no ser consciente de mis defectos era otro de mis defectos.

Ahora quería convencer a Hugh de que su incapacidad para encontrar trabajo no era un defecto, sino una virtud.

–Tú eres un pintor, un artista –le dije–. No entiendo por qué estás buscando trabajo en un banco de inversiones.

–Tengo que ganarme la vida, Sophie.

–Quizá podrías hacer algo que estuviera relacionado con el arte –dije.

Me preguntó si tenía una idea de lo que costaban los colegios privados.

–No –respondí, y esperé a que se explicara. Y entonces me di cuenta de que ya lo había hecho. Hugh estaba hablando del coste de la educación de los niños que pensaba tener con Venice.

Le dije a Hugh que yo pensaba que a Venice no le preocupaba demasiado el dinero, pero de inmediato me di cuenta de que, en verdad, no lo sabía.

–Claro que no le preocupa, no tiene por qué –respondió él.

Yo sufría por Hugh, pero no era necesario: consiguió un puesto en el banco de Michael y acabó mudándose al piso de su amigo.

Michael no le caía bien a Venice, y yo estaba presente la noche en que Hugh le preguntó el porqué.

–Dímelo, quiero saberlo.

Ella se encogió de hombros.

–¿Porque tengo que dormir en el salón? –preguntó Hugh–. ¿Es por eso?

–No.
–Es su piso –le hizo notar Hugh.
Venice le recordó que él pagaba la mitad del alquiler.
Y Hugh volvió a preguntarle qué tenía en contra de Michael. Venice no le contestó, y él dijo que Michael era uno de sus mejores amigos. Su tono de voz era seco, cortante incluso. Ella lo miró –enternecida, me imagino, por la lealtad a su amigo–, y luego le dijo:
–De acuerdo.

Venice pasaba casi todos los fines de semana en Manhattan, y cuando yo también iba, los tres nos alojábamos en el piso de los padres de ella, en la calle Setenta y nueve, junto a Central Park. El viernes por la tarde yo iba en autocar desde Klondike, y Venice cogía el tren desde Providence.

Nos encontrábamos cerca del piso, en el Toy Bar. Era pequeño y agradable, y podías pedir al camarero un dominó o un ajedrez, o el juego que quisieras: parchís, Monopoly, Risk, Life y hasta el Juego de Citas de Barbie. También había un tren de juguete, y el camarero apretaba un interruptor varias veces cada noche, y el tren traqueteaba y hacía sonar el silbato en las vías, por encima de nuestras cabezas. La locomotora tenía una luz encendida.

Pasábamos allí una o dos horas –Venice siempre se las arreglaba para que pudiéramos charlar un rato a solas–, y luego llegaba Hugh. A veces, ella comentaba que le habían dicho que había una fiesta, pero rara vez íbamos; la torpeza de Hugh en las fiestas empezaba a irritarla.

Era evidente que Hugh se sentía más tranquilo ahora que tenía un trabajo, aunque yo no creo que le gustara lo que hacía; vender bonos, me parece. En todo caso, nunca hablaba de eso. Cuando yo le preguntaba cómo le iba en su nuevo trabajo, me contestaba: «Bien, bien», y el doble bien me hacía sospechar que le iba muy mal. Pero trabajaba duro. Había noches en que no podía venir a vernos hasta muy tarde.

Venice mencionó por primera vez a Anthony poco antes del Día de Acción de Gracias. Era inglés, y Venice no pronunciaba su hombre con *th*, sino con una *t* y un suspiro, como en *Antony y Cleopatra*.

Habíamos decidido ir caminando desde el piso de sus padres hasta Penn Station, donde yo cogería el tren a Filadelfia, y ella se encontraría con Hugh para coger el de Long Island. Anthony era «increíblemente listo», dijo, e «increíblemente encantador», e «increíblemente divertido».

–Pues parece increíble.

No lo comparó directamente con Hugh, pero me hizo saber que era agradable estar con alguien que sabía comportarse en un cóctel.

–¿Estás saliendo con él? –le pregunté.

–¡No, por Dios! –respondió–. Sólo vamos juntos a las fiestas.

La miré fijo: *¿Estás segura?*

–Es un Casanova –dijo ella, y para entonces yo me sentía lo bastante cómoda con Venice como para preguntarle qué era un Casanova.

–Un seductor –me contestó ella–. Un mujeriego.

Yo tenía un mal presentimiento con respecto a ese Anthony, pero no quería decir nada, así que le pregunté a Venice:

–¿Y tú crees que me gustaría?

–Yo creo que despertaría tu curiosidad, pero no sé si te gustaría.

Cuando estábamos en la Quinta Avenida a la altura del treinta y pico nos dieron unos folletos de una liquidación de muestrarios, y Venice les echó una mirada. Dijo que había oído hablar del diseñador y que su taller nos quedaba de paso.

–Vayamos a echar un vistazo –dijo.

Venice odiaba ir de compras, y pensé que quizá me había propuesto ir a la liquidación para evitar que le hiciera más preguntas sobre Anthony.

–¿Y Hugh lo sabe? –le pregunté en el ascensor.

–No hay nada que saber –me respondió ella.

Después nos vimos envueltas en el frenesí de la liquidación, y Venice me pidió que estuviera atenta por si veía un vestido largo para una fiesta de etiqueta. Anthony la había invitado a un «baile», como dijo ella.

Encontró un vestido de seda azul cobalto, con la espalda drapeada y muy escotada.

No había probadores –nos probamos los vestidos en un pasillo entre los percheros–, ni tampoco espejos, de manera que tuvimos que confiar en el juicio de la otra.

–No seas amable, dime la verdad –me pidió Venice.

El vestido azul cobalto le quedaba estupendo, pero se lo dije como si dudara; se me había ocurrido que si podía convencerla de que no se lo llevara, tal vez no iría al baile con Anthony.

Pero no pareció oírme. Me miraba fijamente y estudiaba lo que yo me estaba probando: un vestido de cóctel de tafetán negro, con un corpiño muy ajustado y ballenas, y una amplia falda llena de pliegues y volantes que me llegaba a las rodillas.

–¡Sophie! –dijo, y su voz sonaba entre pasmada y admirativa–. Quítate el sostén.

Le pregunté con la mirada: *¿Hablas en serio?*

Y su mirada me respondió: *Claro que sí.*

Seguí sus instrucciones, e hizo un gesto de aprobación.

Miré la etiqueta con el precio.

–Son cuatrocientos dólares.

–Estos vestidos cuestan miles –me respondió, y me preguntó si tenía bastante dinero en mi cuenta para pagar con un cheque.

–¿Bromeas? –le dije.

–¿Tienes tarjeta de crédito? –me preguntó.

Sí, yo tenía una tarjeta, pero mi padre me había dado instrucciones muy claras para su uso: emergencias, y para invitar a cenar una vez a la semana a una amiga o un amigo a un buen restaurante. Yo lo había hecho, pero nunca había llevado a Venice; tenía miedo de que ella pidiera un montón de copas, o una botella de vino caro, y luego, cuando mi padre recibiera una factura astronómica, pensara que yo iba por mal camino.

–Es sólo para emergencias.

–Pues esto es una emergencia.

Me desabroché el vestido.

–¿Te he aconsejado alguna vez que te compraras algo? –me preguntó.

Sólo habíamos ido de compras una vez, a la tienda de ropa usada del Ejército de Salvación, en Klondike, y Venice había intentado convencerme de que no me comprara un jersey. «Claro que no es perfecto –le había dicho yo–, pero sólo cuesta un dólar.»

–Dime cuándo puedo llevar yo este vestido –le dije ahora.

–Si no te lo compras, te lo regalo yo.

–Dime una ocasión, una sola ocasión en que pueda ponérmelo.

Me dijo que quizá podía ir al baile con ella y Anthony. Se quedó un minuto pensándolo.

–Puedes ponértelo para ir a todas partes, siempre que llegues tarde. Todos pensarán que vienes de un estreno, o de una función de gala, o algo por el estilo.

Le recordé que yo no era la clase de chica que va a fiestas o funciones de gala.

–No lo comprendes. Éste es el accesorio perfecto para ti.

Cuando le dije que era demasiado caro, me contestó que el de ella costaba el doble.

Estábamos en la cola para pagar cuando volví a acordarme del baile al que Venice iría con Anthony. Y, por cariño a Hugh, le pregunté con mi tono de voz más escéptico:

–¿De verdad piensas que tu vestido es el accesorio perfecto para ti?

–Bastante perfecto, en todo caso.

Aquella noche, en mi casa de Surrey, en la habitación de mi infancia, me puse el vestido y me miré al espejo.

Lo que vi me resultó tan extraño que al principio no podía creerlo. Con aquel vestido, yo era glamourosa. Y elegante. Allí, en mi dormitorio, con mi cama de dosel y mis pósters de Bob Dylan, yo era una estrella de cine.

Venice tenía razón: el vestido era perfecto, y me quedaba perfectamente. El corpiño escotado acentuaba mis pechos grandes y hacía que mi cintura pareciera muy estrecha, y mis caderas redondeadas. Yo no estaba acostumbrada a ver mis hombros desnudos, y menos aún el nacimiento de los pechos, que incluso cuando estaba quieta parecían querer salirse del escote, y hacían que acudiera a la mente la palabra *turgentes*.

Me miré largo rato al espejo, y recuerdo esos instantes como una de las pocas veces en mi vida en que me he visto hermosa.

Cuando mi padre llamó a la puerta, le dije que no estaba vestida, lo que no era del todo falso.

—Ven a darnos las buenas noches —dijo él.

Me puse el camisón y la bata y fui a la habitación de mis padres. Me senté al pie de la cama. Mi madre dejó el viejo *New York Times* que estaba leyendo.

—Tengo que deciros una cosa —dije.

Mi madre pareció inquietarse, pero mi padre, que era juez, permaneció tan imperturbable como siempre.

—Me he comprado un vestido —dije—. Y es muy caro.

—¿Cuánto? —preguntó mi madre.

No me atreví a decir en voz alta el precio. Le dije a mi padre que no invitaría más a mis amigos a cenar.

—No tienes por qué hacer eso —dijo él.

—Sí que tengo.

—¿Cuánto te ha costado, Sophie? —insistió mi madre.

—Estaba rebajado.

Me miró fijamente. Le expliqué que era de un diseñador famoso, pero no pude recordar cómo se llamaba para decírselo, y habían quitado la etiqueta con su nombre de los vestidos.

Y finalmente les dije el precio.

No dijeron ni una palabra.

Yo repetí lo que me había dicho Venice, que el vestido valía miles de dólares.

–¿Y te parece que necesitas un vestido que vale miles de dolares? –me preguntó mi padre.

No le contesté.

Mis padres se turnaron para hablar de mis valores. Y todos estuvimos de acuerdo en que no era apropiado ni sensato que yo comprara un vestido tan caro. Y todos decidimos que iba a devolverlo. Yo recordé entonces que en mi factura decía: *En las rebajas no se aceptan cambios ni devoluciones.*

–Cuando pueda te lo pagaré –dije.

Mi padre asintió.

–¿Te gusta el vestido? –me preguntó luego mi madre, que era lo que siempre preguntaba cuando salíamos juntas de compras y yo quería comprar alguno muy caro.

«¿Te gusta de verdad?», me preguntaba entonces. Si yo contestaba que sí, ella argumentaba que seguramente podría usar esa prenda tan cara toda la vida, durante años y años, y en cualquier estación. Porque mi madre, fuera cual fuera la tela –el algodón más ligero o la lana más abrigada–, declaraba que se podía usar todo el año. Y comenzaba a enumerar las ocasiones en que podría llevarla, acontecimientos en el futuro próximo y lejano: el bar mitzvah de un primo, la graduación de mi hermano, mi propia boda, y hasta podrían enterrarme con ella.

En las raras ocasiones en que yo conseguía mantener el entusiasmo necesario para la compra –siempre había un último «¿Pero te gusta de verdad»? junto a la caja–, la prenda colgaba luego en el armario como un bloque de cemento alrededor de mi cuello.

Me di cuenta de que mi madre estaba ahora del mismo humor que entonces.

—Enséñanos cómo te queda —dijo.
—Mañana —respondí.

Aquel invierno, cada vez que me encontraba con Venice en el Toy Bar, me hablaba de Anthony; parecía que necesitaba hacerlo, que era algo urgente. Hablaba muy rápido, para poder contármelo todo antes de que llegara Hugh.

Ahora reconocía que Anthony iba tras ella. El día de su cumpleaños la había llevado a Block Island, y cuando iban a coger el ferry, habían pasado junto a un gran cartel que decía: FELIZ CUMPLEAÑOS, ZSA ZSA.

—Anthony me llama Zsa Zsa.
—Sí, ya me había dado cuenta.

Venice percibió el reproche en mi voz, y dijo:
—Sophie, si ni siquiera lo he besado.

Una noche me contó que Anthony quería fletar un avión para llevarla a Maryland a comer cangrejos.
—¿Es que no hay cangrejos en Providence? —pregunté.

Me miró sin decir nada.
—¿Te estás enamorando de ese tipo?

Lo que yo quería decir era «ese Casanova».
—No.
—Entonces, ¿qué estás haciendo con él?

En ese momento no me gustaba Venice, y me di cuenta de que yo tampoco le gustaba a ella. Me pregunté, y no por primera vez, por qué éramos amigas.

—No nos acostamos, si eso es lo que me estás preguntando —me dijo, y yo advertí la distancia que había entre esta frase y aquel «ni siquiera lo he besado».

Y justo entonces llegó Hugh.

Aquella noche no parecía muy seguro de sí mismo, y quizá por eso había venido con Michael. Venice no se lo esperaba, aunque lo disimuló muy bien, incluso cuando Michael la besó en la mejilla.

Él se sentó a mi lado.

–Nos conocimos este verano, en Quogue –dijo.

Al principio no podía charlar con él con naturalidad a causa de lo que había pasado entre Venice y yo, y después, por lo que estaba pasando entre Venice y Hugh.

Él le había cogido la mano, algo que yo jamás le había visto hacer, y ella lo dejaba hacer, pero de mala gana. Y en un momento dado hizo como que iba a coger la copa y retiró la mano. Pero la maniobra había sido tan evidente que durante un rato nadie habló.

–Nosotros nos vamos a jugar –dijo Michael, y «nosotros» quería decir él y yo.

Yo me imaginé que era un pretexto para darles a Hugh y a Venice la oportunidad de estar solos, pero cuando estábamos en la barra me preguntó a qué quería jugar, y yo advertí en su voz algo que no tenía nada que ver con su amigo, o con mi amiga, o con la amistad en general.

–¿A las damas?

El bar estaba oscuro, pero no sólo por eso me resultaba difícil ver cómo era Michael. Para empezar, tenía los ojos tan hundidos que estaban como enmascarados por una sombra. Además, no dejaba de mirarme, y cuando yo lo miraba, él apartaba la vista. Pero me fijé en su pelo. Era liso, negro y más bien largo, y me gustaba.

Descubrí que Michael me atraía de una manera que me resultaba extraña, y eso me distraía, no me permitía concentrarme. Y perdía a las damas una partida tras otra. Cada vez que él decía «Voy a coronar», yo contenía el aliento.

–Cuéntame la historia de tu vida, Sophie Applebaum –dijo.

–Tú primero –respondí.

Se la inventó de principio a fin. Contó que había crecido en un circo. Que su padre era trapecista y su madre daba vueltas alrededor de la pista montada en un tigre, con una diadema y un traje de lentejuelas parecido a un bañador. Y que él, después del colegio, daba de comer a Floozy y a Poco, los elefantes.

–Pero después el circo cerró –dijo–. Fue muy triste.

Su padre no encontraba trabajo, y su madre trabajaba como corista. Michael dijo que ella le había pagado los estudios en la Universidad de Williams levantando las piernas.

Otro vodka con tónica, y mi rodilla rozó la de él. La aparté, Michael dijo: «No», y yo volví a poner la rodilla donde estaba. Él ahora me miraba y no decía nada; ninguno de los dos hablaba. Le envié un mensaje por telepatía: *Tócame*, pero no lo hizo y yo, emocionada y escandalizada por mi audacia, le cogí la mano debajo de la barra.

Nadie me había mirado nunca con tanta intensidad como él entonces, y vi en sus ojos que me necesitaba y me deseaba, y sentí que yo nunca había necesitado y deseado tanto a nadie, y posiblemente nunca volvería a desear a nadie igual.

Y pensé: *Nos estamos enamorando.*

–Estoy un poco cansado, Sophie Applebaum –dijo, y me miró–. Me parece que me voy a ir a casa.

Yo sabía lo que me estaba preguntando, y me recordó una escena de *Ana Karenina* que Venice me había leído, cuando Kitty y Levin están jugando a las iniciales, un juego de salón, y adivinan por telepatía a qué palabras corresponden las iniciales. Y yo pensé: *Nosotros también nos comunicamos telepáticamente, somos Kitty y Levin.*

Justo en ese momento el tren de juguete inició su recorrido por las vías y levantamos los ojos.

Fuimos hasta donde estaban Venice y Hugh.

–Me marcho –dijo Michael.

–Yo también –dije yo.

Venice me miró y vi en su cara una expresión que no había visto antes; inquietud, pensé, e incluso preocupación. Me imaginé que era por el mal momento que habíamos tenido hablando de los cangrejos, así que me incliné y le dije con todo el cariño que sentía por ella: «Mañana te llamo.»

–¿Estás segura?

–Claro –le dije.

–Hasta el lunes –le dijo Michael a Hugh.

Y luego ya estábamos fuera, en la calle.

–¿Estás segura de que quieres hacer esto? –me preguntó Michael.

–Sí, estoy segura.

–Vengas o no vengas conmigo, quiero seguir viéndote.

Para ser justos, ésta fue la única mentira verdadera que dijo. Y yo aún me estremezco recordando mi respuesta.

–Sí, lo sé.

Y las semanas siguientes, cada vez que sonaba el teléfono, no era Michael, y ninguna de las cartas que encontraba en mi buzón era de él.

Venice nunca lo mencionaba. Cuando yo le preguntaba si lo había visto, suspiraba y decía que sí. Yo sabía que estaba mal echarle la culpa a ella, pero se la echaba igualmente. Un poco, al menos. Y cuando trataba de poner en palabras por qué la consideraba responsable, lo único que se me ocurría era que lo que me había pasado a mí jamás le habría ocurrido a ella.

Pensaba en *La heredera*, y me preguntaba qué haría si Michael por fin llamaba a mi puerta. Sabía lo que diría Venice. Pero si te lo pensabas mejor, quizá no era una buena idea ese «Echa el cerrojo, Maria» que había dicho Catherine. Al fin y al cabo, luego había pasado el resto de su vida sola.

Yo no sabía qué iba a decir. Esperaba que las excusas de Michael fueran tan convincentes, su disculpa tan sincera y su gesto de reconciliación tan *Feliz cumpleaños, Zsa Zsa*, que yo no tuviera necesidad de decir nada.

Yo seguía encontrándome con Venice en el Toy Bar, y ella todavía hablaba de Anthony, pero bastante menos. Intentaba comportarse como si él estuviera reduciendo la velocidad, o incluso perdiendo interés, y a ella no le importara. Venice hablaba con la voz calma y monocorde que la gente usa en las situaciones sumamente graves.

Para mí era cada vez más difícil ver a Hugh debido a lo que yo sabía de Anthony. Me sentía como si le estuviera mintiendo, aunque sólo le dijera hola. Pero él debió de intuir lo que estaba pasando porque se le veía cada vez menos seguro de sí mismo.

–Tengo que contarte algo antes de que llegue Hugh –me dijo Venice una noche en el Toy Bar.

Yo ya sabía que se estaba acostando con Anthony, pero no quería oírlo. Todo iba a cambiar cuando Venice lo dijera en voz alta. Negué con la cabeza: *Por favor, no me lo cuentes.* Me daba cuenta de que ella tampoco quería hacerlo. Pero tomó impulso y habló:

–Michael no para de llamarme –le temblaba un poco la voz cuando lo dijo; sabía el riesgo que corría.

Venice trataba de ser una buena amiga, y yo, en teoría, apreciaba su esfuerzo.

–No se lo cuentes a Hugh, por favor, que ya tiene muy pocos amigos –dijo.

Hugh, en verdad, tenía más amigos que Venice, o quizá menos enemigos.

Nunca descubrimos quién la había visto con Anthony en Manhattan aquel fin de semana, cuando ella le había dicho a Hugh que tenía que quedarse en Providence para escribir un ensayo.

Venice repasó cada momento del fin de semana en que estuvo en un lugar público, esforzándose por identificar a la persona que le había hecho perder a Hugh. Había ayudado a Anthony a elegir una corbata en Barney's; habían subido y bajado de una sala a otra del Guggenheim; habían ido al Carlyle a ver a Bobby Short. Ella decía que no había visto a nadie que la estuviera mirando –a nadie conocido, al menos–, y pensé que Venice estaba tan acostumbrada a llamar la atención que no habría notado una mirada más.

Me las arreglé para no encontrarme con Anthony hasta el invierno siguiente.

Venice no había advertido el temor en mi voz. Me había dicho que llevara mi vestido perfecto y ella llevaría el suyo, el de color cobalto –Anthony ya encontraría un buen lugar para llevarnos–, y yo cogí el autocar con mi vestido metido en una bolsa de basura.

La escondí debajo de la mesa del Toy Bar, junto con mi mochila, y esperé a Venice.

Llegó tarde y entró disculpándose. Dijo que Anthony llegaría de un momento a otro; se habían peleado y él necesitaba serenarse. No podía hablar de la pelea porque él podía llegar en cualquier momento, y tampoco podía hablar de ninguna otra cosa.

Estaba tan hermosa como siempre, pero diferente. Me di cuenta de que se había maquillado y me sorprendió tanto que se lo dije.

–A Anthony le gusta maquillarme –dijo.

–¿Te maquilla él?

Asintió.

–Lo hace muy bien –dije.

–Sí, es un artista.

–Quizá podría pintarme también a mí –dije.

No entendió la broma, o no la oyó; estaba nerviosa. Miraba una y otra vez la hora, y se ponía y se quitaba la pulsera.

Cuando un tipo se acercó a la mesa, me sorprendió que lo invitara a sentarse con nosotras. No era más atractivo que cualquiera de los hombres que yo la había visto desdeñar en todos aquellos años, pero Venice siguió hablando con él y lo dejó que nos invitara a una copa. Y él todavía estaba allí cuando llegó

Anthony, y entonces se me ocurrió que Venice había preparado la escena.

Anthony era muy alto, de una guapura canónica, pero con algo de relumbrón en él, o tal vez demasiado brillo: le brillaban los ojos y tenía una sonrisa brillante. Después, cada vez que Venice hablaba de él, yo me lo imaginaba con una capa a lo Drácula.

No se sentó. Miró a su alrededor y no le gustó el Toy Bar.

—Creía que íbamos a ir al Algonquin —dijo, y Venice se puso de pie, aunque no habíamos terminado nuestras copas.

Saqué mis bolsas de debajo de la mesa, y Anthony las cogió para llevarlas.

—Bonita maleta —dijo, haciendo girar mi bolsa de la basura—. Yo tengo un juego igual en casa.

Pensé que quizá Anthony acabara gustándome.

En el taxi, él y Venice hablaron de la Mesa Redonda del Algonquin, y repitieron algunas frases ingeniosas que conocían. Cuando bajamos, él le ofreció el brazo donde llevaba mi bolsa de la basura.

—Señorita Parker —le dijo.

Y ella lo cogió y le dijo:

—Gracias, señor Benchley.

Dentro, sin embargo, era como cualquier bar de hotel, y daba la impresión de que hacía mucho tiempo que nadie decía allí nada ingenioso.

—Quizá deberíamos sentarnos en una mesa redonda —dijo Venice, pero Anthony le contestó que donde estábamos era mejor. Venice hizo a un lado un taburete y se quedó de pie, y Anthony se sentó entre las dos. Y alternaba entre coger a Venice de la cintura y coger la copa.

—Así que tú eres la famosa Sophie de Roger —dijo.

—Rogers —aclaré.

Dijo: «¿Perdón?», y usaba la palabra, pero no la entonación de pedir disculpas.

–La universidad se llama Rogers.

–Ah, claro. Lo siento. –Esta vez su «lo siento» era un poco más sentido.

Anthony parecía un tipo inquieto. Todo el tiempo que estuvimos allí se lo pasó hablando de dónde podíamos ir: lo habían invitado a una fiesta en las afueras, aunque tal vez deberíamos ir a Studio 54. Claro que también conocía un after-hours estupendo, dijo, pero quizá era demasiado pronto para ir allí.

–¿Sabes una cosa? –dije–. Estoy cansada.

A Venice se la veía preocupada. Cuando dije que me iba a dormir a casa de mi hermano, no se opuso.

Nos estábamos despidiendo cuando me sonrió, y de inmediato supe lo que iba a decir.

–¿Te importa si me acuesto con tu marido? –preguntó con voz sexy.

Puede que quisiera resucitar algo entre nosotras, pero aquello parecía más una escena destinada a Anthony –la obra podría llamarse *Mi divertida amistad con Sophie*–, y no le salió bien. Cuando me marché, todavía estaba explicándole el chiste.

–Lamento que Anthony estuviera tan grosero –me dijo a la mañana siguiente, por teléfono.

Anthony me había parecido frío, arrogante, aburrido y capaz de ser cruel, pero no grosero. Y lo que yo había notado era que Venice estaba muy nerviosa.

–Se sentía amenazado –explicó ella.

Yo pensé que tal vez la había oído mal, y dije lo mismo que hubiera dicho Anthony:

–¿Perdón?

–Sí, porque tú eres amiga de Hugh.

No supe qué decir; la última vez que yo había hablado con Hugh fue antes de que él y Venice rompieran. Él no había respondido a mis llamadas.

–Está terriblemente celoso de Hugh –continuó Venice, y

me pareció oír un leve acento inglés en su voz–. De todas formas, saldremos esta noche y te podrás poner tu vestido.

De repente, eché de menos a Hugh.

–Anthony quiere llevarnos a una fiesta en el SoHo –dijo–. Iremos tarde, pero tarde de verdad.

No le respondí de inmediato. Pensé en inventarme una excusa para no ir, pero luego le dije: «No quiero ir», así, sin más. Se quedó callada, y yo también.

No podía creer, de verdad no podía, que Venice hubiera elegido a Anthony; yo jamás lo hubiera preferido a él antes que a Hugh, o antes que a cualquier otro hombre, o incluso que a ningún hombre. Eso hacía que me resultara muy difícil creer que Venice y yo éramos, en el fondo, la misma persona. Y yo pensaba que esto era un requisito indispensable para querer a alguien.

Llevé el vestido perfecto en tres ocasiones.

Cuando cursaba el último año en Rogers, me lo puse para un baile de gala en la asociación de estudiantes, y fue emocionante tener un enjambre de seguidores, que se me acercaran hombres que antes jamás se habían fijado en mí. Pensé: *De modo que ser como Venice es así*, y al principio me gustó; me encantó, en verdad. Pero también era agotador; además, mi acompañante me gustaba menos de lo que yo le gustaba a él, y me parecía que no estaba bien llevar un vestido que iba a hacer que yo le gustara aún más.

La segunda vez fue en una fiesta de Halloween en el piso de la novia de mi hermano. Me puse el vestido con una máscara de ciervo. En el ascensor, un pequeño pirata preguntó: «¿Quién es ella, mamá?», y cuando mamá me preguntó, le respondí que era Bambi, la amante del reno Rodolfo.

–Es Bambi, la hermana de Rodolfo –le tradujo ella a su hijo.

La última vez que llevé el vestido fue en una fiesta a la que me invitó Venice. Era una de esas fiestas típicas de aquellos años, organizadas casi siempre por hombres: alquilaban un restaurante e invitaban a la gente sacándola de diferentes listas. Y había que pagar para entrar. La idea de Venice era que fuéramos muy tarde, y con nuestros vestidos.

Para entonces, yo ya hacía un año que trabajaba en Nueva York. Y también Venice. Ella había tenido un pequeño papel en un culebrón. Pero en todo ese tiempo nos habíamos visto muy poco. Cuando le pregunté por Anthony, no dijo mucho. Venice quería saber cuándo iba a conocer a mi nuevo novio. Yo le dije que Josh estaba muy ocupado escribiendo poesía.

La fiesta era en la calle Seis Este, en un restaurante indio decorado con otomanas tapizadas en terciopelo rojo carmesí. Todo el mundo llevaba la misma ropa que para ir al trabajo; los hombres que se me acercaron me preguntaron de dónde venía. Yo me quedé cerca de una hora, esperando a que apareciera Venice.

Venice, tal vez porque se sentía culpable por haberme dado plantón, me habló de Anthony como no lo había hecho nunca. Habían tenido una pelea horrible, dijo, posiblemente la peor de todas, aunque la competencia por el título era muy reñida. Me contó que Anthony estaba loco, que la llamaba cosas horribles y siempre la acusaba de acostarse con otros hombres, o de querer hacerlo.

Cuando me dijo que se daba cuenta de que tenía que dejarlo, yo le dije: «¡Claro que tienes que dejarlo, es evidente!»

Ella dijo: «Ya lo sé», pero no se la oía muy resuelta.

Pero al final lo dejó; descubrió que él la engañaba con otra mujer desde el principio.

No me arrepentí de haber ido a la fiesta.

Michael parecía el mismo de antes, aunque estaba oscuro en la acera del restaurante de Quogue y en el Toy Bar, y aún más oscuro en su habitación. El restaurante indio, en cambio, estaba muy iluminado.

Lo vi de reojo, y por primera vez en la noche me alegré de llevar mi vestido perfecto.

Yo había imaginado aquel momento muchas veces: me veía a mí misma volviéndole la espalda, o abofeteándole, o fingiendo que no acababa de recordar quién era; yo había tenido tantos amantes después de él, el primero, y todos ellos eran tanto más dignos de ser recordados...

Pero cuando nuestros ojos se encontraron y me preguntó con la mirada si me acordaba de él, yo con la mirada le respondí que sí.

Se acercó cuando yo ya me marchaba. Me preguntó si quería ir a tomar una copa a alguna parte, y le dije que no podía. ¿Cómo estaba Hugh?, le pregunté. Dijo que estaba bien. ¿Seguía pintando? Sí, de vez en cuando aún hacía algo.

Michael me acompañó afuera, y nos quedamos hablando en la acera. O habló él. Yo estaba muy segura de que no iba a volver a caer en sus redes, pero por si acaso mantuve mis ojos fijos en su nariz.

Hablaba rápido –tenía una novia pero estaba en Praga, y de todas formas iban a dejarlo, ya prácticamente se habían separado–, y yo hacía pequeños gestos de asentimiento mientras él hablaba, esos que se hacen cuando estás esperando que alguien termine con la charla.

–Bueno –dije–, tengo que irme.

–¿Te puedo llamar?

Esperé un largo rato antes de contestar; no tan largo, claro está, como el tiempo que me había hecho esperar él. Lo mantuve allí, con la respuesta en suspenso, lo miré de arriba abajo, y él siguió esperando mientras yo bajaba a la calle y levantaba la mano para parar un taxi. Y exactamente en ese momento, como enviado por algún dios en el que yo ya no creía –el dios del drama o el dios de las cosas perfectas, o quizá mi propio dios protector–, se acercó un taxi. Y subí, y cerré la puerta, y me fui.

La mecanografía del siglo XX

1

En Nueva York me parecía que todo era posible, y eso era algo que jamás había sentido en nuestra urbanización cuando, por ejemplo, volvía con mi madre a casa después de ir a unos grandes almacenes. Allí, cuando veía a la gente en sus coches, sabía que iban de vuelta a casa y que sus opciones eran las mismas que las mías: podían ver la tele o leer. Pero aquel verano en Nueva York, especialmente al atardecer, en el Village, o en el centro, o en el Upper West Side, cuando caminaba en medio de la multitud o miraba hacia arriba, hacia las ventanas iluminadas de las oficinas, o de las viviendas, sentía que mi vida podía seguir mil caminos distintos.

Acababa de graduarme, y estaba tratando de aprender a escribir a máquina sola, sin que nadie me enseñara, en el piso de mi hermano Robert, un antiguo edificio industrial de antes de la guerra, en la calle Ciento diecinueve con Broadway, a pocos pasos de una hilera de teléfonos públicos convertidos en un urinario al aire libre.

«Pissoir», lo llamó mi hermano mayor cuando vino a cenar; Jack vivía solo en un hermoso apartamento de una habitación, en el histórico West Village.

Robert tenía tres compañeros de piso, contando a Naomi, su novia, una chica callada y seria. Ella, además, hablaba muy lentamente, y yo pensaba que eso quizá tenía alguna relación con el hecho de que era una judía ortodoxa. Me preguntaba si esta estricta forma de judaísmo también le ordenaba que se cubriera a veces sus largos y ondulados cabellos con un pañuelo, lo que la hacía parecer una de las chicas del asentamiento judío de *El violinista en el tejado*.

Aquel verano Naomi se preparaba para hacer un doctorado en psicología, y Robert estudiaba para el examen de ingreso en la Facultad de Medicina; se pasaban el día en la biblioteca de Columbia, y por las noches dormían en la habitación de ella. Era el cuarto que tenía más luz, pero daba a la calle y a veces había mucho ruido. Por las ventanas entraba música de salsa y luchaba contra Mozart que sonaba en el estéreo. Yo ocupaba la habitación de Robert, donde había montado mi propia escuela privada para secretarias.

El piso era amplio pero cutre y estaba lleno de cucarachas que al parecer sólo yo veía. Era particularmente deprimente durante el día, cuando el sol entraba por los cristales mugrientos y veías que todo estaba muy sucio, que siempre lo había estado y que seguiría así por los siglos de los siglos.

Me habían informado de que había una vajilla para la carne y otra para los lácteos, pero yo siempre me olvidaba de cuál servía para cada cosa. Una mañana Naomi entró cuando yo estaba desayunando, y abrió la boca como para lanzar un chillido. Pero no se oyó nada, y en cambio se llevó una de sus manos ultrablancas al negro pelo, como para calmar su ataque de locura.

−¿Qué pasa? −pregunté.

Yo estaba comiendo mis cereales en un plato de los que se usaban para la carne.

Cuando me ofrecí a lavarlo, me miró con severidad y no dijo nada.

−¿Y si lo hago con agua muy, muy caliente? −le pregunté.

Me respondió que había que tirarlo, y yo pensé que eso era un poco radical, pero como la delincuente era yo, no estaba en posición de elegir el castigo del plato.

Naomi hizo que Robert hablara conmigo sobre lo que yo había hecho, lo que no decía mucho de su futuro como psicóloga.

Aquella noche los dos entraron juntos, pero Naomi giró a la izquierda, rumbo a su habitación, y Robert a la derecha, hacia el salón, donde yo estaba sentada con Leah, la otra compañera de piso.

Nos dijo hola, y luego fue a la cocina y se preparó su cóctel de todas las noches: zumo de arándanos y agua con gas.

Se apoyó en el quicio de la puerta, bebiéndolo a sorbos, mientras Leah me hablaba de la plaza de profesora asociada que había conseguido en Tel Aviv, adonde se marcharía en otoño. Lo que me contaba me aburría, pero su voz, suave y monótona, era tranquilizadora, y seguí haciéndole preguntas para que ella continuara hablando: «¿Qué tal es Tel Aviv?» «¿En qué se diferencian las universidades israelíes de las de aquí?»

Robert no se movió de la puerta, esperando a que Leah terminara de hablar, pero como parecía que eso no iba a suceder nunca, me hizo una señal con la cabeza para que me reuniera con él en su habitación.

Hice lo que me indicaba, y él cerró la puerta detrás de mí.

Me senté en la cama que mi hermano no usaba nunca, y medité sobre la cuestión: No parecía probable que los líderes espirituales del judaísmo ortodoxo, que sacudían la cabeza en un rotundo «no» ante mis cereales en el plato de la carne, aprobaran con un «Muy bien, muy bien» las relaciones prematrimoniales.

Traté de prestar atención mientras Robert explicaba que el estricto cumplimiento por parte de Naomi de los ritos de la religión se debía a su profunda fe. Y volví a la vida cuando empezó a hablar de nuestra familia. Para Naomi, nosotros éramos tan judíos como los protestantes episcopalianos. Se había horrorizado cuando supo que en nuestra infancia teníamos árbol de Navidad, y cuando mi hermano me lo contó, yo me acordé

111

de cuando él era pequeño y jugaba con sus monedas de chocolate y sus coches de juguete, y de su alegría de entonces, tan opuesta a su melancolía actual.

Me esforcé por animarlo con una broma sobre las cucarachas que retozaban a escondidas en el armario sobre las tazas de la leche, pero no le hizo ninguna gracia, y cuando dijo «Sophie» con tono severo, tuve un mal presentimiento. Mi hermano acompañaba a Naomi a la sinagoga algunos viernes por la noche y sábados por la mañana; yo me había imaginado que era porque Robert se estaba comportando como el Robert de siempre, o sea como un buen chico, pero ahora me preocupaba que estuviera convirtiéndose en un fanático de la Torah.

–Te hemos abierto las puertas de nuestra casa –dijo, y adiviné que estaba citando a Naomi.

–¿Eres tú quien me acaba de decir «Te hemos abierto las puertas de nuestra casa»? –le pregunté.

Su expresión me reveló que lo había pillado, y por un segundo su cara fue la del Robert que yo conocía. Pero oímos a Naomi que se dirigía a la ducha, y mi hermano volvió a ponerse mortalmente serio.

Le dije que me iba a disculpar con Naomi.

–Me parece una buena idea –dijo.

Le pregunté si era necesario que también me disculpara con Seth y Leah, los otros compañeros de piso, y me respondió que no, que Naomi era la única persona que comía *kosher*. Al parecer, Robert encontraba normal que una sola persona dictara las reglas dietéticas de los cinco ocupantes del piso.

En la cocina, me señaló los platos y recipientes que servían para cada cosa. Resultó que había un servicio para el desayuno que yo ni siquiera sabía que existía, y también cazos y ollas que sólo se usaban para la leche o los alimentos que la contenían. Robert encontró un rotulador, hizo etiquetas con papel adhesivo y las pegó en los estantes y en los cajones. Y ambos nos comportamos como: *Problema resuelto.*

Cuando Robert regresó a la biblioteca, me dirigí a la habitación de Naomi. La puerta estaba abierta, y ella estaba escribiendo un ensayo cuyo tema tal vez fuera cómo evitar los conflictos. Su espeso pelo estaba húmedo y le caía sobre una toalla que se había puesto en los hombros, por encima del albornoz. Pensé que le llevaría toda la noche secarlo y que iba a dormir con una toalla sobre la almohada, como hacía yo cuando era pequeña. Y eso me hizo verla como una chica joven y saludable, en lugar de estricta, que era la palabra que se me había grabado en la mente después de la perorata de Robert sobre las prácticas religiosas de Naomi. Pero cuando llamé con un golpecito en el marco de la puerta y ella se dio la vuelta, su expresión volvió a ser *estricta*. Naomi parecía estar segura de que tenía razón siempre, y no sólo en esta particular circunstancia, y de que era la más justa entre los justos, y yo me la imaginé actuando así con Robert.

Y cuando le dije: «Perdona por lo que pasó con los cereales», con cara y voz de decir: *No olvidemos que estamos hablando de cheerios*, yo estaba defendiendo a mi hermano y a toda mi liberal familia, e incluso defendía los árboles de Navidad de mi infancia, que hasta a mí me parecían algo bastante extraño.

Yo había empezado a salir con el tutor de Robert en el curso de ingreso en medicina, al que mi genial hermano calificaba de genio.

Josh era amable y educado, poeta, amante de las novelas clásicas y de las películas extranjeras. No bebía y jamás había probado ninguna clase de droga, e incluso durante los días más calurosos de julio, o «el Hades de julio», como los llamaba él, daba la impresión de estar recién salido de la ducha y olía ligeramente a talco de bebé.

Llevaba el pelo largo y se lo recogía en una coleta, y tenía el estilo desmadejado de los larguiruchos sin ser realmente alto.

113

Robert me contó que Josh era un gran tenista, y una noche fui a las pistas a verlos jugar. Me encantó ver a Josh en acción, con su saque enorme, poderoso; estaba en muy buena forma. —Tendrías que verme escribir a máquina alguna vez —le dije luego, cuando volvíamos caminando a casa.

Yo me había traído la inmensa IBM Selectric II de mi padre y un manual, *La mecanografía del siglo XX,* que había tomado prestado de la biblioteca pública durante el breve período de parálisis de posgrado que pasé en nuestra casa de las afueras. Tenía la forma de un bloc de notas, con tapas duras de un verde oliva desteñido, y era el libro que yo había usado en mi clase de mecanografía en el instituto. Esperaba acordarme de algunas de las cosas que había aprendido entonces, pero lo había olvidado todo.

Cuando descansaba de la mecanografía, estudiaba *Cómo hacernos publicidad a nosotros mismos,* una guía para hacer currículums que había comprado y cuyas frases de aliento me desalentaban aún más. Esos buscadores de empleo se habían pasado toda la vida preparándose para trabajos que a mí ahora se me ocurría que quizá me interesaban. Tim Sullivan se había graduado en periodismo, había sido editor del periódico de la universidad y becario durante un verano en un diario gratuito de Detroit con una circulación de veinte mil ejemplares. Laura Johnson, cuya meta era ser ayudante de fotógrafo, ya había tenido antes un puesto similar, y también había trabajado en una galería de arte y se había hecho acreedora de una mención de honor en un concurso de fotografía en la Feria del Estado de Minnesota.

Lisa Michele Butler era la única que me servía de algo. Aunque yo no había escrito una tesis premiada titulada *El regionalismo en los relatos de Sarah Orne Jewett,* ni tampoco dirigido una organización de voluntarios que trabajaban en un programa de alfabetización, sí me había graduado en Inglés. Por consiguiente, yo también, como Lisa Michele, decidí buscar un primer trabajo en la industria editorial, a ser posible como asistente editorial.

Siguiendo los consejos del libro, hice componer e imprimir mi currículum, y me quedé pasmada ante el resultado: mi falta de experiencia, de logros y de méritos, impresos con una tipografía elegante y sencilla, pasaban por modestia y deseo de no darse importancia. Me gustó tanto cómo había quedado mi currículum que olvidé mis temores con respecto a su contenido y se lo mostré a Josh.

–No sé por qué estabas tan preocupada –me dijo.

Yo le respondí que él debería ver los currículums de *Cómo hacernos publicidad a nosotros mismos.*

–Cariño, esa gente no existe.

–Sí, *ahora* lo sé.

Llamé a la primera persona de la lista de gente que Jack conocía en las editoriales, pero mi hermano me había dado mal el nombre, o bien su amiga se había marchado de la empresa; me pusieron con el departamento de personal.

Expliqué que estaba buscando a una amiga de mi hermano.

–Siento molestarla –dije.

–No se preocupe. Estoy a su disposición –me respondió la mujer.

Conseguí decirle que estaba buscando trabajo como asistente editorial, y la mujer, que al parecer era una santa, me preguntó si podía pasar por su despacho esa misma tarde.

Me puse mi traje de chaqueta, medias y zapatos de tacón, que me hicieron ampollas en los pies tras caminar unas pocas manzanas.

La santa de personal era aún más simpática en persona. Hizo un gesto de aprobación cuando leyó mi currículum, e incluso sonreía cuando me dijo que nunca había oído hablar de mi universidad.

115

Le dije que no tenía importancia, que nadie conocía Rogers.

–Mi hermano la llama Ginger –le dije.

–Muy bien. ¿Sabe escribir a máquina?

Yo interpreté su pregunta como un *¿Está dispuesta a escribir a máquina?*

–Claro que sí –le respondí.

Y ella me hizo una prueba allí mismo.

Después de calcular mi velocidad, me dijo que lo sentía, y me explicó que tenía que escribir como mínimo cuarenta y cinco palabras por minuto para poder aspirar a un puesto en una editorial.

–¿Y cuántas he hecho? –le pregunté.

–Nueve –me respondió.

Esa noche, en lugar de encontrarme con Josh, escribí a máquina. Pero estaba muy inquieta, e iba y venía una y otra vez a la cocina a buscar una Coca-Cola light o café. Y cada vez que lo hacía, aparecía Naomi. Se servía un vaso de agua, o abría la nevera, pero yo sabía que estaba allí para asegurarse de que usaba la vajilla correcta. Y yo le sonreía: *Pero no sabes lo que uso cuando no estás aquí, ¿verdad que no?*

A Josh le gustaba quedarse los fines de semana en Nueva York. Le gustaba que la ciudad se vaciara y poder ir a los museos, o a comer en los restaurantes que los demás días estaban siempre llenos. Yo lo comprendía, pero mis padres tenían una casa en la costa de Nueva Jersey, y yo a veces tenía ganas de ir. Quería nadar en el océano.

Y se lo dije a Josh un viernes por la noche, en agosto, cuando la humedad me hacía sentirme desesperada y con los nervios de punta.

–Pero si ya hemos ido dos veces –dijo Josh, y también dijo, como ya lo había hecho antes, que quería compartir conmigo experiencias nuevas.

Y entonces sugirió que fuéramos a Coney Island a visitar a Bubbe, su abuela rusa, que en mi primera visita me había preguntado por qué no había ido a verla antes.

–Ya hemos estado allí –dije, manteniendo la calma.

–Ah, es verdad.

Y entonces me puse impertinente y añadí que yo no había ido a ver a mi propia abuela ni siquiera una vez.

–Pero ¿no la conocí hace unos días?

Josh había conocido en la casa de la playa a Steeny, la madre de mi madre.

–Estoy hablando de la madre de mi padre, de la abuela Mamie. Vive en el Bronx.

–Muy bien –dijo, como si hubiera encontrado allí mismo, delante de nosotros, una solución maravillosa–. Vayamos a visitarla.

Le dije que lo último que quería hacer en un día de verano era ir a visitar a una abuela, ya fuera suya o mía.

–¿No lo entiendes? –Se me ocurrió que no había hablado con suficiente claridad, y me esforcé por encontrar las palabras apropiadas–: Necesito salir de la ciudad –añadí, y me di cuenta de que hablaba como una niña que tiene una rabieta porque le han puesto demasiado ketchup en su hamburguesa.

–¿Quieres dar un paseo? –me preguntó.

Negué con la cabeza. Mi frustración aumentaba peligrosamente, y una jaqueca asomaba en el horizonte.

–¿Por qué no te pones junto al ventilador? –me dijo él.

Josh estaba extrañamente tranquilo; él era el ojo del huracán, y yo me convertí en su boca. Finalmente me decidí a sacar de allí a mi vociferante persona, y me fui caminando por Broadway hasta el piso de Robert.

Cuando llegué, no encontré mis llaves. Llamé por el interfono y esperé; volví a llamar. Cuando me aparté unos pasos y miré hacia arriba, vi una luz en la habitación de Naomi –un resplandor de velas encendidas, más bien– y recordé que era el Shabat.

117

Llamé desde los teléfonos *pissoir*. Estaba puesto el contestador automático, y el «shalom» grabado de Leah me tranquilizó. Después de la señal, dije: «Soy Sophie» y «He olvidado la llave y no puedo entrar».

Esperé, y el contestador me colgó.

Estaba casi segura de que los viernes por la noche la biblioteca cerraba a las diez. Ahora eran las diez y diez. Me imaginé que Robert no tardaría en llegar. Me senté en el umbral y esperé.

Pero de repente tuve un pensamiento horrible: ¿y si Robert estaba arriba? No me lo imaginaba negándose a dejarme entrar, por mucho que Naomi insistiera. Pero en la cocina mandaba ella, y la puerta de entrada estaba justo al lado.

Por fin le abrieron la puerta de calle a un repartidor, y yo entré con él. Llamé a la puerta del piso, y Naomi abrió unos minutos más tarde, en bata.

–Estaba dormida –dijo, y aunque la frase no era más que la afirmación de un hecho, estaba más cerca de una reprimenda que de una disculpa.

Me acosté y esperé a que llegara Robert. Abrió la puerta unos minutos más tarde y se fue derecho a la habitación de Naomi sin encender ni una sola luz.

Cuando desperté, Robert y Naomi ya se habían marchado, probablemente a la sinagoga de ella.

Había dos mensajes de Josh en el contestador automático. El primero –«Soy Josh…Tengo las llaves de Sophie»– era tan frío y objetivo que hizo que me sintiera como si ya hubiéramos roto. Pero el segundo –«Por favor, llámame»– sonaba tan triste e íntimo que era como si me lo estuviera susurrando al oído.

Él lo sentía mucho, yo lo sentía mucho, ambos lo sentíamos mucho. Nos pasamos el sábado reconciliándonos en su apartamento.

–Lamento lo que pasó el viernes por la noche –me dijo Robert el domingo.

–No fue culpa tuya –dije yo.

Mi hermano defendió a Naomi sin nombrarla: me explicó todo lo que no se podía hacer en Shabat, y por qué. Esperé hasta que terminó. Y entonces le pregunté:

–Robert, ¿ahora eres un judío ortodoxo?

Negó con la cabeza, pero me dijo que le gustaba cumplir con los ritos del Shabat –«Es muy agradable y tranquilizador»–, y me recordó que a él siempre le había gustado ir a la sinagoga.

–¿Y por qué no habría de gustarme? –dijo–. Estás en una gran sala llena de gente, y todos son judíos.

Más tarde, Naomi llamó a la puerta de mi habitación, y cuando me di la vuelta, vi que estaba de pie allí igual que yo cuando fui a su cuarto a disculparme.

–Lamento lo del interfono –me dijo.

Naomi se fue a la biblioteca, y Robert y yo cenamos con sus compañeros de piso. Leah se marchaba a Tel Aviv dentro de poco, y Seth dijo que tenían que empezar a buscar a alguien que ocupara su habitación.

–Soph, ¿tú estás buscando piso? ¿Qué te parece éste? –me preguntó Seth.

Leah abrió mucho los ojos y comprendí que Naomi había estado hablando de mí con ella.

Robert había dejado de comer. Tenía los ojos clavados en el plato, y cuando por fin me miró, su expresión era de impotencia. Y me di cuenta de que decirme sí a mí era decirle no a Naomi. Yo no quería que él se sintiera en medio de una batalla de Novia contra Hermana, pero sabía que siendo mi hermano como era, esto era inevitable.

Puse cara de: *No te preocupes, no pasa nada.*

Y a los de la mesa les dije que, para poder alquilar un piso, antes tenía que encontrar trabajo.

119

Me di cuenta de que Robert respiró aliviado cuando le dije que iba a quedarme un tiempo en casa de Jack. Todos nos sentimos un poco incómodos cuando me mudé. Me quedé unos minutos en la puerta con Robert y Naomi, despidiéndome. Jack me estaba esperando en su descapotable y Josh bajó mis cosas. Robert trató de darme un abrazo, pero yo llevaba mis vestidos –y sus correspondientes perchas– colgados del brazo.

–Bueno... –comencé a decir, y luego, sin pensarlo, añadí–: Gracias por abrirme las puertas de vuestra casa.

2

Jack llamaba a Naomi «la enana», y «la reina de los gnomos», y se rió de mi chiste sobre las cucarachas. Cuando repetí aquel «Te hemos abierto las puertas de nuestra casa» que me había dicho Robert, Jack puso cara de no-me-lo-puedo-creer, y dijo: «¡Vaya con Robby!»

Era mi primera noche en el piso de Jack, y estábamos terminando la espléndida cena que había preparado Cynthia, su novia. Había adornado la mesa con tulipanes y la cocina estaba iluminada solamente con velas. Todo era muy agradable y yo me sentía feliz de estar allí, pero no me gustaba el rumbo que estaba tomando la conversación.

–Hay una palabra para lo que le pasa a nuestro hermano pequeño –dijo Jack.

–Yo de eso no sé nada –dije yo.

–Sí que lo sabes.

Jack me hablaba a mí, pero también le tomaba el pelo a Cynthia, que era de Alabama y a lo mejor no conocía expresiones como «encoñado».

–Jack, creo que va a casarse con ella –dije, y en el momento en que lo decía me di cuenta de que era verdad. Pensándolo bien, Robert y Naomi se comportaban como si ya estuvieran casados.

Me pregunté cómo afectaría a Jack que su hermano menor se casara antes que él. Puede que Cynthia también se hiciera la misma pregunta, porque miró a Jack.

Él se quedó callado, y yo sabía que estaba pensando en la charla que tendría con Robert; hasta movía un poco los labios. Pero yo estaba segura de que daba lo mismo lo que le dijera, porque Robert, de todas formas, no iba a escucharlo. Jack era un experto en enamorar a las mujeres, pero no era ésa la mejor credencial para ejercer de consejero matrimonial.

Cuando Jack terminó de soñar despierto, me preguntó cómo iba mi búsqueda de empleo y si ya había ido a ver a alguno de los editores cuyos números de teléfono me había dado. No dijo sus nombres delante de Cynthia y se me ocurrió que en verdad se trataba de editoras, de mujeres que habían salido con mi hermano.

Le dije que antes tenía que ser capaz de escribir cuarenta y cinco palabras por minuto.

Cynthia me dirigió una sonrisa de aliento: *Lo conseguirás, guapa.*

La novia de mi hermano era alta, con brazos muy largos y una boca grande pintada de rojo intenso. Diseñaba ropa y tenía una de esas personalidades envolventes como un vestido. Cuando nos conocimos, me saludó con un abrazo y luego habló y habló y habló durante toda la cena. No digo que me molestara, claro que no. Tenía una voz bonita y se podía oír en ella la cadencia del Sur, sobre todo al final de las frases.

Nos quedamos hablando hasta tarde, y yo fregué los platos. Después, cuando fui al salón, Cynthia estaba poniendo las sábanas y una manta en el futón donde yo iba a dormir.

Jack abrió la puerta de su habitación lo justo para asomar la cabeza, y yo supe que estaba en ropa interior, o en nada.

–Buenas noches, Campanilla –me dijo.

Y Cynthia volvió a abrazarme.

–Me alegro de que estés aquí –me dijo, y yo comencé a quererla.

Yo nunca había oído a nadie follando y me llevó unos minutos identificar los ruidos. Cynthia gemía suavemente y Jack emitía el mismo sonido que cuando levantaba pesas en nuestro sótano, una especie de gruñido que se iba haciendo más fuerte y que en el pasado había acabado con el estrépito de las pesas al chocar contra el suelo. Y después los dos se echaron a reír, y yo también me reí. O hice algo bastante parecido.

Josh y yo hacíamos sexo en silencio y me dije que la próxima vez yo haría un poco más de ruido.

Pero no lo hice. La noche siguiente, cuando fuimos a cenar, Josh me dijo que necesitaba más tiempo para escribir poesía.

Estábamos en Szechwan West –lo llamábamos Szech West–, a la vuelta de su casa, y ya habíamos pedido nuestra cena al camarero.

Josh dijo que antes de conocerme se pasaba las noches escribiendo en la biblioteca; pero ahora tenía que trabajar durante el día, y por la noche se encontraba conmigo.

–Mi poesía comienza a resentirse –dijo.

–Pues yo no quiero que tu poesía sufra –le dije, sonriendo.

Y en lugar de preguntarle, por ejemplo, si había dejado de quererme, hice un esfuerzo para que el tema de la conversación continuara siendo la poesía. Pero la pregunta: «¿Qué tipo de poemas escribes?», nos llevó a un callejón sin salida cuando él me respondió que ya me los enseñaría; y: «¿Quiénes son tus poetas preferidos?», acabó en una lista.

Cuando me preguntó cuáles eran los míos, yo suspiré, como tratando de decidir entre muchos, y me esforcé por encontrar aunque fuera uno. Y por fin le recité mi poema favorito:

Sacude y sacude
la botella de ketchup,
no sale nada
y luego sale mucho.

Llegaron nuestros platos y él me advirtió que él mío llevaba pimientos picantes.

–Una vez me comí uno y hubiera querido arrancarme la cabeza –me dijo.

En su piso, en su habitación, me fue más difícil hacer como que todo estaba bien. Le dije que iba a fumar un cigarrillo, lo que significaba salir afuera. Una de sus compañeras de piso fumaba, pero solamente en su habitación, y Josh se quejaba del humo que salía cada vez que ella abría la puerta. Cuando salí a la escalera me sentí mejor. Me senté en los escalones negros y llenos de polvo y encendí un cigarrillo. Y traté de recuperar mi personalidad.

De vuelta en el piso, abrí la puerta del dormitorio de Josh. Él ya había apagado la luz. Me adelanté paso a paso en la oscuridad. Mi rodilla encontró la cama, y me acosté. Me quedé inmóvil. Y entonces Josh me abrazó y pude volver a amarlo sin peligro.

Cada vez que llamaba a casa, mi madre me decía que había recibido otra carta de la biblioteca reclamando *La mecanografía del siglo XX.*

El autor era M. A. E. Lessenberry, y esas iniciales bien podrían haber sido las de Mortífero Aburrido Espantoso. M. A. E. me mataba de aburrimiento con ejercicios como «Conozca su máquina de escribir» y «Supere la prueba de velocidad», para lo cual yo tenía que escribir párrafos como: «¿Usted cree que puede aprender a escribir a máquina correctamente? Sí, pero depende de usted. Un oficio se adquiere mediante la práctica, pero también mediante la manera de pensar. Así pues, piense de manera positiva y haga sus ejercicios, y el premio será un excelente dominio de la mecanografía.»

Cynthia llegaba cerca de las seis y media, con provisiones para la cena y una bolsa de plástico con ropa de la tintorería; ella tenía su propio piso y se suponía que no estaba viviendo con Jack. Llevaba la comida en una bolsa de red que a su vez estaba llena de bolsas pequeñas y grandes de papel de estraza. Cynthia no compraba en el supermercado de la esquina de Bleecker Street, sino que iba a la pescadería, a la carnicería, a la charcutería, a la panadería y a la verdulería. Decía que así se hacen las compras en París, donde había vivido después de graduarse en Bellas Artes.

Me preguntaba cómo había pasado el día, y yo le contestaba «Como siempre», o «Bien». Habría querido contarle más cosas, pero un día dedicado a la mecanografía no produce anécdotas fascinantes. ¿Qué podía contarle? *Cynthia, hoy por fin he comenzado a hacer ejercicios con las mayúsculas.*

Cuando llegaba Jack, yo desenchufaba la máquina de escribir, la llevaba desde la cocina al salón y la guardaba debajo de la mesita.

Él me preguntaba: «¿Cómo va el marcador?», o sea a cuántas palabras por minuto había llegado, y yo le decía la miserable cantidad. A veces me llamaba Katie, y yo no entendía por qué. Katie, una de mis mejores amigas del instituto, había sido muy buena alumna, pero mi hermano no tenía por qué saberlo. Cuando por fin le pregunté por qué me llamaba así, me explicó que Katie era la abreviatura de Katharine Gibbs, la escuela de secretarias.

Cynthia llamaba a Jack «Gran Oso», que pronunciaba ozo, con voz de niña constipada. Era un apodo acertado: Jack era grande y robusto y tenía pelo por todas partes, salvo en la cabeza. Ella se lo decía con mucho cariño, y mi hermano por lo general le daba un gran abrazo de oso y a veces la besaba.

El salón era pequeño; sólo cabían el futón y unas pocas sillas, que estaban allí más para ser vistas que para sentarse en

124

ellas. Pero la cocina era grande y luminosa, y se veían las copas de los árboles, que estaban cambiando su color al amarillo y al rojo, y era allí donde estábamos casi siempre.

Jack leía el periódico mientras Cynthia cocinaba, y yo también leía una sección del periódico, aunque me moría por hablar y por que me hablaran. Pero hacía un esfuerzo por estar quieta y callada, y después de un rato hasta me gustaba. Cuando nos sentábamos a la mesa a cenar, yo sentía que éramos una pequeña familia feliz.

Yo fregaba los platos y después me encontraba con alguna amiga a tomar una copa, o iba a casa de Josh. Si no tenía ningún plan, daba un paseo por el barrio para que Cynthia y Jack pudieran estar solos. Caminaba hasta Christopher Street, que todavía era el centro del mundillo gay. Al principio, cuando veía besarse a dos hombres, no me lo podía creer.

Por fin conseguí llegar a las veinticinco palabras por minuto, pero allí me quedé estancada.

Se lo dije a Jack apenas entró.

—Seré una anciana y seguiré en veinticinco palabras por minuto —dije, y luego repetí con voz cascada—: Todavía... vein...ticinco.

Se rió, pero cuando volvió a casa la noche siguiente y yo repetí mi decrépito «Todavía... veinti...cinco», él dijo: «Fabuloso», una palabra que nunca le había oído usar, y la pronunció como si estuviera imitando a alguien.

Yo, como de costumbre, llevé mi máquina de escribir al salón y luego regresé a la cocina.

Jack estaba leyendo el periódico. Cynthia se inclinó y lo besó en la coronilla. Y vi que mi hermano se encogía, como si hubiera querido esquivarla.

Jack tenía talento para todas las artes. Había pintado un mural en la pared del salón que representaba su calle, con los árboles y la acera, un chico en un patinete y una mujer que llevaba una bolsa de red llena de provisiones; me llevó una semana darme cuenta de que la mujer era Cynthia. Y en la pared de su habitación, ya enmarcadas, había montones de fotografías en blanco y negro de su cama, hecha y deshecha.

Jack había estudiado Arquitectura en Yale e Historia del Arte en Harvard..., un año de cada una; había sido redactor de una famosa revista y había tocado en una banda de rock. Y ahora quería dirigir películas, o films, como los llamaba él. Estaba trabajando en una productora, pero yo no conseguía saber qué hacía, y cada vez que me lo explicaba, mi ignorancia aumentaba. Lo único que conseguía recordar eran los nombres de los actores famosos que él decía estaban «ligados» a películas que su compañía iba a producir.

—Cuéntame de nuevo qué es lo que haces —le dije una noche, cuando él ya había doblado el periódico y Cynthia estaba poniendo una gran fuente de pasta en la mesa. Se lo dije porque la cocina parecía silenciosa, y no era el silencio agradable del pasado; era un silencio estridente.

—Soy A. P. —me respondió, y advertí en su tono que no quería decir nada más.

Yo sabía que Jack estaba de mal humor, pero confiaba en que con mi charla se le pasaría.

—Adivina adivinanza —le dije—. ¿Qué significa A. P.?

—Asistente de producción.

—¿Pero eres un asistente? —le pregunté realmente sorprendida.

—Pues sí.

Yo siempre había esperado con ilusión el momento en que Jack llegaba a casa, y no sólo porque señalara el final de mi día de mecanografía. Cuando lo oía en la escalera pensaba: *¡Qué empiece la fiesta!* Pero en los últimos tiempos, cuando abría la puerta y entraba, daba la impresión de que hasta el piso se ponía tenso y sombrío.

Ahora, cuando Cynthia le llamaba «Gran Oso», parecía que trataba de recordarle a Jack cómo la había querido; que le estaba pidiendo que fuera el oso de antaño. Observé que él no siempre respondía a las preguntas de ella. Jack estaba leyendo el periódico, por ejemplo, y Cynthia le hacía una pregunta habitual, como: «¿Qué tal te ha ido hoy?», y a continuación sólo había silencio.

Yo sabía que para Cynthia la respuesta no tenía importancia; preguntar era su manera de decir: *Hola*, e incluso: *Te quiero*. Cuando él no le contestaba, ella seguía lavando la lechuga, o salteando cebollas, como si no hubiera preguntado nada.

Se lo conté a Josh, y su respuesta, un largo parpadeo seguido de una mirada vacía, me hizo preguntarme si un día, pronto, él también dejaría de responder a mis preguntas. Así que le pregunté:

–¿No te parece que es una actitud grosera?

Y él hizo un gesto como diciendo: *Y yo qué sé*.

Yo estaba defendiéndome a mí misma cuando le dije: «Me parece mal.»

–Bueno, es asunto de ellos –concluyó él.

En cierto modo, yo nunca había visto a Jack tan de cerca como ahora. En casa de nuestros padres él ocupaba la habitación del ático, que era como una casa independiente por encima de la nuestra. Y luego se marchó a la universidad y no siempre volvía a casa en vacaciones. Se iba a visitar a una novia, o viajaba. A veces prometía venir a casa, pero luego cambiaba de planes.

En una ocasión en que yo me sentí verdaderamente decepcionada, mi padre había tratado de explicarme que ya no podía contar con Jack tal como yo esperaba; que tenía que aprender a apreciarle por lo que él podía hacer y no entristecerme por lo que no podía hacer.

Comprendí lo que mi padre quería decir. En una ocasión,

Jack condujo mil quinientos kilómetros para cenar con mi madre el día de su cumpleaños; al año siguiente, ni siquiera la llamó por teléfono.

A mi hermano le encantaba hacer favores importantes y sorprender a la gente con su generosidad. Le gustaba hacer por los demás mucho más que aquello a lo que estaba obligado, pero no le gustaban las obligaciones, ni que esperaran nada de él.

Puede que él pensara que yo esperaba que me preguntara cómo iba mi mecanografía; en todo caso, dejó de preguntármelo. Y para mí fue un alivio, porque mi velocidad no aumentaba. ¿Cómo podía ser que me pasara el día escribiendo a máquina todos los días y que no mejorara? La respuesta: no escribía todo el día ni todos los días. Había comenzado a tomarme largos períodos de descanso después del mediodía. Me preparaba un bocadillo y me iba a comerlo a Washington Square Park; mi intención era quedarme solamente una hora. Pero me demoraba en el paseo para perros, sobre todo si había algún cachorro. Me sentaba junto a la fuente sin agua, donde un cómico ensayaba sus chistes con los estudiantes de la Universidad de Nueva York. Yo fingía ser uno de ellos. A veces actuaba un mimo. Una voz en mi cabeza me decía que tenía que volver a mis ejercicios de mecanografía, pero otra me susurraba: *Un rato más, sólo un rato más.*

A veces caminaba hasta St. Marks Place y me probaba las gafas de sol que se exhibían en las paradas. O me perdía mirando la ropa en una boutique. Y cada día me quedaba más rato, hasta que por fin mi único objetivo era volver al piso antes de que llegara Cynthia.

Josh y yo íbamos a restaurantes baratos; a La Rosita, en Broadway, para almuerzos cubanos; a V&T, cerca de Columbia, a comer pizza, a cualquier sitio de la calle Seis Este cuando queríamos comida hindú, y al Corner Bistro, en la calle Cuatro Oeste, en busca de hamburguesas. Pero de vez en cuando Josh me decía que nos encontráramos en un restaurante un poco mejor, y me di cuenta de que era cuando había terminado un poema. Me lo leía a los postres, y yo lo aplaudía y le daba un beso. Y fue después de una de esas cenas cuando me atreví a gemir en la cama.

Al principio me parecía que estaba actuando, pero después, no. Y al final di un alarido. Después me reí y dije, como si estuviera bromeando: «Me he corrido.»

Josh estaba muy callado.

—Cariño —dijo—, que tengo compañeros de piso.

Una noche, antes de la cena, cuando Jack no contestó a una pregunta de Cynthia, yo lo miré cabreada.

—¿Qué pasa? —preguntó.

—Cynthia te ha hecho una pregunta.

Me miró un instante muy largo, como si estuviera tratando de recordar que me quería. Después se dirigió a Cynthia:

—¿Qué decías, bonita? —le preguntó con la voz más cariñosa que yo le había oído en varias semanas.

A la noche siguiente, Cynthia no vino.

Cuando Jack entró y preguntó: «¿Cómo va el marcador?», supe que trataba de hacerme creer que todo estaba bien justamente porque no lo estaba.

—Hoy he hecho la prueba —respondí. Jack llevó por primera vez mi máquina al salón y la guardó bajo la mesita.

—¿Comida china? —preguntó, y me alargó el menú.

Nos pusimos de acuerdo sobre los platos que queríamos. Él llamó e hizo el pedido. Después se sentó en la cocina con su periódico.

Yo fui al salón y abrí el libro sobre Edward Hooper.

—¿No vas a hacerme compañía? —llamó mi hermano.

—Ya voy, dame un minuto —respondí, pero no fui hasta que nos trajeron la comida. Abrimos las cajas y nos sentamos a la mesa.

—Sophie —dijo cuando estábamos comiendo.

Yo mantuve mi mirada fija en sus manos, como si estuviera tratando de aprender a manejar mis palillos viéndolo a él comer con los suyos.

—¿Sí? —dije.

Habló lentamente.

—Lo que pase entre Cynthia y yo es entre Cynthia y yo y nadie más.

Sabía que tenía razón y me sentí incómoda, y todavía más incómoda por sentirme incómoda ante mi hermano.

—Quizá debería irme a vivir un tiempo a otra parte —le dije un momento después.

No me respondió enseguida.

—¿Y adónde irías? —preguntó después.

Fue una sensación horrible: *No tengo adónde ir.*

Había ido a cenar dos o tres veces a casa de Robert, pero me había fijado en que él solamente me invitaba cuando Naomi no estaba. Pensé en mis amigos de la universidad y en sus pisos. Ninguno tenía bastante espacio para mí y para mis cosas, y menos aún para mi gigantesca máquina de escribir.

Y pensé en Josh. Habitualmente, sólo pensar en él me levantaba el ánimo. Pero en ese momento, sin embargo, sentí que estar enamorado es también sentirse inseguro.

No quedaba más que una persona que podía darme alojamiento, y era la abuela Mamie. Aún no la había ido a ver. Si hasta llamarla por teléfono cada dos o tres semanas me resultaba difícil.

—Podría quedarme en casa de la abuela Mamie —dije, y esperé contra toda esperanza que Jack me dijera: *No seas ridícula.*

—No seas ridícula —me dijo en nuestra cena de despedida, cuando yo dije que el vestido que Cynthia me había regalado era demasiado caro y que no podía aceptarlo. Era un vestido de punto de un azul casi negro que Cynthia había exhibido en su salón, y me dijo que era perfecto para las entrevistas de trabajo. Fui a probármelo al baño. Vi en el espejo que el vestido era un poco más largo en uno de los lados. Yo no quería que Cynthia se sintiera incómoda, de modo que encorvé el hombro derecho y bajé el izquierdo para que el vestido quedara bien. Y Cynthia se dio cuenta.

–Está cortado al bies –dijo, y eso quería decir que la asimetría era deliberada.

–Es magnífico –opinó Jack.

Me sorprendió que Jack se ofreciera a llevarme a casa de mi abuela. Ése era justamente el tipo de favor que a Jack más le gustaba hacer: transformar una situación difícil en algo divertido. Hacía frío, pero le puso la capota a su descapotable y encendió la calefacción. Fuimos por la orilla del río. El cielo era de un azul gélido.

La abuela Mamie vivía en Riverdale, en el Bronx, en la salida después del primer peaje de la Henry Hudson Parkway. Cuando llegamos a su casa, Jack le dio una propina al portero para que nos permitiera aparcar en la entrada, entre los carteles de PROHIBIDO APARCAR.

Jack subió en el ascensor cargado con mi gran máquina de escribir, y se escondió cuando yo llamé a la puerta de mi abuela.

Cuando ella abrió la puerta, él asomó su guapa cara.

Mi abuela estaba encantada de verlo.

Mi hermano coqueteaba con ella, la llamaba Mamie en vez de abuela y le decía que estaba guapísima. Se sentó y comió un pastel que ella había hecho, un *briquette* amarillo que mi hermano calificó de «delicioso».

Cuando a Jack le llegó la hora de irse, yo lo acompañé afuera. Nos quedamos de pie junto a su coche. Yo quería hacer un chiste, para que todo volviera a estar bien entre nosotros dos. Pensé en decirle: «Gracias por abrirme las puertas de tu

131

casa», pero habría sido un chiste a expensas de Robert y con una fuerte dosis de amargura.

Fue Jack el primero en hablar. Me cogió las manos y dijo: «Yo estoy por ti, y tú estás por mí.» Era lo que me decía mi tío cuando yo era pequeña, y desde entonces no había vuelto a oírlo, y sólo ahora lo comprendía.

Jack se despidió con un abrazo. Tenía una manera de abrazar, apretándote contra él, que te hacía sentirte protegida y amada como nunca habías creído que fuera posible.

Y después subió a su pequeño coche, y desapareció.

3

El piso de mi abuela daba al río Harlem, que no es el Hudson; nuestro trozo de río no era grandioso ni mítico; tampoco azul, ni verde, ni gris, sino de un cambiante color marrón que no evocaba ninguna metáfora, excepto la de los excrementos humanos.

El piso tenía dos habitaciones, y podía parecer amplio si estabas solo, pero yo nunca lo estaba, a menos que contemos el rato en que mi abuela bajaba a buscar el correo, o cuando iba a comprar provisiones a Gristedes.

Ella estaba eternamente a dieta y no cenaba conmigo. Pero se quedaba cerca, preparada para llenar mi copa de agua o servirme un segundo plato de comida que yo nunca le pedía.

Y no podía comer. Todo lo que mi abuela cocinaba había sido frito, horneado o hervido durante demasiado tiempo. Yo podía comer la ensalada –lechuga iceberg, tomates demasiado grandes y rodajas de zanahoria, todo empapado en un aliño bajo en calorías–, pero el pollo era una bayeta reseca, y la patata asada, una cáscara brillante rellena de una masa blanda y espesa.

Me llamaba siempre Sophilla, que para ella era un apodo cariñoso, pero cuyo sonido me hacía sentirme como un saco de una masa blanda y espesa.

La abuela me preguntó cómo estaba Robert, pero de quien quería hablar, en verdad, era de Naomi.

–Naomi es una chica simpática –dijo, pero su tono de voz insinuaba que había algo más importante que ser simpática, y eso era precisamente lo que Naomi no era–. Después de todo, es lógico que quiera casarse.

–Yo no creo que a Naomi le interese tanto casarse –le dije, aunque en verdad yo no lo sabía.

Mi abuela hizo un gesto de incredulidad.

–Es cierto, abuela –insistí–. Está muy ocupada con sus estudios.

Se sentó conmigo y suspiró. Y volvió a suspirar.

–¿Es difícil después de la universidad, Sophilla?

Pensé que estaba hablando de encontrar un trabajo, de comenzar una nueva vida, volver a lo que nosotros, los graduados recientes, llamábamos «El mundo real», y le respondí que sí, que era difícil.

–Claro que en la universidad tampoco es fácil –dijo ella–. Los chicos prefieren a las chicas más jóvenes.

–Mmm –respondí.

–Y luego, Sophie, se hace cada vez más cuesta arriba –dijo, y me miró con los ojos entornados, como si sólo viera desesperación y soledad en mi futuro–. Más y más difícil.

–¿Sabes una cosa? –dije–. Debería seguir con mis ejercicios de mecanografía.

Me contestó que ya había practicado todo el día, y era verdad. Pero quité los platos y limpié el salvamanteles de fieltro verde que habíamos convenido que usaría debajo de la máquina de escribir para no dañar el lustre de la mesa del comedor. Mi abuela no me dejaba que fregara los platos.

–Yo sólo intento enseñarte cómo es la vida, Sophilla –me dijo cuando yo ya estaba sentada ante la máquina de escribir.

No sabía qué contestarle, así que dije:

–Muchas gracias.

–Jack o Robbie podrían presentarte a alguien.

Le dije *Mmm* con la mirada, y empecé a escribir.

Había pensado llamar a Josh cuando mi abuela se fuera a dormir, pero se quedó en el sofá, tejiendo un espantoso jersey de fibra sintética. Josh era un maniático con sus horas de sueño y había que llamarlo antes de las once de la noche. A las once menos cinco fui al dormitorio y marqué su número. Sólo alcancé a decirle «Hola» antes de que entrara mi abuela.

–Perdón –dijo, y se dirigió a su armario.

–¿Cómo va todo? –preguntó Josh.

–Estoy aquí, en casa de mi abuela –le respondí, con una voz que intentaba informarle de lo terrible de mi situación y de la presencia de mi abuela en la habitación.

–¿Y cómo se encuentra ella? –preguntó Josh.

Al día siguiente, sin comediantes, ni mimos, ni cachorros que me distrajeran, conseguí llegar a las treinta y dos palabras por minuto. Llamé por teléfono y concerté varias citas. A la hora de la cena estaba eufórica. Me comí el cordel de lo que había aspirado a ser un redondo guisado y estaba pensando en repetir, cuando habló mi abuela.

–Sophilla, tienes que hacerle saber a la gente que tú estás buscando, tienes que hacérselo saber.

Pensé que se refería a un trabajo y estaba a punto de decirle: *Ya lo hago*, cuando me di cuenta de que mi abuela estaba hablando otra vez de hombres. Dije que no cuando me ofreció más carne, y recogí la mesa, aunque no me dejaba hacerlo, y se interpuso en el camino al fregadero para que yo no pudiera lavar los platos.

Iba a comenzar un ejercicio con números, que para mí eran un castigo divino, cuando mi abuela me preguntó:

–¿Jack no tiene ningún amigo para presentarte?

–Ya me ha presentado a uno –respondí, pero me arrepentí

antes de terminar la frase y comencé a aporrear con frenesí el teclado de la máquina.

—¡Ah! —dijo, y acercó una silla–. ¿Cómo se llama?

—Josh.

—¿Josh qué, si me perdonas la indiscreción?

—Rudman.

—¿Es judío?

—Sí, es judío —dije, y su alegría me irritó–. Perdona, tengo que seguir escribiendo.

—Lo siento, no quería molestarte.

Volvió un ejercicio más tarde.

—¿Y qué hace Josh, si no es mucha indiscreción?

—Es poeta —respondí.

Mi abuela no dijo nada.

—Escribe poesía. Es muy bueno —le expliqué, aunque yo no había entendido ninguno de los poemas que me había leído.

—¿Y con eso se gana la vida? —preguntó mi abuela.

Le dije que Josh programaba los ordenadores de un grupo de investigación en el Columbia Presbiteryan.

—¿El hospital? —preguntó.

—Ajá.

Se quedó pensando durante un segundo.

—Quizá se decida a estudiar medicina —dijo luego.

—Ya lo ha hecho, y no le gustó.

Josh me había dicho: «Me di cuenta de que era demasiado creativo para ser médico», y la frase me había inquietado; después de todo, mi hermano Robert quería ser médico. Y ahora, recordando cómo me había sentido, fruncí el ceño.

—Bueno, puede que con el tiempo cambie de idea —dijo mi abuela como para darme ánimos.

—No lo creo.

—Podrías intentar convencerlo.

—Mañana cenaré con él —dije, aunque no habíamos quedado.

Un poco más tarde fui a la habitación a llamar a Josh. Le

dije que al día siguiente tenía varias entrevistas y estaría en Manhattan.

Mi abuela entró en el dormitorio y cuando vio que estaba hablando por teléfono, se disculpó y se fue.

Cerró la puerta al salir, pero no del todo, y pensé que se había quedado de pie al otro lado.

—Podemos cenar juntos —dije, bajando la voz.

—Mañana no puedo —respondió, y nombró a la ex novia con la que había quedado. Uno de los principios de Josh era que seguía en contacto, como decía él, con sus ex novias; otro, que nunca cancelaba una cita.

El teléfono estaba sobre una pila de libros, que constituían toda la biblioteca de mi abuela, y yo elegí ese momento para mirar los títulos. Cuando Josh dijo: «¿Qué te parece el jueves?» —dentro de tres días—, mis ojos estaban en *La apremiante llama del amor*.

Me obligué a volver a la máquina de escribir, y esta vez, cuando mi abuela me interrumpió, por poco no le doy las gracias.

—Sophilla, ¿sabes una cosa?

La miré.

—Al principio, el abuelo no se interesaba por mí. Tenía muchas novias.

Yo había oído esa historia unas doscientas cincuenta mil veces, y mientras hablaba, me anticipaba mentalmente a lo que iba a decir: Mi abuelo, al que en su narración mi abuela llamaba Abie, era amigo del hermano de ella, e iba a su casa a jugar a las cartas los viernes por la noche.

—Cuando Abie entraba, yo salía —dijo—. Él pensaba que yo tenía una cita. Yo era una chica muy solicitada. Pero me iba sola al cine.

—Me parece que entiendo lo que quieres decir —le dije, y pasé las hojas buscando un nuevo ejercicio.

—Tienes que ser más lista, Sophie.

—Sí, abuela, sí.

Después de eso, se quedó callada, y cuando la miré, se la veía preocupada.

Al final de la velada hice una prueba de velocidad. Alcancé las treinta y seis palabras por minuto. Me metí en la cama pensando: *Has escrito treinta y seis palabras por minuto.* Cerré los ojos pensando: *Treinta y seis, treinta y seis, treinta y seis.*

–¿Sophie? –llamó mi abuela cuando yo ya estaba casi dormida.

–¿Sí?

–Deja que de vez en cuando sea Josh el que llame.

No podía llevar mi conjunto de algodón de las entrevistas, porque la sirsaca era tan veraniega como las mazorcas en la planta del maíz y el sonido de las chancletas; di gracias por el vestido que me había regalado Cynthia, aunque en el espejo no parecía cortado al bies sino desigual. Me puse mi gabardina. Y como me acordaba de las ampollas de mi primera entrevista, guardé los zapatos de tacón en mi carpeta de acordeón, junto con el sobre con mi currículum, y me calcé unas zapatillas deportivas.

–Pareces una muñequita –me dijo mi abuela, aunque no era ése el aspecto que yo me había esforzado por conseguir. Con todo, era uno de sus cumplidos más elogiosos, junto con: *Eres una chica muy moderna.*

Iba a decirle que no cenaría con Josh hasta el jueves, pero habría parecido una prueba fehaciente de que debía fingir que tenía otras citas y dejar que fuera él quien llamara.

Así que me limité a anunciar:

–Hoy no volveré muy tarde.

Esperé en la parada el bus rápido a Manhattan, muerta de frío a pesar del sol matinal. Tenía tres entrevistas; en la calle Cincuenta y tres con Lexington, en la calle Dieciséis con Union Square West, y en la Sexta Avenida con la calle Cuarenta y ocho. Y antes y después de cada cita me cambiaba los zapatos en la acera. Me ponía de cara a la pared y hacía lo posible por no ver a la gente que me miraba.

Yo había pensado que la última entrevista, con un antiguo alumno de Rogers, sería más fácil que las otras, porque él al menos había oído hablar de nuestra *alma mater*, pero Clay White parecía aburrido e irritado desde el primer momento. Y durante toda la entrevista estuvo jugando con un clip que deformó hasta dejarlo inservible. Y al cabo de media hora, cogiendo el alambre del clip que había enderezado entre el pulgar y el índice, me dijo:

–Hábleme otra vez de todo lo que ha hecho desde que se graduó.

Le dije que había estado aprendiendo a escribir a máquina, e intenté que sonara divertido. Comenzaba a hablarle de la santa patrona de los buscadores de trabajo extraviados cuando sonó su teléfono.

Pensé que esta interrupción tal vez era una de esas oportunidades caídas del cielo que nos permiten interrumpir la narración de una anécdota que no va a hacer ninguna gracia, pero cuando colgó, dijo:

–¿Qué me estaba diciendo?

Le conté que yo había interpretado la pregunta que me había hecho ella «¿Puede escribir a máquina?» como un *¿Estaría dispuesta a escribir a máquina?*, y a continuación pronuncié lo que esperaba que fuera un aceptable final para la historia, si no la gran frase final: «Y ella me hizo una prueba allí mismo.»

–¿Y cómo le fue?

El efecto de su pregunta fue que convirtió otra vez mi anécdota en una experiencia real, y volví a ver el bolígrafo contando las palabras que había escrito y restando los errores que había cometido; yo sabía que no lo había hecho bien, pero no perdía la esperanza. Y ese esperar desesperando, se me ocurrió ahora, era la emoción básica de toda mi vida.

Le dije a Clay que había escrito nueve palabras por minuto.

–Llámeme cuando llegue a cuarenta.

Casi le digo que ya estaba en las treinta y seis palabras, pero preferí no hacerlo. Callarme la boca me hizo sentir que podría arreglármelas muy bien sin la ayuda de Clay White. Y ya estaba otra vez en la acera, cambiándome los zapatos de tacón por las zapatillas.

Dejé la Sexta Avenida y giré por la calle Cuarenta y siete, y me encontré en el barrio de los diamantes, a la hora del cierre de las joyerías: estaban quitando los collares de los cuellos de terciopelo de los maniquíes y los anillos de los dedos; bajaban las persianas metálicas y las puertas de hierro se cerraban con llave. La gente que pasaba deprisa a mi lado parecía estar helada, y más desesperada por escapar de donde estaban que por llegar al lugar al que iba. Yo también tenía frío, y me dolían los pies tras su breve confinamiento en los zapatos de tacón. Me pesaba la carpeta de acordeón, llena con todos los catálogos de las editoriales que había acumulado. Me habían dado al menos uno al final de cada entrevista, como premio de consolación: *No te puedo dar trabajo, pero aquí tienes un catálogo. Oh, muchas gracias.*

Ya había hojeado los catálogos, pero no sabía qué buscar. ¿Y qué pretendían que hiciera con ellos? Me parecía que tirarlos sería como darme por vencida.

Mientras caminaba por la Quinta Avenida no conseguía sentirme emocionada por estar en Nueva York. Cuando se va con un vestido y zapatillas deportivas es muy difícil sentir que todo es posible. Con un vestido y zapatillas, yo sólo era yo que fingía que había quedado con alguien mientras mi novio estaba cenando con una de sus antiguas novias. Con un vestido y zapatillas, yo sólo era yo haciendo tiempo antes de volver a casa de mi abuela.

Empezó a llover y me refugié en una cabina telefónica. Me dije a mí misma que no iba a llamar a casa, pero me imaginé la escena: mi padre habría llegado con su coche hacía pocos minutos y ahora estaba en la cocina, tomando sus dos dedos de ginebra con hielo y comiendo los entremeses que le había preparado mi madre, y charlando con ella sobre los acontecimientos del día. La cocina estaba tibia y había un delicioso olor a comida, a buena comida, porque la cena ya estaba casi hecha. Mi madre atendió el teléfono y aceptó la llamada a cobro revertido. Debió de notar la desesperación en mi: «Hola», porque dijo: «Ya te paso con tu padre.»

«¿Mamá?» Le pedí que me enviara un abrigo. «Claro que sí», me respondió.

Se lo conté todo a mi padre, y me sentí mejor con sólo tenerlo al otro lado de la línea. Me escuchó en silencio. Mi padre escuchaba con más atención que nadie, y no necesitaba hacer ningún ruido para demostrar que estaba atento; no decía «Mmmm», ni hacía comentarios ni preguntas.

Cuando terminé, me dijo lo que yo ya sabía: que muy pronto encontraría trabajo y podría alquilar un apartamento sólo para mí.

Oí que mi madre le pedía que me avisara que había llegado otra carta de la biblioteca reclamando *La mecanografía del siglo XX*, pero él sólo me preguntó: «¿Por qué no vienes este fin de semana?» Y lo hizo con voz alegre, como si acabara de ocurrírsele y pensara que era una buena idea.

Yo pensé que sería bonito ir a casa, pero también que sería muy duro tener que marcharme después.

–Piénsalo –me dijo mi padre–. No nos moveremos de aquí.

Escribía a máquina furiosamente. Escribía como si de ello dependiera mi vida. Escribía como una loca. Esa tarde, aún descontando los errores que había cometido, llegué a las cuarenta y cinco palabras por minuto.

Llamé a la santa para darle noticias de mi mecanografía, y me felicitó, y prometió que no se olvidaría de mí. Llamé a todos los que todavía no había llamado y concerté citas con cualquiera que estuviera dispuesto a verme.

Estaba quitando la máquina de escribir de la mesa, antes de la cena, cuando mi abuela me dijo que, con un poco de suerte, quizá pronto podría darle buenas noticias. Me imaginé que hablaba de trabajo, y le dije:

–Eso espero.

Pero su sonrisa me hizo preguntarle qué había querido decir.

–Bueno, que quizá me anuncies tu compromiso –respondió.

–Abuela –dije, y me di la vuelta por completo para quedar frente a frente–. Todavía no estoy preparada para el matrimonio.

–¿Y por qué no, si es que puedo preguntártelo?

–Sólo tengo veintidós años, y tú lo sabes.

Movió la cabeza como diciendo que no, que ésa no era razón suficiente.

Yo no sabía qué decirle.

–Estoy comenzando mi carrera.

–¿Puedo hacerte una pregunta?

–Si quieres...

–¿Tú quieres a ese Josh?

–Sí –respondí.

–¿Y entonces?

–Entonces... ¿qué? –pregunté.

–¿No quieres casarte con él?

–Por ahora, no.

Asintió.

–Permíteme que te haga otra pregunta –dijo luego–. Si una chica de veintidós años conoce a un buen chico judío que se gana bien la vida, estaría loca si no se casa con él.

–Perdona, ¿pero cuál es la pregunta? –dije.

–¿Josh quiere casarse contigo?

–No lo sé –respondí, y traté de que mi tono de voz añadiera: *Y no me importa*, aunque en ese preciso instante me importaba.

Tuve tres entrevistas con empleados de personal de diferentes empresas, y en las tres triunfé en la prueba de mecanografía, lo que me llenó de orgullo. Al final de la tarde tenía una cita con una de las editoras de la lista de Jack. Me preguntó: «¿Cómo está Jack?», como si no le importara, lo que me hizo pensar que le importaba.

Se llamaba Honey Zipkin, y yo me acordé de mi abuela cuando decía: *Pareces una muñequita*, porque Honey realmente lo parecía. Era muy guapa, pero tenía una cabeza más grande de la que esperabas encontrar en una persona con su esqueleto pequeño, y largos cabellos rubios.

Ya estábamos al final de la entrevista cuando me dijo que necesitaba una ayudante. Me dio un manuscrito –un montón de páginas dentro de una caja– para que lo leyera y le hiciera un informe el fin de semana.

Tenía una hora antes de encontrarme con Josh, y me fui caminando por Park Avenue. Cuando vi la estación Grand Central y el enorme reloj y la estatua en el tejado, sentí una profunda emoción: *Ésta es tu vida, Sophie Applebaum.*

Muy pronto iba a trabajar como ayudante de una editora en una gran editorial. Iba a abandonar el opaco y pardo Bronx por el refulgente y plateado Manhattan. Y me mudaría a mi propio apartamento.

Y ahora, pensé, *voy a cenar con el hombre al que amo.*

Antes de entrar en Szech West me cambié las zapatillas por los zapatos de tacón.

Josh estaba sentado en una mesa en un rincón, estudiando una página del bloc de notas amarillo donde escribía sus poemas. Se levantó y me dio un beso más apropiado para una mejilla que para los labios; su abrazo parecía mantenerme a distancia en lugar de acercarme.

Me dije que Josh era así, reservado, y que no debía tomarme su personalidad como una ofensa personal.

Cogió un menú, me alargó otro y dijo:

–Necesito comer.

Josh parecía creer que tener hambre o estar cansado eran los primeros síntomas de una enfermedad.

Pedimos y despúes Josh me cogió la mano y no la soltó.

–¿Cómo te va con tu abuela?

–Uf, es difícil –dije yo.

Hizo un gesto afirmativo con la cabeza, que era su manera de decirme que siguiera hablando.

–No sé –dije–. Está siempre hablando de que tengo que casarme. –Y lo miré a la cara para ver si allí había algo que yo debía saber.

–Deberías hacerle preguntas sobre su vida, de dónde ha venido. Yo con Bubbe hablo de esas cosas.

Hasta ese momento, yo había estado en el primer estadio del amor, cuando crees que ese amor te convertirá en la persona que quieres ser. Ahora, su tono cariñoso y sus sabios consejos me llevaron a un estadio posterior: sentí que tenía que fingir que era mejor persona de lo que en verdad era para que Josh me siguiera queriendo. Y era penoso, porque eso me hacía odiarlo.

No podía mirarlo a los ojos, así que miré su mano. Yo nunca le había dicho nada del anillo de turquesa que llevaba; simplemente, trataba de no verlo.

–¿De dónde has sacado ese anillo? –pregunté.

–Lo compré en Santa Fe.

Hice un gesto de aprobación. Estaba bien que no se lo hubiera regalado ninguna de las ex novias con las que se mantenía en contacto. Pero yo también, como Josh, tenía principios, y uno de ellos era que las únicas alhajas que podía llevar un hombre eran el reloj de pulsera y la alianza. Un anillo, aunque fuera pequeño como éste, y sin diamantes, lo situaba en un país gobernado por un hombre con un abrigo de pieles.

–¿No te gusta? –me preguntó.

–No –dije–. Pero me gusta la turquesa.

Me pasé todo el día leyendo el manuscrito del que tenía que hacer un informe. Era una novela que llevaba por título *Las esposas de Armonk*, y trataba de mujeres que tenían muchísimo dinero que les encantaba gastar, y de sus romances con hombres jóvenes con grandes penes. El personaje principal, Jacqueline, se enamoraba del hombre encargado del mantenimiento de su piscina. Él estaba quitando las hojas del agua, y ella se sumergía desnuda. Después los dos estaban en los vestuarios, y ella decía: «Sí... sí... ay, Dios... sí.»

En la cena, mi abuela dijo: «Bueno...», y yo me di cuenta de que iba a hablar de Josh.

–¿Sabes lo que estaba pensando? Que sé muy poco de tu infancia –le dije.

–Yo era muy pequeña –dijo, y recordé que ya habíamos hablado de eso antes. Ella a veces decía que había pasado su infancia en Austria, otras en Alemania y en una ocasión había sido en Polonia. Se había marchado cuando tenía doce años, o catorce, o dieciséis. Su familia siempre era muy pobre, pero su padre era a veces zapatero y a veces labrador.

–¿Cómo era tu padre? –le pregunté.

–Estaba enfermo.

–¿Qué le pasaba?

–Tenía mal los pulmones –dijo, golpeándose el pecho.

Le pregunté finalmente por qué no le gustaba hablar conmigo de su pasado.

–¿Te resulta doloroso?

–A decir verdad, no me acuerdo de nada –respondió.

Yo era una lectora lenta, y no comencé a escribir mi informe hasta las doce de la noche del domingo. Me quedé despierta toda la noche, y vi cómo el río Harlem cambiaba al alba su color del negro al pardo.

Releí y corregí mi informe dos veces, y me sentí especialmente orgullosa de la última frase: «Esto es basura.»

No tuve tiempo de ducharme, ni de cambiarme de ropa ni de ponerme las lentillas. Cogí el autobús rápido a Manhattan y llegué a la editorial Steinhardt justo antes de las cinco.

La recepcionista me preguntó mi nombre, y se lo dije.

–Es para dejar esto –dije cuando cogió el teléfono.

–Le diré a Honey que ha venido. –Y un instante después hizo su entrada Honey.

–Acompáñame –me dijo, cogiendo el manuscrito y mi informe de lectura.

Yo, incoherente por la falta de sueño, intenté disculparme por llevar tejanos.

Meneó la cabeza como si yo estuviera un tanto majara. Me quedé sentada en su despacho mientras ella leía mi informe. Honey se echó hacia atrás en la silla, y fue abriendo mucho los ojos. Después se echó a reír.

Yo no había hecho ningún chiste en mi informe.

Reía y reía, y cuando por fin pudo hablar, me dijo que Steinhardt iba a publicar *Las esposas de Armonk*.

–Oh, no lo sabía, lo siento –dije.

–Pues no lo sientas –dijo ella, y después me preguntó cuándo podía comenzar a trabajar.

–¿Y cuánto te van a pagar, si me permites la pregunta? –dijo mi abuela cuando le di la noticia.

El sueldo era muy bajo, y yo no quería decir la cifra en voz alta, de modo que le dije lo que me había dicho mi padre: yo era una aprendiza, estaba aprendiendo un oficio.

Mi abuela arqueó las cejas y puso cara de dudar de cada una de mis palabras.

Me sentía demasiado cansada y demasiado feliz para que nada de lo que ella hiciera me molestara.

–Una de estas noches, antes de irme de tu casa, te haré una cena –le dije.

–Eso está muy bien –me contestó, pero me di cuenta de que la idea no le hacía mucha gracia.

Se sentó a mi lado en el sofá donde yo me había derrumbado, exhausta y feliz.

–Estoy segura de que te alegrarás de marcharte de casa de tu abuela.

–Claro que no –dije–. No. –*¡Sí... sí!*, pensé con el ritmo del jadeo de una esposa de Armonk, *¡ah, por Dios, sí, sí!*

Cuando empezó a hacerme preguntas sobre Josh, le dije:

–Oye, Mamie... –Y la miré de anciana a anciana–. No quiero hablar sobre mi vida sentimental.

Se me ocurrió que *vida sentimental* era la expresión que usarías si no la tuvieras; por un instante retrocedí a la noche en que había fingido que tenía una cita con Josh y me había paseado por las calles del centro bajo la lluvia.

–¿Y por qué no quieres hablar, si me permites la pregunta?

–No sé –respondí–, me siento incómoda.

Me cogió un cigarrillo y lo encendió. Fumaba sin tragar el humo. Me hizo recordar una fotografía que tenía allí, donde estaban mi abuelo y ella en un club nocturno. Estaban sentados en una gran mesa redonda, y mi abuela llevaba un vestido brillante y los labios pintados.

–Yo sólo trato de decirte cómo es la vida –dijo.

–Pero las cosas han cambiado, abuela. –Traté de hablar como si estuviera muy convencida de lo que decía–. Hoy día todo es muy distinto.

–¿Qué es lo que ha cambiado?

Pensé en la profesora que daba *Introducción a los estudios de género* en Rogers, y traté de articular una frase segura e inteligente como las que decía ella. No pude, y en cambio recordé que mi profesora se había roto un pie, y que cuando le quitaron la escayola, siguió caminando con bastón. No sé por qué, pero esto parecía debilitar mi argumento.

–En nuestros días, las mujeres tenemos una profesión –dije–. Y eso significa que ya no nos preocupamos tanto por los hombres.

–¿De verdad?

Yo quería darle un ejemplo concreto de cómo llevaba mi moderna relación con Josh, pero sólo se me ocurrió que pagábamos todo a medias. Había sido idea de él, una consecuencia de aplicar el principio de igualdad entre nosotros. Cuando nos traían la cuenta, Josh hacía números calculando cuánto costaban mi café y mi gaseosa. Él no bebía más que agua.

–De todas formas, no quiero hablar de eso.

Se levantó del sofá y fue a la cocina. Y al cabo de unos minutos mi cena estaba en la mesa.

–Muchas gracias, abuela –le dije.

–No hay de qué.

Por primera vez, no se sentó conmigo, ni se quedó rondando a mi alrededor. Puso la televisión e hizo como que miraba. El pollo estaba a medio cocer; el interior todavía era de color rosa. Pensé en volver a ponerlo en el horno, pero no lo hice. Me levanté de la mesa y lo tiré a la basura, oculto en el fondo del cubo. Recogí la mesa y fregué los platos sin que mi abuela protestara.

–Voy a dar una vuelta –anuncié.

–Que te diviertas –me dijo ella.

Fui a la pizzería que había al otro lado de la calle y pedí una porción de pizza. Me senté y la comí bajo las luces fluorescentes. Los únicos parroquianos eran un viejo y una pareja joven con un niño que lloriqueaba. No parecían desdichados, ni tampoco felices. Mirándolos, no se podía aprender nada sobre la vida.

Sentada allí, pensé en mi abuela cuando decía: *Yo sólo quiero lo mejor para ti*, y comprendí que si conseguía creerlo, me sentiría mucho mejor con ella y conmigo misma. Pero como tantas otras cosas en las que se suponía que debía creer, sonaba a falso.

Robert llamó para felicitarme por mi nuevo trabajo, y me invitó a cenar con él y con Naomi. También iba a ir Jack.

–Si quieres, trae a Josh –dijo mi hermano.

Cuando le mencioné la invitación, Josh me dijo que estaba

escribiendo un poema y se encontraba en un momento muy difícil, pero que iría si la cena era muy importante para mí.

Daba la impresión de que estaba enunciando uno de sus principios; yo no sabía con seguridad cuál era y no se lo pregunté. En los últimos tiempos, me sentía como si los principios de Josh fueran los barrotes de una jaula dentro de la cual yo tenía que acomodarme.

–No –le dije–, no es importante.

Cuando llegué a casa de Robert, Naomi me recibió con un abrazo, y yo me pregunté: *¿Estará todo perdonado?* En la cocina, vi que aún estaban pegadas en los cajones y en las puertas de los armarios las etiquetas que había escrito Robert, donde ponía CARNE y LECHE.

Supe que Cinthia no vendría porque la mesa estaba puesta solamente para cuatro personas, y Jack, además, llegó tarde. Llegó con cara de cansado y contando un chiste tras otro sobre lo que él llamaba «el rodaje».

Le pregunté de qué trataba la película, y me dijo que estaban rodando un corto publicitario.

–Pero yo creía que tú hacías películas –dije.

Me explicó que para su empresa los cortos publicitarios significaban el pan de cada día.

Robert y Naomi habían preparado una cena abundante, estofado de cordero acompañado por una especie de papilla que según ellos era típica de Oriente Medio, y que me hizo pensar que les vendría muy bien, a ellos y a mi abuela, que Cynthia les diera lecciones de cocina.

Robert me dirigía unas sonrisas que parecían venir de nuestro pasado anterior a Naomi. Se me ocurrió que mi hermano quizá estaba orgulloso de mí porque por fin había encontrado trabajo.

Comenté que mi nueva jefa era una antigua novia de Jack.

–¿Y tú cómo lo sabes? –me preguntó Jack.

—Es que no paraba de hablar de ti –le dije.

Robert parecía un niño cuando le preguntó a Jack:

—¿Te portaste bien con ella?

—Le di lo que necesitaba –le contestó Jack; me imagino que para mortificar a Naomi.

Pero ella no se calló la boca.

—¿Y qué era lo que le dabas, Jack? –preguntó.

Cuando llegó el postre, Robert trajo una botella de champán. Yo pensé que mi hermano quería celebrar que yo hubiera conseguido trabajo, e iba a decirlo y a darle las gracias, cuando él alzó la copa y anunció su compromiso matrimonial con Naomi. Forcé una sonrisa, exclamé: ¡Uau!, y los besé a ambos. Robert parecía tan feliz y tan contento consigo mismo, que era muy difícil no alegrarse por él. Recordé cómo se miraba al espejo cuando yo lo ayudé a vestirse para su fiesta de graduación.

—Estoy muy bien, ¿verdad? –había dicho cuando se vio vestido de esmoquin.

Jack y yo nos fuimos caminando por Broadway.

Yo tenía la llave del piso de Josh; habíamos quedado en encontrarnos allí después de la cena. Sabía que él ya habría vuelto de la biblioteca, pero cuando Jack me preguntó si tenía prisa por reunirme con mi Ovidio, le dije que no.

Fuimos a un bar de Broadway, y Jack pidió whisky para los dos. Yo cogí un cigarrillo, y Jack me lo encendió con mis cerillas. Al principio no hablábamos, sólo estábamos sentados allí con nuestras copas, y se estaba bien.

—Bueno, parece que nuestro hermanito pequeño ha crecido.

Recordaba muy bien lo que Jack me había dicho: *Lo que pase entre Cynthia y yo es entre Cynthia y yo, y nadie más*, así que dudé antes de preguntarle:

—¿Qué le pasa a Cynthia?

—A esa mujer no le pasa nada; todo en ella está muy bien –respondió mi hermano.

149

–Quiero decir, ¿por qué no ha venido?

Se lo pensó un momento antes de contestar. Después me dijo que él había sospechado que Robert iba a anunciar su boda.

–Y creo que Cynthia quiere casarse.

–Ah –dije–. ¿Y tú quieres casarte con ella?

–Me lo estoy pensando seriamente –dijo, pero su manera de hablar me hizo sospechar que no era cierto.

Me acordé de lo que había dicho mi padre sobre lo que Jack era capaz de hacer, y lo que no: *Eso no tiene nada que ver con el cariño que siente por ti*. Pensé en todas las chicas que mi hermano había dejado de querer. Era como si Jack tuviera un reloj automático y, al llegar a cierto punto, sonara la alarma.

–¿Ella te ha dicho que quiere casarse?

–Cynthia es de Alabama, y no habla de esas cosas.

–Si es así, ¿cómo lo sabes?

–Tiene treinta y dos años –dijo.

–Estás hablando igual que la abuela.

–¿Cuál de ellas? –preguntó.

Sabía que se estaba yendo por la tangente, pero de todas formas le respondí:

–Mamie, claro está.

Habíamos terminado nuestros whiskies, y le hizo una señal con la mano al camarero. Pensé que iba a pedirle la cuenta, pero le señaló nuestras copas: *Otra ronda*.

Después se rió, y su humor mejoró de repente.

–Me parece increíble que vayas a trabajar para Honey Zipkin.

–¿Qué pasó entre vosotros dos?

–No pasó lo que Honey quería que pasara.

–¿Y eso qué quiere decir?

–Que no me enamoré de ella.

Entré con mi llave en el piso de Josh. Estaba un poco borracha. Me quedé un largo rato en el pasillo esperando que el baño quedara libre, hasta que por fin se me ocurrió que aunque la puerta estaba cerrada, dentro no había nadie.

Cuando me acosté junto a Josh, lo abracé y lo besé en la nuca.

–Hueles a bar –dijo.

Y yo pensé: *Tú hueles a biblioteca.* Pero quería follar, así que le dije:

–Y tú hueles a poema.

–Estoy tratando de pensar que Naomi sólo será la primera mujer de Robert –le dije a Josh. Estábamos desayunando en La Rosita.

Me dirigió una mirada que era casi de censura, y a mí me sorprendió sentir que yo tampoco lo aprobaba a él.

–Era una broma –me defendí.

–Ya, pero a ti no te gusta Naomi.

–No, no me gusta, pero con el tiempo quizá me guste.

–Creo que al menos deberías hacer como que te agrada –dijo Josh–. Va a formar parte de vuestra familia.

Volví a sentirme enjaulada. Pero vi allí mismo la llave para salir. Cuando trajeron la cuenta, dije:

–Esta vez invito yo.

Jack me avisó que había un piso en alquiler encima de un estanco, en la calle Treinta y tres. Maura Edwards había realizado documentales en todo el mundo; ahora se iba a Nueva Jersey a tener un niño y quería subarrendar su piso.

Cuando fui a ver el apartamento y la conocí, estaba embarazada de ocho meses, y su tez era pálida, como de cera. Me dijo: «Has llegado a tiempo», pero su tono me decía: *Has llegado tarde.*

Maura me explicó que el piso era su refugio, y hablaba de él con más cariño que del novio con el que se iba a vivir, o del niño que iba a tener. Su voz estaba llena de amor cuando dijo que en el piso no había cucarachas. Se las había comido una salamanquesa que había traído de Brasil, y que ahora vivía en las paredes.

El apartamento era pequeño incluso para los criterios neoyorquinos, y los pocos muebles que había eran como para niños, lo que daba al piso el aspecto de una casa de muñecas –o de una celda de muñecas–, aunque era evidente que la intención había sido que el piso pareciera más grande. Pero lo que de verdad lo hacía parecer más pequeño era que en todas partes, encima de todas las superficies, había floreros y estatuillas y toda clase de baratijas.

Cuando acepté sus condiciones para subarrendar el piso, se deprimió. El subarriendo podía durar un mes o un año, dijo. Y puede que ella quisiera usar el piso de vez en cuando. En ese caso, me avisaría con veinticuatro horas de antelación y me haría un descuento en el alquiler.

Como se trataba de un subarriendo ilegal, yo tenía que ser prácticamente invisible. Si alguien hacía preguntas, yo era su hermana. No podría recibir correo en el piso, y tendría que reenviarle el suyo.

–No hay problema –dije, y le expliqué que podía enviarle sus cartas desde mi oficina, que estaba a pocas manzanas de allí.

No me escuchaba. Ya se había resignado, y me enseñó cómo funcionaba el contestador automático, aunque un minuto más tarde me pidió que no lo tocara para nada. Me hizo escuchar el mensaje que había grabado, que estaba primero en inglés y luego en español, y daba su número de teléfono de Nueva Jersey. Parecía muy concentrada mientras escuchaba su propia voz, como si el contestador tuviera algo importante que decirle.

Esa mujer estaba más segura de sí misma que cualquier otra persona que yo hubiera conocido, con la sola excepción, quizá, de mi padre. Te dabas cuenta de que había conseguido embarcar al equipo que trabajaba con ella en aviones que habían vendido más billetes que las plazas disponibles en cualquier lugar del mundo, y que sabía cuándo había que mostrarse firme ante un funcionario de aduanas y cuándo había que sobornarlo. Su voz sonaba llena de seguridad incluso cuando dijo, después de despedirse: «No sé qué estoy haciendo, de verdad que no lo sé.»

Guardé mi máquina de escribir en el fondo del armario de mi abuela. Ocupaba gran parte del espacio, pero ella no tenía muchos pares de zapatos. Le prometí que iría a buscarla pronto.

–Le pediré a Jack que me preste su coche –le dije, aunque mi hermano no me lo había prestado nunca, y seguramente jamás lo haría.

Estaba poniendo mis bolsas junto a la puerta cuando mi abuela me dijo:

–Eres una chica moderna en todos los sentidos.

Yo no estaba muy convencida de que fuera un elogio, pero de todas formas le di las gracias.

–Bien, compañera –dije.

Puso cara de disgusto, y pensé que tal vez no había entendido el «compañera», así que le expliqué: «Has sido mi compañera de piso.»

Su cara no cambió.

Yo estaba muy contenta, y tal vez mi buen humor hizo que se diera cuenta de lo desdichada que había sido viviendo con ella. O puede que al ver que sus lecciones de vida no habían dejado rastro en mí, estuviera imaginándose mi triste futuro de solterona.

Suspiró por partida doble, y me dijo con una voz tan triste como su cara:

–El mundo es tu ostra.

Yo ya había oído esa frase, claro está, y pensaba que se refería a las perlas que deparaba el futuro. Pero cuando me la dijo mi abuela, me hizo pensar en una ostra de verdad, y me imaginé la dura concha gris y el viscoso molusco en el interior. Y pensé: *Mi mundo* era *como una ostra, pero eso se acabó.*

4

La editorial Steinhardt ocupaba tres plantas del 375 de Madison Avenue, un edificio que en otra época había sido regio. Ahora, como una hermosa mujer envejecida que trata de disimular su edad, el vestíbulo tenía una iluminación tan tenue que tus ojos aceptaban la existencia de los altos techos abovedados, los dorados de las cornisas y las paredes revestidas de mármol, pero no llegaban a verlos. El letrero luminoso rojo que indicaba la salida brillaba como un fanal.

El piso donde yo trabajaba figuraba en el ascensor con el número catorce, aunque venía inmediatamente después del doce. Mi mesa era una de las cinco que había en una oficina improvisada que llamábamos la Cueva, el diminutivo de Batcueva. Los archivadores, que iban del suelo al techo, no dejaban pasar la luz del día, y la moqueta, deshilachada, lucía un abigarrado estampado de manchas de café.

Yo compartía la Cueva con tres chicas y un Chico Prodigio, Adam, al que adoraba. Era la clase de hombre que habría rescatado a Zelda Fitzgerald de la fuente del Plaza, le habría puesto sobre los hombros su abrigo de cachemir, nunca le habría pedido que se lo devolviera, y jamás le habría contado la historia a nadie. Era menudo, y a los veintidós años ya comenzaba a quedarse calvo, pero su carácter era tan impecable y sus modales tan agradables, que incluso entonces, que lo veía todos los días, lo consideraba alto y guapísimo.

Adam respondía con infinita paciencia a todas mis preguntas, incluso a aquellas que no me atrevía a hacerle. Era una suerte, porque yo le tenía miedo a Bettina, que ya había cerrado un

154

trato por una novela, y al menos una vez por semana nos hacía callar y anunciaba: «Estoy llamando a mi autor.» Sue, un caballo de tiro de Minnesota de anchas espaldas, hablaba todo el tiempo por teléfono con su novio, que cursaba el segundo año en «la Uni», como decía ella. Cuando discutían, y lo hacían con frecuencia, ella no hablaba; era de las que rabian en silencio. Escribía cartas y apuntaba manuscritos con el teléfono encajado entre el hombro y el oído, esperando a que su novio madurara.

Yo estaba sentada frente a Francine Lawlor –nuestras mesas se tocaban–, pero pasaban días enteros sin que nuestros ojos ni siquiera se encontraran. Francine era pálida y delgada, con cabellos pálidos y finos, y pálidos y finos labios siempre apretados. Había llegado a Steinhardt doce años atrás, y se había enterado de que habían despedido al editor que la había contratado como asistente. Durante ese período sin jefe, que debería haber sido breve, habían creado un puesto para ella. Y ahora tenía treinta y tres años, y su puesto seguía siendo el de Asistente Eventual.

Mi piso estaba a siete minutos de Steinhardt, y me habría sido muy fácil ser puntual, pero rara vez lo era. Honey, si se había dado cuenta, aún no se había quejado. Ella llegaba al trabajo poco menos que al amanecer, pero su despacho, al final de la Galería de las Personas Mayores, era el que quedaba más lejos de la Cueva. Y si Honey me necesitaba, no venía a buscarme a mi mesa sino que me llamaba.

Yo abría su correo, respondía sus llamadas telefónicas, escribía sus cartas. En lugar de pedirme que leyera un manuscrito, me decía: «Échale un vistazo.» Se trataba de manuscritos que Honey no quería leer, enviados por agentes literarios poco importantes y por amigos de amigos, y yo comprendí muy pronto que mi trabajo consistía en confirmarle que no era necesario que se molestara. Yo se los devolvía una o dos semanas después de que me los diera a leer, con una carta de rechazo lista para que ella la firmara. La redactaba en el lenguaje que ella misma usaba: «Esta novela no consigue captar la atención del lector», «Los personajes no tienen vida propia», o la muy socorrida «No se ajusta a nuesta línea editorial», que podía significar cualquier cosa.

Las primeras semanas no sabía cómo vestirme para ir a trabajar, y observaba a mis compañeros cavernícolas en busca de orientación.

Adam llevaba siempre camisas de algodón planchadas y almidonadas, pantalones caqui tipo militar, y una chaqueta deportiva, no azul sino negra, que era su nota personal y urbana en un conjunto clásico.

Bettina dominaba el estilo «chica mala educada en colegio de chicas buenas», o sea un conjunto de cachemira con una minifalda, o una breve blusa astutamente desabrochada, lo justo para susurrar: *Sostén de encaje.*

A Sue le gustaban los jerséis de angora en colores orientales.

Francine Lawlor alternaba dos trajes de chaqueta; uno era gris y el otro de un sobrecogedor rojo anaranjado. Y los llevaba con unas blusas llenas de pelusa, que habían sido blancas. La peor tenía unas solapas estilo Luis XIV que ella adornaba con una insignia de la fraternidad universitaria Phi Beta Kappa. Y llevaba medias color café y zapatos azul marino de tacón bajo y punta redonda.

Francine, como asistente eventual, tenía que ayudarnos a nosotros cuando teníamos demasiado trabajo, pero nunca se lo pedíamos, y ella jamás se ofrecía.

Se dedicaba fundamentalmente a los «espontáneos», la interminable provisión de manuscritos no solicitados enviados por sus autores. Nadie se acordaba de los espontáneos, salvo cuando las cajas llenas hacían intransitable el pasillo donde estaba la fotocopiadora; y nadie apreciaba el trabajo de Francine, excepto cuando conseguía que el pasillo quedara algo más despejado.

Un mediodía lluvioso, Bettina decidió que leeríamos espontáneos en voz alta y por turnos. Abrió una caja recién llegada, y nos dio a Adam, a Sue y a mí un manuscrito a cada uno, y cogió otro para ella.

Me pareció descortés dejar a Francine fuera, así que le pregunté si ella también quería uno.

Movió apenas la cabeza para decir que no, tan abominable le parecía la idea.

Bettina hojeó riendo el manuscrito, y dijo:

–Empiezo yo.

Leyó una escena de sexo de una novela del salvaje Oeste, y puso voz gangosa para interpretar al vaquero, que aullaba: «¡Móntame, zorrita, móntame!»

Adam leyó: «Los ingeniosos periodistas fueron hasta Madison Avenue, donde los taxis se arremolinaban como enjambres de luciérnagas.» Se puso de pie, levantó la mano como para llamar a un taxi, y gritó: «¡Eh, luciérnaga!»

Era el turno de Sue, pero la llamaron por teléfono.

A mí me había tocado una aburrida novela policíaca; casi cada frase comenzaba con un: «Y entonces, de repente.» Cuando iba a empezar a leer, vi la cara de Francine. Estaba sufriendo.

–¿Esto no es un poco cruel? –pregunté.

–Oh, cállate –dijo Bettina.

Yo, por principio, devolví el manuscrito a la caja de cartón; mi principio era que no soportaba que me hicieran callar.

Y Adam me respaldó.

–Sophie tiene razón –dijo.

Bettina dijo que Francine vivía en la Cueva, y que por la noche revisaba nuestras mesas.

–¿Por qué dices eso? –preguntó Adam.

–Siempre llega la primera –dijo Bettina–, y siempre es la última en irse.

–¿Y ésa es la única prueba que tienes?

Bettina no respondió.

–Retira lo que has dicho –le dijo Adam, y siguió insistiendo hasta que ella lo retiró.

Pero era verdad que Francine parecía culpable de algo. Quizá de odiarnos a nosotros.

5

Aproximadamente un mes después, Honey comenzó a darse cuenta de todos mis defectos. Básicamente, que yo era lenta; lenta para leer, lenta para escribir a máquina y lenta para comprender sus órdenes. Y que ella se diera cuenta sólo hizo que yo me volviera más lenta.

Una carta que antes no me habría llevado más que una mañana, ahora me tenía ocupada todo el día. Y cuando Honey la repasaba, me hacía ver no sólo el tiempo que me había llevado, sino también lo mal escrita que estaba; de repente, Honey se había vuelto anti-Tippex.

Ahora, cuando me daba una pila de manuscritos para leer, me decía para cuándo los quería, y cada «lunes» o «miércoles» o «viernes» sonaba como una reprimenda por todo el tiempo que me había llevado leerlos en el pasado.

Una tarde, cuando le devolví un manuscrito, Honey leyó mi carta de rechazo y me miró.

–¿Por qué? –preguntó.

–¿Por qué... qué?

–¿Por qué *El templo de las telarañas* no se ajusta a nuestra línea editorial?

Para entonces, Adam ya me había explicado que «nuestra

línea editorial» eran los libros que Steinhardt había publicado, aunque yo no sabía qué tenían en común, excepto que eran libros que yo nunca querría leer. Y, según este criterio, *El templo de las telarañas* era perfectamente compatible con nuestra línea editorial.

Honey, habitualmente impaciente, ahora parecía tener toda la eternidad para esperar mi respuesta.

Y yo dije lo único que se me ocurrió:

–Es malo.

Honey abrió el manuscrito. Yo me quedé allí de pie mientras ella leía, sin saber si quedarme o irme. Por fin dejó de leer y dijo:

–De acuerdo.

Después me dijo que si tenía tenía dificultades para mantenerme al día con las lecturas, o con la correspondencia, siempre podía pedirle ayuda a Clarisse. Honey llamaba Clarisse a Francine.

Yo asentí enfáticamente, como si en ese mismo instante saliera rumbo a la mesa de Clarisse a solicitar su ayuda.

Una mañana, cuando abrí el correo de Honey, me encontré con una carta de una tal Jenny Ling, que decía que había sido un placer hablar con Honey y le enviaba su currículum, «tal como se lo había prometido».

Me sentí como si hubiera pillado a mi novio coqueteando con otra chica, y lo primero que se me ocurrió fue tirar la carta y el currículum a la papelera.

Pero de inmediato me horrorizó lo que había hecho, y los rescaté.

Avancé por el pasillo, más allá de los aseos, del armario de material, de varias puertas misteriosas, y abrí la que daba a la pequeña terraza donde Adam y yo salíamos a fumar.

Y allí alisé con la mano el arrugado currículum de Jenny Ling. La chica sólo trabajaba como ayudante editorial desde junio, pero ya se las había arreglado para contratar una novela y editar otras dos a las que citaba por su título. Había sido directora de una revista literaria en Yale, donde se había graduado con matrícula de honor. Y a partir de aquí el currículum se volvía un poco repetitivo: matrículas de honor, más matrículas de honor, más matrículas de honor.

Comparado con este currículum, el de Lisa Michele Butler parecía insignificante, pero lo que me dejó fuera de combate fue la carta de Jenny: afirmaba que podía escribir sesenta y cinco palabras por minuto. Me quedé con la vista clavada en aquel «sesenta y cinco» hasta que terminé de fumar mi cigarrillo, y luego regresé a la Cueva.

Adam debió de notar lo mal que me encontraba; se quedó mirándome un instante muy largo antes de fijarse en los papeles arrugados que le di.

Leyó rápidamente el currículum vitae y la carta y dijo:

—Creo que la señorita Ling puede arreglárselas perfectamente sin nuestra ayuda.

—Pero iré al infierno —dije.

—No puedes ir al infierno, eres judía.

—Sí que puedes, si estás realmente asimilada —dije.

No tiré la carta ni el currículum; no podía. Los archivé en mi archivo de papeles para archivar, el limbo adonde iban todos aquellos cuyo destino no estaba decidido. Era un archivo enorme.

Aquel día puse tanto empeño en eludir a Honey que hasta que me llamó no me di cuenta de que ella también me había estado esquivando. Era justo después de las cinco. Me dijo:

—¿Puedes venir un minuto, por favor?

—Claro que sí —respondí yo; era lo que siempre decía cuando quería contestar que no.

Honey colgó, pero yo no me moví. Era posible que mi vida cambiara en pocos minutos, y yo quería quedarme tal como estaba el mayor tiempo posible.

Adam estaba hablando por teléfono con un escritor, discutiendo las correcciones que había que hacer a un texto. Con voz de estar repitiendo lo que le habían dicho, dijo: «Página ciento cuarenta y tres, en la tercera línea contando desde arriba del penúltimo párrafo, hay que quitar la coma.» Sue, como siempre, también hablaba por teléfono, y era evidente por su postura –medio acostada sobre la mesa– que estaba llorando. Yo sabía que no era de pena sino de alegría: Sue lloraba cada vez que su novio reconocía que era un completo idiota.

Me llevó un segundo darme cuenta de que Francine me estaba mirando. En su cara había una expresión de preocupación, o puede que sólo fuera de curiosidad; apartó demasiado rápido la mirada como para que yo pudiera estar segura de nada.

Honey estaba hablando por teléfono, y me quedé de pie junto a la puerta, reconociendo mi posición de segundo violín con respecto al primer violín que estaba al otro lado de la línea.

Le dijo un suave y dulce: «Que pases un buen fin de semana» al del teléfono, y luego soltó un venenoso: «Cierra la puerta por favor», dirigido a mí.

–Hola –la saludé.

Hizo girar la silla hacia un lado de tal manera que miraba a la pared y no a mí. *Honey sumida en sus pensamientos*, pensé ante su perfil.

–Sophie –dijo, la mirada todavía en la pared.

Yo esperé. No dijo nada.

–¿Sí? –dije yo un instante después.

–Sophie –repitió.

Giró en su silla y me miró de frente.

Asentí: *Estoy lista*.

–No espero que llegues a la misma hora que yo –dijo, y me ocurrió, por primera vez, que quizá sí lo esperaba–. Pero tú llegas más tarde que todos los demás –continuó–. Siempre eres la última.

161

Ahora me abstuve de asentir.

—¿Y sabes lo que estás diciendo con tu actitud?

Yo no lo sabía; ni siquiera sabía si aquélla era una pregunta retórica.

—Estás diciéndoles a Betina, Sue, Adam y Clarisse que tú eres especial.

Yo pensé: *A menos que hable en sueños, no estoy diciéndole nada a nadie.*

—Y también le estás diciendo a Wolfe que no te importa tu trabajo.

Su nombre completo era Bernard Wolfe, pero nadie le llamaba Bernard, ni tampoco Bernie. Era un tipo silencioso y discreto, y se parecía más a un vendedor de una tienda de discos de segunda mano que a un director editorial.

La posibilidad de que él se hubiera fijado en mí —aunque fuera por llegar tarde— me emocionaba, pero hice un esfuerzo para que no se me notara en la cara, y esperé a que Honey me dijera qué era lo que mi impuntualidad le decía a ella.

Se estaba frotando el pulgar y el índice con el gesto que hace la gente cuando quiere representar el dinero. Honey me había contado que manipular libros todo el día le daba la sensación de que tenía las manos sucias, aunque estuvieran limpias. Me miró fijamente durante unos segundos que me parecieron horas.

—¿Y por qué llegas tarde *todos* los días?

Me asusté. En verdad, no lo sabía. La única razón que podía darle era que me llevaba mucho tiempo decidir qué ropa ponerme. Traté de encontrar un motivo apto para que Honey me dijera: *¿Por qué no me lo has dicho antes?* ¿Pero qué podía decirle? *¿Tengo que cuidar de mis ancianos padres? ¿Tengo tres niños pequeños? ¿Soy ciega?*

—Lo siento —le dije, y como no pareció tener ningún efecto, volví a decírselo.

Honey asintió, y siguió esperando una explicación. Pero después de un minuto pareció que renunciaba. Me sonrió, y no entendí por qué lo hacía; no era una sonrisa sincera, ni alegre. Imaginé que quería decir: *No tengas miedo*. Y le respondí con otra sonrisa que quería decir: *De acuerdo*.

Pero mi sonrisa hizo desaparecer la de ella.

–Sophie, esto es un asunto serio.

Adopté la expresión solemne que se esperaba de mí.

–Vendré más temprano –declaré.

Estaba en el despacho de Honey, yo estaba convencida de la sinceridad de mi promesa, pero cuando volví a la Cueva y se lo conté a mis compañeros de infortunio, me di cuenta de que no iba a cambiar mis costumbres para complacer a Honey.

–Sólo tienes que venir un poco más temprano –dijo Sue.

En su cara se veía el cansancio de un día entero de peleas telefónicas, y también el alivio por el desenlace de esas peleas.

–¿Y qué importa a qué hora llegas? –dijo Bettina, mientras cogía el teléfono para hacer una llamada–. Esa mujer es una bruja.

Francine había dejado de escribir a máquina, y Adam y yo lo advertimos al mismo tiempo. Ella se lanzó de inmediato sobre las teclas, y seguramente escribió *zzuuwwxxyy*.

Adam me dijo una sola palabra: «Cóctel.»

Me llevó al bar de un hotel con murales pintados por Ludwig Bemelmans, el autor e ilustrador de los libros de *Madeline*, con los que yo había crecido.

Adam pidió un martini para él y otro para mí, el primero de mi vida. Mientras yo bebía mi copa, él se inventó un poemilla a lo *Madeline*:

Al alba
Honey Zipkin pierde la calma.
Es hora de ir a trabajar,
Wolfe y los libros no pueden esperar.

163

Ya me encontraba mejor, pero recordé a Honey preguntándome: *¿Por qué llegas tarde* todos *los días?*

Adam advirtió el cambio en mi expresión, y me dijo que tratara de no tomarme como algo personal las recriminaciones de Honey; él ya la había visto hacer lo mismo con otra asistente.

–Todo lo que la pobre chica hacía le parecía mal –dijo–. Se llamaba Sheila.

–¿La despidieron?

–No. No fue un despido, en verdad –dijo Adam–. Un día salió a comer y no volvió.

–¿Y qué pasó?

–No pasó nada. Sheila estaba... angustiada.

–Yo también estoy angustiada –dije.

Adam sonrió, y negó con la cabeza.

Yo quería ser como Adam, pero después de mi segundo martini se me escapó un quejoso:

–Como asistente editorial, soy un desastre.

–Te haría falta un poco más de hipocresía. No tienes la mentalidad de una buena esclava.

Ésa era una manera más agradable de considerar la situación, pero continuaba estando en la lista negra de Honey. Le pregunté a Adam si en alguna ocasión había tenido problemas con su jefe.

–Claro que no –respondió–. Pero Wolfe es Wolfe y Honey es Honey.

Insistió en pagar la cuenta. Y cuando estábamos en la calle, me preguntó:

–¿Quieres que llame a una luciérnaga?

Me encontré con Josh en el Paris Theater. Llegué tarde, pero no me preocupaba: las películas que Josh quería ver no le gustaban a nadie más, así que teníamos la sala prácticamente para nosotros dos.

Me di cuenta por el beso rápido que me dio y por su manera de apartarse de mí de que estaba enfadado –no sé si por mi impuntualidad o por el olor a martini de mi aliento–. Estaba muy callado, que era su manera de decirme que me había portado mal con él.

Después de la película, caminamos hasta el metro sin cogernos de la mano.

Era enero, estábamos pálidos y muertos de frío, y de repente me pareció que nuestras vidas eran más mezquinas de lo que deberían ser. Éramos una cuenta pagada a medias.

–Me gustaría que fueras puntual.

¿Y a quién no?, pensé yo.

Yo sabía que tenía que disculparme, pero ya había utilizado toda mi reserva de *Lo siento* del día.

Nos acostamos, apagó la luz y se dio la vuelta de cara a la pared, lejos de mí. Cuando mis ojos se acostumbraron a la oscuridad, vi que se había puesto una segunda almohada sobre la cabeza, como un bocadillo, para no oír los ruidos de la ciudad y poder dormir.

Pensé que yo no merecía semejante castigo. Sólo había llegado unos minutos tarde, a tiempo para ver todos los tráilers de películas que no deseaba ver y, que tal como estaban las cosas, seguramente nunca vería.

Y después me imaginé a Josh esperando en la puerta del Paris. Debió de mirar la hora al menos cien veces. Quizá estaba inquieto por mí. Y tal vez se preguntaba si yo lo quería.

Volví a mirarlo; se había quitado la almohada de la cabeza y estaba acostado a cara descubierta.

–Lo siento –dije, y cuando me oí decirlo, me sentí mucho mejor.

Me pasé todo el fin de semana preocupada por no llegar tarde el lunes. No me quedé el domingo por la noche en casa de Josh porque tenía miedo de no poder dormir, que fue precisamente lo que me pasó en mi propio piso.

A las dos de la mañana todavía estaba despierta, y a las tres, y luego a las cuatro, imaginándome lo espesa y tonta que estaría al día siguiente.

Me desperté a las once de la mañana.

Sabía que todos estarían aún en la reunión de trabajo en la que también debería haber estado yo, pero de todos modos llamé primero al número de Honey, y luego al de Adam, y las dos veces me atendió Irene, la recepcionista; colgué cuando dijo: «Steinhardt.»

Me di una ducha y me preparé un café; mi respiración se hizo muy agitada.

Justo antes del mediodía, Adam se puso al teléfono:

−¿Sí?

−Me quedé dormida −dije.

−Ahora mismo cuelgo y me voy a decirle a Honey que ha muerto tu abuela −me respondió.

El martes llegué muy pronto al trabajo; sólo se me adelantó Francine. Y entonces supe que ella era la que había encendido la lámpara de mi mesa, para que pareciera que yo ya había llegado. Y a partir de entonces seguiría haciéndolo todos los días. Estaba comiendo un bocadillo que había traído de su casa, y cuando me miró, le hice un gesto de agradecimiento y ella me respondió con una inclinación de cabeza.

Al cabo de un rato, Honey apareció por la Cueva.

Sentó la mitad de su trasero en el borde de mi mesa.

−¿Era la abuela con la que te habías ido a vivir? −me preguntó.

Yo no podía mentir mirándola a la cara, así que bajé la cabeza, como si estuviera muy triste.

−Ajá.

¿Y si mi mentira provocaba la muerte de mi abuela? Por un momento me sentí como si de verdad hubiera muerto, y lamenté no haber sido más buena con ella cuando estaba viva. Pensé: *Ella sólo quería lo mejor para ti.*

−Mi más sentido pésame, Sophie −dijo Honey.

−Gracias, Honey −respondí.

Cuando levanté la cabeza, Francine intentaba disimular una sonrisa, la primera que yo le había visto.

El jueves, la relación entre Honey y yo había vuelto a la normalidad.

Me dio un fajo de recibos sujetos con un clip para que los sumara y confeccionara la nota de sus gastos, que había que enviar a nuestro departamento de contabilidad, en Nueva Jersey.

−Quiero que esto salga en el correo de mediodía −me dijo.

−Lo haré ahora mismo −respondí; todo lo que yo le decía a Honey después de nuestro incidente sonaba como una promesa por escrito.

Lo hice de inmediato y tan rápido como me fue posible. Ordené cronológicamente todas las facturas y añadí los recibos de los taxis que Honey había cogido para acudir a cada almuerzo, cena o cita para tomar copas, y copié todo en el formulario para solicitar la devolución del importe. Bettina no estaba en su mesa y no pude pedirle su calculadora, de modo que hice las sumas a mano.

Fui a su despacho y Honey estaba hablando por teléfono, pero cuando vio la hoja en mi mano, me hizo señas para que me acercara y la firmó.

Fui luego al despacho de Wolfe, para que él también la firmara.

La puerta estaba abierta pero sólo se veían sus piernas largas, muy largas, y estiradas, muy estiradas, sobre la mesita de centro. Wolfe medía cerca de dos metros de largo y tres centímetros de ancho. O sea que era plano.

Llamé a la puerta y me dijo que entrara. Tenía un manuscrito en las rodillas.

−Buenos días −dije.

167

—Buenos días, Sophie —dijo con una simpatía que yo nunca había visto en él.

Me recordaba a un amigo que Jack tenía en el instituto.

Me podía imaginar a un Wolfe adolescente pasando junto a mi habitación cuando yo era niña y saludándome con un: *¡Buenos días, Sophie!*, como si yo fuera alguien con quien él querría ponerse a charlar si no tuviera que ir a hacer playback de un disco de Jimmy Hendrix con mi hermano.

Esperé mientras él revisaba la relación de gastos de Honey. Había puesto música en su estéreo, y reconocí *Kind of Blue* porque mi hermano me había regalado el disco para mi cumpleaños.

—Es mi álbum de jazz favorito —dije, aunque en cuanto dije «álbum de jazz» en singular, pensé que me había traicionado mostrando que solamente tenía uno.

—¿Quieres escucharlo mientras comemos?

—De acuerdo —respondí, con la desenvuelta indiferencia de una verdadera aficionada al jazz.

Wolfe firmó la nota, me la devolvió, dijo que iba a pedir bocadillos para ambos y me preguntó de qué quería el mío.

—¿De qué lo pedirás tú? —le pregunté.

Puso cara de pensárselo como si se tratara de una decisión importantísima, y respondió que iba a pedir un bocadillo de pan de centeno con pavo, tomate, cebollas y salsa rusa.

—Que sean dos.

—¿Y pepinillos?

—Sí, claro —dije.

Regresé a mi mesa y me senté, más alegre de lo que había estado en semanas. Había esperado que me sucediera algo bueno, y aquí estaba. Cuando Wolfe me llamó para decirme que habían llegado nuestros pavos, no salí corriendo hacia su despacho; me tomé un minuto para disfrutar del placer y de la ilusión que me producía lo que estaba por venir. Y mientras caminaba por el corredor, pensaba: *Vas al despacho de Wolfe para comer con él.*

Cuando llegué, él sacaba los bocadillos de una bolsa.

–Entra –me dijo, y cogió el teléfono y marcó; esto era justamente lo que hacía Honey: *Entra y quédate allí sentada mientras yo hablo por teléfono.*

Pero Wolfe estaba llamando a Irene; le dijo que estaba en una reunión y que por favor no le pasara ninguna llamada.

–¿Te has traído algo para leer? –me preguntó después de colgar.

–Ah, ahora vuelvo.

Cuando volví con un manuscrito, Wolfe estaba sentado en el sofá, con su bocadillo sobre la mesita baja. El mío estaba en la mesa. ¿Tenía que sentarme a su lado en el sofá, o en una de las sillas situadas frente a su mesa de trabajo? *¿Sofá o silla, silla o sofá?*

Me senté en la silla.

Wolfe puso el disco en el estéreo y volvió a sentarse en el sofá, con los pies en la mesita baja.

–Si quieres, pon los pies en la mesa –fue lo último que dijo. Cuando me volví, ya estaba leyendo.

Lo imité. Y sólo levantaba de vez en cuando la cabeza como si estuviera apreciando los matices de la música.

Cuando terminó la primera cara del disco, fue hasta el estéreo y dijo:

–Miles grabó esto en una sola sesión, ¿lo sabías?

–¡No! ¿De verdad? –dije, aunque nunca se me había ocurrido que grabar un disco llevara más de una sesión.

Me fijé en la fotografía que tenía en la mesa. Era de una chica que se le parecía mucho; era igual de flaca, con sus mismos ojos saltones y brazos delgados como ramitas. Pero ella llevaba trenzas. Tenía puesta una bota y se estiraba para coger la otra y reía. Había unas montañas al fondo, y la chica estaba sentada junto a una hoguera.

–¿Quién es la alegre excursionista? –le pregunté.

No respondió enseguida y tuve miedo de haber cometido

una torpeza: quizá no se debía hablar cuando estaba puesta la música, o tal vez no había que hacer preguntas personales.

–Es mi hermana –dijo, y titubeó–. Juliet.

Yo no sabía qué decir, y consideré la posibilidad de no decir nada. Y ojalá lo hubiera hecho.

–¿Dónde vive? –pregunté.

Se quedó un minuto en silencio, como si estuviera pensando. Pensé que tal vez trataba de acordarse de la dirección de su hermana. Después negó con la cabeza.

Yo estaba a punto de decir: «Lo siento»; las palabras estaban formándose en mi boca en el momento exacto en que las oí salir de la suya.

–Siento mucho lo de tu abuela, Sophie –dijo.

El viernes falté al trabajo para ir al funeral.

Me quedé durmiendo hasta tarde, y luego me pasé el día leyendo dos manuscritos que me había llevado a casa. Honey había puesto «miércoles» en los dos, y me pregunté si el lunes, cuando los llevara, pensaría que me había adelantado dos días, o se daría cuenta de que me había retrasado cinco.

Estuve toda la tarde preocupada por el trabajo y por Honey, y luego mi inquietud se extendió también a Josh. Yo no le había hablado de los líos en que me había metido y me sentía como si le estuviera mintiendo, y de ahí pasé a sentir que él me quería por algo que yo no era, y de ahí, a sentir que Josh no me quería de verdad.

Y por eso, porque me sentía tan tenuemente amada, llegué al restaurante casi media hora antes. Era un hermoso bistro francés, pequeño y encantador, con grandes ventanas, un piano y mil velas; las llamas parecían ondular con la música. Este restaurante era diez veces mejor que todos los anteriores, y se me ocurrió que Josh debía de estar muy orgulloso de un nuevo poema.

Le sorprendió tanto que yo llegara temprano que me alzó

en el aire para besarme; o al menos yo sentí que mis pies no tocaban el suelo.

Pude ver durante toda la cena que Josh se sentía muy feliz. Estábamos hablando y, de repente, una expresión satisfecha aparecía en su rostro y se quedaba allí; yo me lo imaginaba pensando: *El bistec está buenísimo, y creo que este poema es el mejor que he escrito.*

Parecía tan emocionado que creí que no podría esperar a los postres para leerme su poema. Pero sí que esperó. Lo devoramos todo, y luego mojamos pan en las salsas; cuando terminamos, nuestros platos relucían.

Cuando la camarera recogía los platos, Josh le dijo que nos hiciera un paquete con lo que habíamos dejado, y ella sonrió.

Después me cogió la mano, y se inclinó sobre la mesa y me besó. Cuando dijo: «Eres muy hermosa», yo oí: *Mi poema es muy hermoso.*

Yo, como siempre, estaba un poco nerviosa porque temía que su poema no me gustara. O quizá lo que me daba miedo era no ser capaz de fingir que me gustaba.

–Bueno, ¿me lo vas a leer o no? –dije.

–¿Qué quieres que te lea? –me preguntó Josh, sorprendido.

Ese día era nuestro aniversario; hacía seis meses que estábamos juntos.

Me fui a la cama feliz, pero me desperté en mitad de la noche.

–¿Qué pasa? –preguntó Josh.

–Me preocupa mi trabajo –dije.

–Pues no te preocupes –me contestó él.

Me levanté; di una vuelta por el piso, oscuro como una caverna, y luego abrí la puerta y salí a la escalera.

Fumé un cigarrillo, y luego otro. E intenté comprender exactamente cuál era el problema. «Honey no me quiere», me dije a mí misma.

Y esto me llevó de vuelta a la infancia, cuando estaba en

tercero de primaria, y le llevé a mi padre mis notas y le dije: «La señorita Snell no me quiere.» Mi padre me respondió entonces que mi excusa le decepcionaba más que las notas.

Aunque sabía que mi padre posiblemente se sentiría ahora decepcionado conmigo, sabía también que él era el único que podía aconsejarme. Y este deseo de llamarlo y hablar con él hacía que me sintiera como si hubiera vuelto a la adolescencia. Intenté imaginar lo que él me diría. Sería algo del estilo de: *Pronto encontrarás trabajo y tendrás tu propio piso*. Mi padre me señalaría algo muy claro, muy evidente, así que traté de darme cuenta de qué era lo más claro y evidente de todo ese lío.

Lo descubrí al instante, y tuve la misma sensación que experimentaba cada vez que mi padre me daba un consejo: *¿Cómo no me di cuenta antes?*

Tenía que trabajar más. De eso se trataba.

Por la mañana, cuando Josh me preguntó si quería ir al Met, le contesté que tenía que ir a la editorial. Él entonces se fue a la biblioteca, a disfrutar de una sesión extra de escritura de poesía.

En el 375 de Madison firmé en el registro del guardia de la entrada, y vi que Francine Lawlor también había firmado a las nueve de la mañana.

Cuando entré, ella estaba sentada ante su mesa y, aparte de saludarme, se comportó como si fuera un día laborable cualquiera. De la cintura para arriba iba igual que siempre: llevaba una de sus blusas con volantes y la chaqueta rojoanaranjada. Cuando se puso de pie, vi que se había puesto tejanos y zapatillas deportivas: unos Wrangler vueltos y unas Keds.

Aquel sábado trabajé todo el día, y también fui a la editorial el domingo. Hice copias de un manuscrito que Honey quería distribuir el lunes en la reunión de trabajo; escribí a máquina todas las cartas que ella me había dado el viernes. Las ordené en una bonita pila, junto con las cartas de devolución de los manuscritos rechazados. Y luego me dediqué a los documentos que estaban en el archivo de cosas para archivar; volví a hacer una pelota con el currículum y la carta de Jenny Ling y los tiré definitivamente a la basura.

Quité todos papeles de mi mesa, y entonces vi lo que había debajo: *La mecanografía del siglo XX*. Lo puse en un sobre acolchado, escribí la dirección de la biblioteca pública de Surrey y lo dejé en la bandeja con el correo a enviar.

Sólo entonces apagué la lámpara de mi mesa y me despedí cariñosamente de Francine.

Firmé en el vestíbulo el registro de salida. El guardia de seguridad estaba haciendo uno de esos puzzles de encuentra-la-palabra en un periódico, y dibujaba una línea que parecía un gusano cuando yo le pregunté su nombre y le dije el mío. Se llamaba Warren, y nos dimos la mano.

Fuera hacía frío y estaba oscuro. Pero era bueno estar otra vez al aire libre. Había trabajado duro, y ahora había terminado. Estaba cansada pero alegre; ya era amiga del segurata, una obrera más en la colmena, y por la mañana mi jefa iba a descubrir que aunque yo no había sido directora de la revista de literatura de Yale, ni había obtenido una matrícula de honor tras otra, y tampoco había contratado una novela, ni editado otras dos, era la mejor asistenta editorial de Nueva York, y posiblemente del mundo.

6

A Honey le llevó varias semanas convencerse de que mis esfuerzos por mejorar no eran una broma que yo le estaba gastando.

Iba a la oficina todos los sábados. Al principio, Francine y yo nos decíamos muy poco más que hola y adiós. Cuando yo salía, le decía lo que iba a buscar —un bocadillo, una bebida, un bagel—, y le preguntaba si quería algo del mundo exterior. Pero ella nunca quería nada.

Y luego, un sábado, le pregunté si quería un café.

–Está la cafetera llena, acabo de hacerlo –me respondió.

Su respuesta me pareció un ofrecimiento, y una prueba.

–¿Te importa si me tomo una taza? –le pregunté.

–Claro que no.

La cafetera estaba justo delante de la sala de reuniones. Durante la semana, siempre había una jarra llena de café sobre el hornillo eléctrico, pero solamente los muy desesperados se atrevían a tomarlo. Llené una taza y le eché una cucharada de un sucedáneo de nata en polvo.

De vuelta en la Cueva, tomé un sorbo, y me dejó en la boca el sabor de miles de jarras de café requemadas hasta convertirse en una negra amargura; sentí el gusto del propio hornillo.

Después de aquel primer sorbo hice como que bebía, pero no dejé que el café entrara en mi boca; fumé la pipa de la paz sin tragar el humo.

Y me dio valor para hacerle una pregunta a Francine:

–¿De dónde eres?

–De Pensilvania.

–Pues yo también soy de allí –dije, aunque siempre decía que era de Filadelfia, ya que de allí a Surrey sólo había media hora.

–Pero tú no eres del mismo lugar que yo –dijo.

–¿Y de dónde eres?

–Seguro que ni siquiera has oído hablar de él.

Esperé.

–Soy de Lesher –dijo al fin.

–Creo que sí, que he oído hablar de Lesher –dije, aunque no era cierto–. ¿Tus padres todavía viven allí?

Dio la impresión de que estaba pensando si me iba a responder.

–Son viejos –dijo luego.

–Ah. –Yo no sabía qué decir–. Qué rollo, ¿no?

Seguimos así durante un tiempo: yo le hacía preguntas y ella me las contestaba de mala gana. ¿Dónde vivía? En Carteret, Nueva Jersey. ¿Cuál era su escritor preferido? Theodore Dreiser. ¿Dónde había estudiado? En Ursinus.

Francine no comenzó a hablar hasta el fin de semana que siguió al ascenso de Bettina. Aquel sábado llegué después del mediodía y ella me dijo:

–Me preguntaba cuándo aparecerías.

Era la mayor muestra de confianza que Francine se había permitido conmigo. ¿Sería una broma? Por si acaso, sonreí.

–No puedo creer que ascendieran a Bettina –me dijo luego, cuando yo ya estaba acomodada en mi mesa.

–Ya. ¿Y por qué te parece tan increíble?

–Bueno, para empezar, sus conocimientos de puntuación comienzan y terminan en sus puntos negros.

Me reí, y ella también. Yo nunca había oído su risa; hacía k-k-k-k, unos ruidos secos, como de pequeñas astillas que se quiebran.

–Sería interesante considerar las razones por las que un editor contrata a un asistente, o lo asciende de categoría –me dijo Francine un sábado mientras me servía una taza de café que acababa de hacer.

–Es verdad –le dije, como si yo también hubiera pensado en ello.

–Es por narcisismo, fundamentalmente.

Después se quedó callada, y me preocupó que estuviera pensando en sí misma, y preguntándose por qué ningún editor la había elegido como espejo. Traté de distraerla, por si se lo estaba rumiando.

–¿Y por qué me habrá contratado Honey? ¿Qué piensas tú?

–Eso mismo me estaba preguntando.

Vacilé antes de decírselo.

–Ella salió con mi hermano.

–Qué retorcida –opinó Francine.

175

Francine reescribió el texto de la carta que Steinhardt enviaba con los manuscritos de los espontáneos que se rechazaban, y me pidió que se lo corrigiera.

–¿Qué cambiarías tú?

Le dije que me parecía un poco raro firmar a mano «Los editores» encima de «Los editores» escrito a máquina.

–¿Por qué te parece raro? –preguntó, y era evidente que me odiaba por haber elegido esa palabra.

Traté de explicárselo.

–Quiero decir que «los editores» es tan impersonal y anónimo que no es una firma.

Asintió, pero sus labios seguían fruncidos; aún no había acabado de digerir ese «raro».

–¿Y si firmaras con tu nombre?

Me di cuenta de que Francine se había pasado mucho tiempo cavilando sobre esta cuestión, y me preocupó que dedicara tanta devoción a los manuscritos basura.

–En ese caso tendría que poner también mi cargo en la editorial –dijo.

–Claro, eso estaría bien.

–Pero si yo me pasara diez años escribiendo una novela, no me gustaría que me la rechazara una asistente eventual –dijo Francine.

–Mira, en ese caso el autor podría decir: «¿Y ésta qué coño sabe de libros? Si no es más que una jodida asistente eventual.»

Tuve miedo de que se hubiera ofendido por mis «coño» y «jodida», pero cuando me volví a mirarla, Francine estaba sonriendo. Quizá le gustaba la idea de que su bajo rango pudiera servir a una causa noble.

La vi concentrada en la lectura de un manuscrito y le pregunté si era bueno.

–Es espantoso –me contestó.

Ya llevaba leídas unas cien páginas.

–¿Y por qué sigues leyendo? –le pregunté.

–Todos los escritores se merecen al menos una oportunidad –me respondió.

Ayudé a Francine a llevar otra caja de escoria desde la copiadora hasta su mesa. Miré su cara mientras sacaba de la caja el primer manuscrito: estaba llena de esperanza. Hasta aquel momento, no se me había ocurrido que Francine pudiera querer algo distinto de lo que quería yo, que no me despidieran. Pero me había equivocado: Francine era ambiciosa. Buscaba un ascenso en las cajas de los espontáneos. No era una Honey, y lo sabía. No le iban a enviar con un mensajero el manuscrito de una gran novela después de un simpático almuerzo con un agente importante. No, Francine tendría que leer página tras página, manuscrito tras manuscrito, caja tras caja hasta encontrar la novela que haría que nadie pudiera oponerse a su ascenso.

A mí me parecía una tarea imposible. Yo no creía que en esas cajas se pudiera encontrar nada publicable, y mucho menos un gran libro. Y si lo había, ¿cómo iba a encontrarlo Francine leyendo, como leía, todas las páginas de todos los manuscritos?

No podía dejar de pensar que yo tenía que decírselo, porque para eso era su amiga. Y practicaba mentalmente mis palabras; sería un discurso amable y elogioso, pero también realista.

Francine y yo nunca hablábamos delante de los otros cavernícolas. Las pocas veces que lo intenté, ella sólo movió la cabeza. Yo creía que trataba de protegerme –de Bettina, quizá–, pero no era eso. Creo que quería diferenciarse del resto de los asistentes editoriales; creo que trataba de verse a sí misma como una editora a la que por razones burocráticas aún no habían confirmado en su puesto.

177

Por eso aquel viernes por la tarde me sorprendí cuando levanté los ojos y la vi junto a mi mesa.

–¿Leerías un manuscrito para mí? –me preguntó–. Para la reunión del lunes.

–Claro que sí –respondí.

Y en ese instante me di cuenta de que Francine creía haber encontrado entre la escoria la novela que iba a transformar su carrera. Le dije que quizá sería conveniente que también diera a leer el manuscrito a otro editor.

Francine pareció dudar.

–Su opinión tendrá mucho más peso que la mía –insistí.

No me contestó.

–Es lo que haría yo si estuviera en tu lugar –dije.

Después, pensé que había descubierto la razón de sus dudas, y le dije:

–Si quieres, puedo pedírselo yo a Honey –me ofrecí.

–Haré otra fotocopia del manuscrito –me contestó.

Alcancé a Honey justo antes de que se marchara. Pensaba irse a pasar el fin de semana al campo, y se había vestido para la ocasión. Llevaba un espléndido conjunto de chaqueta y falda ancha de ante, y botas, todo en marrón oscuro.

–Necesito que me hagas un favor –le dije.

Me indicó con un gesto que podía seguir hablando.

Y en ese preciso instante advertí que la novela se llamaba *Nosotros,* y que su autor era I. Tittlebaum, y ninguna de las dos cosas parecía muy prometedora. Y noté también que el manuscrito era muy pesado –es decir, que la novela era muy larga–, y comprendí que pedirle a Honey que la leyera durante un fin de semana en el campo era pedirle un favor inmenso.

Cuando repetí lo que le había dicho a Francine, que la opinión de Honey tendría mucho más peso que la mía, su expresión me dijo: *Por supuesto.* Y yo terminé la frase con un: «Por supuesto.»

—¡Vaya! ¡Justo lo que yo quería para pasar el fin de semana!
—dijo, pero se llevó el manuscrito.

Nosotros contaba la historia del director de un instituto de Nueva Jersey durante el año en que su esposa lo abandonó y él se quedó solo con sus hijos, y era tan buena que me olvidé de que la estaba leyendo para hacerle un favor a Francine. Continué leyendo sin parar durante todo el fin de semana, y el domingo a las tres de la mañana aún seguía con la novela. La reunión de trabajo de los lunes empezaba a veces más tarde, o la dejaban para después del mediodía, y cuando me desperté a las diez menos cuarto de la mañana, recé para que hoy fuera uno de esos días. Y salí tan deprisa de casa que ni siquiera me cepillé los dientes.

No fueron muchos los que me miraron cuando entré en la sala de reuniones; Honey no lo hizo. Francine estaba sentada en la mesa junto a ella. Yo me senté junto a la pared, con los otros ayudantes.

Había una gran pila de copias de *Nosotros* delante de Honey, y el post-it con la nota que ella había escrito todavía estaba pegado al original. Yo, sin necesidad de leerla, supe que me decía que hiciera todas las copias que ahora estaban sobre la mesa, debajo del manuscrito original.

Los editores estaban sentados en torno a la mesa y hablaban en el sentido de las agujas del reloj sobre las novelas y ensayos que habían leído, y que querían comprar o rechazar. Todos trataban de ser concisos y rápidos, excepto una editora a la que le encantaba comunicar a los demás absolutamente todas sus impresiones.

Por fin llegó el turno de Honey. Comenzó por mirar a los que estaban sentados alrededor de la mesa hasta que todos la miraron a ella. Y entonces dijo:

—Francine Lawlor ha encontrado esta novela en la pila de manuscritos no solicitados.

Fue un alivio escuchar que no llamaba «Clarisse» a Francine. Francine abrió la boca, y yo pensé que iba a tomar el relevo, pero Honey siguió hablando.

Era una buena vendedora; llevaba preparado un discurso elocuente, pero hizo que sonara como una conversación íntima con cada uno de nosotros. Observé que comparaba a I. Tittlebaum con escritores clásicos que todos admiraban y a *Nosotros* con novelas que habían vendido millones de ejemplares.

Se había tomado la libertad de llamar a I. Tittlebaum el fin de semana para asegurarse de que no había vendido su libro a otra editorial –no lo había hecho–, y nos dijo que era un hombre maravilloso, y que había aceptado de buen grado cambiar el título de la novela.

Yo estaba tan cautivada por las palabras de Honey –todos lo estaban–, que al principio no noté el cambio en la sonrisa de Francine. Inquieta y emocionada unos minutos antes, ahora parecía congelada en su asiento, y yo comprendí por qué: Honey se había apropiado de *Nosotros;* era ella quien había descubierto la novela y la había contratado para la editorial.

Honey pidió disculpas por la extensión del libro, y anunció que lo iba a releer y a reducir en un tercio.

Y aquí se produjo el único cambio que vi en la expresión de Francine; durante un segundo, sus ojos volvieron a la vida.

Cuando terminó, Honey miró a Francine y le preguntó:

–¿Quieres decir algo más?

La manera en que Francine reaccionó despertó mi admiración. Se esforzó por sonreír cálidamente, y dijo:

–Confío en que todos leeréis esta extraordinaria novela.

Yo nunca había hablado en una reunión editorial y hacerlo ahora me resultaba muy difícil, sobre todo teniendo en cuenta que ni siquiera me había cepillado los dientes. Pero quería hacer algo para que *Nosotros* volviera a Francine.

Me oí decir: «Ejem», y vi que algunas cabezas se volvieron para mirarme.

Pero la cara que puso Honey estuvo a punto de detenerme; no mostraba nada más que sorpresa, pero hizo que me diera cuenta de que ella no me había autorizado a hablar en la reunión y cualquier cosa que yo dijera sería subversiva.

Todos me miraban, atentos.

Pensé que podía decir que Francine había leído cientos de manuscritos hasta encontrar éste, y que los había leído de principio a fin, y con atención y respeto. Pero no estaba segura de que esto fuera lo más conveniente y, de todas formas, era más de lo que mi boca podía pronunciar.

–Francine me ha pedido que leyera *Nosotros* este fin de semana –dije–. Lo he hecho, y me ha encantado.

–Perfecto –me interrumpió Honey, y la rapidez de su intervención hizo que me diera cuenta de que yo había hablado muy lentamente.

Después Francine repartió los manuscritos.

De vuelta en la Cueva, Bettina lo arrojó sobre su mesa.

–Qué coñazo –protestó.

Sue felicitó a Francine, y ella le dio las gracias.

Yo me acerqué a Francine.

–Lo siento, Francine, lo siento mucho –le dije.

Francine cerró los ojos y los mantuvo cerrados, y yo súbitamente comprendí que ese «Lo siento» era lo peor que le podía haber dicho. Francine estaba tratando de fingir que no había sucedido nada malo.

Así que añadí muy rápido:

–De verdad, siento mucho que hayas tenido que hacer esa montaña de copias por mí.

Tardó un minuto en abrir los ojos y otro minuto más en contestarme.

–No tiene importancia. Me han ayudado los de recepción.

Yo habría querido preguntarle si había visto a Honey cuando dejó el manuscrito en mi mesa, antes de la reunión, y si parecía enfadada por no haberme encontrado en mi puesto. Pero

181

pensé que estaba mal preocuparme por mí misma después de lo que le había pasado a Francine, y me dije que de todas formas me enteraría muy pronto.

Pero no fue así. No lo supe hasta el miércoles; cuando llegué había un mensaje de Honey pegado en la base de mi flexo. Me decía en la nota que la llamara, y lo hice.

—¿Puedes venir al despacho de Wolfe? —ordenó Honey.

—Claro que sí —respondí yo.

Wolfe estaba sentado en su mesa y Honey, demasiado nerviosa para sentarse, se encontraba de pie junto a la ventana.

—Adelante, Sophie —me dijo Wolfe—. Siéntate.

Me senté en la misma silla que había usado cuando comí con él.

Wolfe llamó a Irene y le dijo que no le pasara llamadas.

Cuando Honey se sentó a mi lado, tuve ganas de levantarme y correr al sofá. Pero me quedé donde estaba. Ella me miró, las puntas de los dedos unidas como si estuviera jugando a hacer figuras con las manos y le tocara hacer una iglesia.

Por fin me enteré de lo que pasaba: hacía tres días que Honey iba a la Cueva por la mañana y encontraba mi flexo encendido, aunque yo aún no había llegado.

—Lo que me molesta es la mentira —dijo, y estaba tan furiosa que le temblaba un poco la voz; por primera vez se me ocurrió que sus sentimientos hacia mí no eran más que un reflejo de lo que sentía por Jack.

—Yo nunca le he pedido a nadie que encendiera mi lámpara.

Me inquietaba que Francine pudiera tener problemas por mí, pero Honey cambió de tema. Al parecer, no era sólo la mentira lo que la molestaba. Comenzó a hablar de mi impuntualidad, de la advertencia que me había hecho y de mi promesa de llegar más temprano.

Estaba presentando las pruebas del delito.

Miré a Wolfe: *Sálvame.*

Pero él estaba mirando a Honey, y vi en su cara que esa reunión le resultaba muy desagradable.

Se levantó y fue hasta el estéreo. Perdió un minuto mirando sus discos, y vi que Honey miraba al cielo. Y me di cuenta de que Wolfe no le gustaba.

Y me pregunté si a él le gustaba ella. Esperaba que no, pero sabía que eso no tenía importancia. Wolfe, como mi padre, era un hombre justo, y aunque yo le fuera más simpática que Honey, si ella tenía razón, se pondría de su parte. Ésa era la conducta que se esperaba de ti en el trabajo, y la actitud de Wolfe probablemente haría que yo lo respetara aún más, pero no ahora, sino en el futuro. Porque yo ahora sólo era consciente de que él no iba a protegerme ni salir en mi defensa.

Puso *Kind of Blue* en el estéreo. Yo lo interpreté como un mensaje para mí, aunque no supiera exactamente qué quería decirme.

Cuando volvió a su sillón, me indicó con una inclinación de cabeza que estaba dispuesto a escucharme.

–Llego tarde casi todos los días –dije–, pero también me marcho más tarde para compensar.

Wolfe puso una cara más amable.

–Y vengo a trabajar todos los fines de semana.

Nadie habló ni se movió durante un minuto.

Después, Honey se dejó caer en el sofá como si fuera una adolescente enfadada. Una actitud que me favorecía.

–Muy bien –dijo Wolfe; era la señal de que podía irme–. Gracias.

Yo tuve la impresión de que había ganado esta batalla, aunque sólo fuera ante el tribunal imparcial del juez Wolfe. Por primera vez en mi vida había hecho los deberes y me sentía más fuerte, trabajadora y virtuosa que nunca; me sentía invulnerable.

Esto duró unos treinta segundos, hasta que volví a la Cueva y me di cuenta de lo que había hecho. Aunque hubiera ganado con Wolfe, había perdido, y mucho, con Honey. Había hecho quedar mal a mi jefa ante su jefe, y se me ocurrió que ahora estaba en un lío mucho más gordo que el de llegar tarde y ocultarlo, y no sabía cuál era el castigo que me podía caer encima.

Con todo, no estaba asustada. Estaba tranquila. Sentía que comenzaba a entender algo, aunque todavía no sabía de qué se trataba.

Francine, frente a mí, estaba leyendo un manuscrito. Ella era más buena de lo que yo sería jamás, había hecho más deberes de los que yo haría nunca, y ahí estaba, enterrada en la escoria.

Adam, que era la encarnación misma de la discreción, me llamó por teléfono.

–¿Te encuentras bien? –me preguntó.

Le respondí que seguía viva y que no me habían despedido.

I. Tittlebaum acudió esa misma semana desde Nueva Jersey. Honey llamó y me pidió que fuera a su despacho a conocerlo.

–Ven con Clarisse –dijo.

–Francine –contesté yo.

Y Francine me miró.

I. Tittlebaum era más alto de lo que su nombre parecía insinuar y mucho más joven que el protagonista de su novela. Era imposible que tuviera hijos adolescentes, y si su mujer lo había abandonado, ya estaba de vuelta o él había encontrado otra, porque llevaba una alianza.

Wolfe nos saludó a Francine y a mí con una inclinación de cabeza, pero dejó que Honey hiciera las presentaciones de rigor.

–Irv, quiero presentarte a Francine Lawlor; ella descubrió tu libro en la pila de manuscritos no solicitados.

No sé por qué, pero él me dio la mano a mí.

–No, no soy yo –dije, y mi voz sonó más alta de lo necesario, porque que él pensara que yo era Francine, o deseara que lo fuera, añadía el insulto a la humillación que le infligían al no reconocer sus méritos.

El rostro de Honey permaneció imperturbable, aunque yo estaba segura de que ella pensaba que mi paso en falso había arruinado su falso elogio de Francine.

–Francine es ella –dije, aunque ella ya estaba estrechando la mano del escritor.

–Señor Tittlebaum, su novela es espléndida –dijo.

–Muchas gracias, Francine –dijo él, y estaba claro que le estaba dando las gracias por todo, que le estaba mucho más agradecido de lo que hubiera querido Honey. Y se quedó mirando a Francine hasta que Honey reclamó su atención.

–Y ésta es Sophie Applebaum, mi ayudante –dijo, y pronunció mi nombre como si fuera importante que él lo recordara en el futuro.

–Hola –murmuré.

–Francine, ¿viene a comer con nosotros? –la invitó Wolfe.

–Gracias –dijo ella–, pero no puedo, tengo trabajo.

Francine y yo volvimos a la Cueva en silencio. Ella se sentó en su mesa, pero yo sabía que si hubiera estado en su lugar, habría necesitado llorar –en verdad, yo también tenía ganas de llorar–, así que le dije: «Vamos, Francine.» Salimos por la puerta del fondo y seguimos hasta dejar atrás los aseos. Sus ojos se abrieron un poco cuando abrí la puerta que daba al balcón reservado a los fumadores.

–Me sorprende que no esté cerrada con llave –dijo.

–Yo ya sabía que estaba abierta –le dije.

Había muchas nubes, y de vez en cuando asomaba un sol pálido. Yo nunca había visto a Francine a la luz del día, y ahora advertí que sus cabellos eran más blancos que rubios.

Contemplamos los edificios que nos rodeaban, aunque en verdad no había nada que ver. Yo quería decirle algo alentador, y trataba de imaginarme qué me gustaría que me dijeran si estuviera en la situación de ella.

185

Pero cuando la miré a la cara, vi que no estaba triste. De hecho, tenía una expresión serena. Quizá recordaba la mirada de agradecimiento que le había dirigido I. Tittlebaum. O tal vez estaba contenta porque había hecho bien su trabajo y había encontrado un buen libro para la editorial Steinhardt. O puede que supiera que pocas semanas más tarde Wolfe por fin la ascendería.

Fuera lo que fuese, para mí era un alivio que no estuviera triste. Hacía que me sintiera menos culpable por haberle dado *Nosotros* a Honey.

Saqué los cigarrillos y le ofrecí uno, casi como si estuviera haciéndole una broma, pero ella lo cogió. Le di fuego.

Yo pensaba que no iba a tragar el humo, como mi abuela, pero Francine fumaba como una profesional.

–¿Pero tú fumas? –le pregunté.

–Sí –respondió.

Y me sentí un poco más animada. Me hizo pensar que había otras cosas que yo no sabía de esta talentosa editora, de esta enamorada de Dreiser, antigua alumna de la Universidad de Ursinus y ciudadana de Carteret, Nueva Jersey. En todo caso, esperaba que las hubiera.

Run run run run run
run run away

Cuando mi hermano me anuncia que está viendo a un psiquiatra, le digo:

–Jack, eso está muy bien

–¿Por qué? ¿Piensas que estoy mal de la cabeza? –dice.

–¿Y quién te lo ha recomendado? –le pregunto.

–¿Por qué crees que mi psiquiatra es un hombre? –me contesta él.

Se llama Mary Pat Delmar, y, según Jack, es genial.

–Esa mujer es demasiado –dice, y yo deduzco que en las sesiones deben de hablar de la adolescencia de Jack, de la época del instituto.

–¡Uau! –exclamo.

–¡Ya le dije que harías «Uau»! –dice mi hermano, y sonríe.

Y luego me habla de lo hermosa que es.

–Pero no tanto que no puedas concentrarte, espero –le digo yo.

–Es muy hermosa –dice.

Y también impresionante: ganó una beca para ir a la universidad, y ha estudiado medicina; nació en el Tennessee profundo, donde sus padres todavía tienen un bar que sirve comidas.

–¿Y ella te ha contado todo eso?

–Sí. ¿Por qué te llama la atención?

—Porque los psiquiatras no hablan mucho.

Sólo cuando me dice que no se está psicoanalizando y se echa a reír, me doy cuenta de que la relación entre ellos no es de médico y paciente. Mary Pat es su nueva novia.

Mi hermano se ríe como un loco.

—Qué gracioso —digo yo, y en verdad me hace mucha gracia oírlo reír, y también me consuela: nuestro padre murió hace menos de dos meses.

Nos ponen delante mis huevos revueltos y las tortitas de Jack, y dejamos de hablar para comer; estamos en Homer's, el restaurante que queda a la vuelta de la esquina del piso de mi hermano en el Village.

Le pregunto cómo conoció a Mary Pat.

—Pete le dijo que viniera a verme —me empieza a contar.

Se aparta por un momento del tema, y me habla de la cabaña de pescadores que ha restaurado con Pete este verano. Pete vive todo el año en Martha's Vineyard con Lila, su perra de Terranova, que expresa su angustia aullando cuando oye las canciones de Billie Holiday: *Dog, you don't know the trouble I seen.*

Jack dice que Pete lo llamó cuando M.P. se vino a vivir a Nueva York.

—Creo que siempre ha estado un poco enamorado de ella.

No digo nada; yo misma he estado siempre un poco enamorada de Pete.

Aunque Jack no había dicho que vendría con Mary Pat, me siento un poco decepcionada cuando llega solo a Homer's.

—Solamente un café —le dice al camarero.

Me cuenta que asaltaron a M.P. cuando volvía a casa después del trabajo, y que se ha quedado despierto hasta muy tarde tratando de tranquilizarla.

—¡Qué horror! —exclamo, y le pregunto dónde fue, y cuándo, y si estaban armados.

Tenían una navaja; fue a las diez de la noche, y a una manzana de su piso en Avenue D.

–¿Pero vive en Avenue D?

La D es de Drogas, de Desastre, de Debes vivir en otra parte, a menos que no tengas más remedio.

–No tiene dinero para vivir en un sitio mejor.

–Pero yo creía que los psiquiatras ganaban un pastón.

–Puede que sí, si tienen una consulta privada.

Mary Pat, o sea la doctora Delmar, trabaja en el NYU Hospital, en un programa especial destinado a las víctimas de torturas.

Las semanas que he pasado junto al lecho de mi padre me han hecho tomar conciencia de la existencia de un grado de sufrimiento que yo desconocía. Y ahora lo advierto en las calles de Manhattan, en las columnas de los periódicos, y la sola idea de que alguien trabaja para aliviar el sufrimiento de otros también alivia el mío.

–¿Y cuándo podré conocerla? –le pregunto.

–Muy pronto.

–Mary Pat debería coger un taxi cuando trabaja hasta tarde –digo, como una madre inquieta.

–Dice que esas caminatas son el único ejercicio que hace.

–¿Nos sentamos en la terraza? –me pregunta Jack cuando llego al White Horse.

Estamos en noviembre.

–No, pero ¿por qué quieres que nos sentemos fuera?

Me dice que le gustará a M.P; después de pasar todo el día en el hospital, se muere por un poco de aire fresco. Se quita la chaqueta de cuero y me la da, un acto de caballerosidad en nombre de Mary Pat.

Me siento donde él quiere.

–Estás enamorado de esa chica.

Y él aúlla un «¡Sí, la amo!», imitando a un cantante country, o a una perra de Terranova.

Conseguimos acomodar nuestras piernas debajo de una de las mesas rústicas de la terraza; no hay nadie más allí, y Jack tiene que entrar en el bar para llamar a la camarera.

Los dos pedimos un whisky para entrar en calor.

Jack bosteza y me cuenta que él y Mary Pat han pasado casi toda la noche en vela hablando de su nuevo guión. Me dice que las observaciones de ella son increíblemente inteligentes, más inteligentes que el guión, en verdad.

Y yo pienso que nunca había visto a mi hermano tan seguro de una mujer, y tan poco seguro de sí mismo.

De repente, ve a su dramaturga al otro lado de la calle, y yo también me vuelvo para mirarla.

Es alta, y se la ve muy delgada con sus zapatos de tacón. Tiene el pelo largo y ondulado y las mejillas encendidas, y cuando ve a Jack y sonríe, se le hacen hoyuelos.

Su mano, floja, no aprieta la mía, y me dice «Encantada de conocerte» con voz temblorosa.

Besa a Jack en los labios, y a continuación anuncia que le parece que está a punto de caer enferma, y que si no nos molesta que nos sentemos en el interior.

Cuando estamos instalados en el salón, yo me comporto como si ya fuéramos amigas, que es lo que hago siempre con las novias de Jack, y le cuento que yo, con tacones altos, ni siquiera puedo sentarme, y mucho menos caminar. Y le pregunto cómo se las arregla ella.

–Pues no lo sé –me contesta.

Jack le pone la mano en la frente, y alza las cejas, inquieto.

–Tienes fiebre –le dice.

–Si te encuentras mal –digo–, podemos quedar para cenar en otra ocasión.

–No, no –responde–. Me gusta tener un poco de fiebre. Ya sabes, es «como verlo todo en un espejo, oscuro».

No, yo no lo sé; ni siquiera estoy segura de haber oído bien. Su voz es tan baja que apenas la oigo, y eso, esforzándome.

192

Cogemos el menú.

—Para mí, hamburguesa con queso y patatas fritas —pido.

—Lo mismo para mí —dice Jack.

—Yo no podré comerme una hamburguesa entera —declara Mary Pat.

—Puedes compartir la mía —le ofrece Jack.

—¿De verdad? ¿No te importa?

Y mi hermano, que no tiene el menor reparo en pegarme en la mano cuando cojo una de sus patatas fritas, responde que no, que no le importa.

Cuando llegan las hamburguesas, Mary Pat no hace caso del plato extra que le ponen delante, y come directamente del plato de Jack. Y en lugar de partir en dos la hamburguesa con queso, la muerde primero ella, y después mi hermano. Y Mary Pat hasta se limpia la boca con la servilleta de él. Me recuerdan a la ONG Médicos Sin Fronteras.

—Jack me ha contado que os conocisteis gracias a Pete —digo.

—Ah, sí. Puso en guardia a tu hermano contra mí —dice, y ambos parecen pensar que eso es muy gracioso.

Yo les sigo la corriente, ja, ja, ja.

—¿Y qué fue lo que dijo?

Y Jack le pregunta a Mary Pat:

—¿Qué fue lo que dijo Pete?

—¿Que soy una chica peligrosa? —susurra ella con una voz tan sexy, que yo pienso: *Eh, M.P., que soy la hermana pequeña de Jack, y estoy aquí, al otro lado de la mesa.*

Su cuerpo responde al menor cambio en la postura de Jack; están en permanente contacto físico. Mary Pat no toca directamente a Jack, pero se frota contra él de manera casual, como un gato. Y en una ocasión, cuando él le coge la mano, ella se la deja menos de un minuto; después la retira y la esconde en la oscuridad, bajo la mesa.

Quizá por su voz susurrante, o por su delgadez etérea, o su

fiebre de espejo oscuro, Mary Pat da la impresión de no estar del todo aquí, en la mesa, en el White Horse, en la Tierra.

Y yo, para asegurarme de mi propia existencia, me enfrento a su voz tan suave alzando la mía, contrarresto sus pequeños mordiscos dando grandes bocados.

Trato de hablar con ella, pero en verdad no es una conversación; yo hago preguntas y ella las contesta. Y mis preguntas se hacen más largas y sus respuestas, más breves. Pero no abandono. Soy como un jugador que sigue pensando: *Tal vez en la próxima mano.*

¿Cómo se llama el bar de sus padres? Delmar's.

¿Cómo se reparten el trabajo? El padre cocina; la madre sirve las mesas.

Y si ahora estuviéramos en Delmar's, ¿qué pediríamos?

–Carne con dos.

–¿Qué...?

–Carne asada con dos guarniciones.

Me encantan las guarniciones; le pregunto cuáles son las mejores.

–Las judías blancas –me responde–. Y el maíz tierno, si te gusta.

Yo asiento y pongo cara de aficionada al maíz tierno, aunque jamás un solo grano ha penetrado en mi boca.

–¿Ibas mucho al bar cuando eras pequeña? –pregunto.

–Sí.

–¿Y te lo pasabas bien allí?

–No –responde, y deja claro que no quiere hablar de aquello, ni hablar conmigo, ni hablar–. Perdón –dice luego, y se va al aseo.

–Pero ¿qué pasa? –le pregunto a Jack.

–No quiere hablar de su padre.

–¿Acaso hablábamos de él?

Cuando vuelve, Jack le rodea los hombros con el brazo.

–Perdona, no quería ser indiscreta –le digo.

–No te preocupes, no tiene importancia –contesta Mary Pat, con cara de pena.

Jack no me llama para preguntarme qué pienso de Mary Pat, como ha hecho cada vez que me ha presentado a una de sus novias. No me llama ni para eso ni para nada. Y cuando llamo yo, está en cama con treinta y nueve de fiebre. Me ofrezco a llevarle un poco de caldo, y me dice que tiene caldo, y zumos, y todo lo que necesita; lo que le quedó después de cuidar de Mary Pat.

Lo llamo una semana más tarde, para preguntarle si nos vemos en Homer's, y aún está en cama. Me explica que ya no tiene fiebre, pero que no se encuentra bien.

–¿Qué pasa, colega? –le pregunto. Así era como lo llamaba mi padre.

–Ha dicho que mi reescritura del guión le parece horrible.

–¿Qué?

–Ya te conté que ella había leído mi guión y había hecho anotaciones al margen. Ahora me dice que es evidente que yo no había entendido nada.

–¿Quieres que vaya a verte?

–Sí –me dice, y yo voy.

Su mesilla de noche es un revoltillo de medicamentos –NyQuil, DayQuil, Sudafed, Theraflu–, un dosificador de jarabe pringoso, una taza y una bolsita de té que parece un ratón en pleno rígor mortis. Tiene la cama cubierta con páginas del guión y pañuelos de papel usados, y me dice que para Mary Pat una y otra cosa tienen el mismo valor.

–¿Ella sabe que sólo hace nueve semanas que murió nuestro padre?

–Le pedí que me dijera la verdad.

195

Me lleva un minuto comprender que la defiende como si yo estuviera atacándola.

Limpio la habitación, le tomo la temperatura, preparo un té. Y estoy revolviendo la sopa cuando llama Mary Pat. Al parecer, está arrepentida.

—Viene para aquí —anuncia Jack, y eso quiere decir que tengo que marcharme.

Jack llega a Homer's medio muerto de cansancio y cojeando. Me dice que ha estado en el gimnasio.

—Y he hecho más de lo que debía. —Dice algo ininteligible en medio de un bostezo, y alcanzo a distinguir las últimas palabras—: ... levantado hasta muy tarde.

Le pregunto si estaba trabajando en el guión.

—No —bosteza—. No.

Y yo también bostezo.

—Nos quedamos hablando hasta tarde —dice.

—Pero, niños, ¿habéis dormido alguna vez toda la noche?

—Mary Pat estaba angustiada.

Yo pienso en el trabajo de Mary Pat, y en las historias que debe de oír todos los días.

—Me desperté y ella estaba llorando —sigue Jack.

Yo hago un gesto de comprensión.

Mi hermano tiene tanto sueño que su voz suena diferente.

—Y repetía una y otra vez que lo sentía mucho.

—¿Y eso, por qué?

De repente, parece despertar, y se da cuenta de que tal vez no desee contarme esta historia. Duda antes de seguir, pero continúa hablando, demasiado cansado para hacer caso a su instinto.

—Todavía está enamorada de su ex novio.

Sus palabras parecían anunciar *Fin,* como en las películas, pero yo no oía *Fin* en su voz, ni veía *Fin* en su cara.

—Y si lo quiere tanto, ¿por qué rompió con él?

Observé cómo Jack rebuscaba en su memoria.

–En aquella época ella creía que no merecía ser feliz.

Y yo de inmediato recuerdo la versión de Jack de la canción de los Talking Heads, que él cambiaba de «Psycho Killer» a «Psycho Blablá», y el estribillo, «Run run run run run run away».

–¿Y por qué no merecía ser feliz?

–Mary Pat estaba en primer año de medicina, y su novio, en el último –me contesta–. Jugaba al squash.

Yo estoy cada vez más confundida.

–¿Así que ella se ha estado viendo con él desde que estaba en primer año de la universidad?

–No.

–¿Se lo encontró por casualidad?

–No.

–¿Mary Pat quiere volver con él?

–No –repite mi hermano–. Él está casado y tiene dos hijos. Ella ni siquiera sabe dónde vive.

Se me ocurre que me sería más fácil entender esta historia si estuviera cansada, pero cansada de verdad.

Los ojos de mi pobre hermano se ven diminutos y su cara tiene el color de una almeja; cuando vuelve a poner la taza sobre el charco que ha hecho en el plato, le tiemblan las manos.

–Lo bueno de todo esto... –comienza a decir, y su voz se pierde en un murmullo incomprensible.

–¿Qué es lo bueno de todo esto?

–Que ahora Mary Pat por fin cree que merece ser feliz.

Jack me llama, y dice que ojalá no me hubiera hablado del ex novio de M.P.

Le digo que lo comprendo, y no estoy mintiendo. Hay ciertas cosas que dos personas se dicen a oscuras, en medio de la noche, y que para una tercera persona, y a la hora del desayuno, no tienen ningún sentido.

Después, cuando le pregunto cómo está todo, Jack me dice que Mary Pat está espléndida, y la vez siguiente que está muy bien, y la siguiente de la siguiente me contesta que está bien.

El sábado me llama a las cuatro de la mañana desde el piso de ella. Sé, sin necesidad de preguntar nada, que está sentado en la oscuridad; lo noto en su voz.

–Lo he estropeado todo –dice.

–No lo creo; seguro que no.

–Sí que lo he hecho –insiste–. Lo he estropeado todo.

–Pero ¿cómo?

–Lo he estropeado. Lo he estropeado todo –repite.

–Por favor, intenta recordar que esto es una conversación –digo yo–, y que tu objetivo es darme información.

–Tendría que haberle pedido en el Boathouse que se casara conmigo.

Yo no digo nada.

–En el Boathouse, el restaurante de Central Park –dice, como si yo no lo conociera–. Era el momento perfecto.

Me obligo a pronunciar palabras de consuelo:

–Ya habrá otros, seguro que sí.

–No –se lamenta–. Ella dijo que el momento perfecto era ése, y que ya nunca volveremos a vivirlo.

–¡Hombre, espera un poco! ¿Cuánto hace que os conocéis? ¿Veinte minutos?

No me contesta, y yo advierto en su silencio que mis palabras le parecen impertinentes. No quiero que me cuelgue el teléfono y vaya ahora mismo a pedirle a Mary Pat que se case con él.

–Escúchame, Jack –digo–. Olvídate por un minuto de los instantes perfectos. ¿De verdad quieres que *Mary Pat* sea tu *mujer*? ¿Quieres que sea la *madre de tus hijos*?

–Sí –responde.

198

No le pregunto si piensa que sería feliz con Mary Pat. Comprendo que no es la felicidad lo que está en juego. Y también me doy cuenta de que mi hermano no quiere entender lo que le pasa, ni tampoco sentirse mejor. Sólo quiere que yo le ayude a conquistar a Mary Pat.

—De acuerdo —digo—. Te diré lo que creo que deberías hacer. No la agobies. No le pidas nada por un tiempo, ni esperes nada de ella.

¿He dicho lo que mi hermano quería oír? Sí. Su silencio es el mismo, pero yo sé que lo he dicho.

Imito la tranquila autoridad de mi padre.

—Y lo demás ya lo resolveremos por la mañana.

He llamado a Pete muy pocas veces en mi vida, y cuando oigo su hola, recuerdo qué es lo que me ha impedido hacerlo. Es de noche, y él ya está cómodamente instalado en su casa, los pies cerca de la chimenea, Dostoievski en las manos, y la cabeza de Lila apoyada en sus rodillas; una llamada telefónica es un asalto, una invasión de su mundo.

Hablamos, pero sólo un uno por ciento de Pete está en el teléfono. Para acercarse a Pete hay que nadar, o buscar almejas, o pescar. O quitar las malas hierbas en su jardín, o cantar mientras él toca la guitarra.

La conversación se va haciendo más y más forzada, hasta que yo abordo los problemas sentimentales de mi hermano.

—Soph, no creo que tú puedas hacer nada —me dice cuando termino.

Se muestra comprensivo, pero seguro de lo que dice; me imagino que usa el mismo tono de voz para comunicarle a un cliente que su casa está demasiado deteriorada para restaurarla.

—Tú no lo entiendes —insisto—. Jack va a pedirle que se case con él.

—Ya, como todos los otros —responde.

–¿Tú también se lo pediste? –pregunto, y en este caso mi interés es personal.

Se ríe y me dice que no. Y yo me doy cuenta de que nunca le he conocido una novia a Pete.

–Y tú, ¿cómo estás? –le pregunto.

–Bien, gracias –contesta.

–¿Y cómo está Lila?

–Lila, ¿cómo te encuentras? –le pregunta.

Y en el instante de silencio que sigue, oigo los sonidos de Martha's Vineyard en invierno; las nubes en el cielo, el viento en la playa y el frío que se te pega a la ropa hasta cuando estás dentro de casa.

Jack no vuelve a llamarme. Le pregunto a mi madre si tiene noticias de él. Y las tiene.

–¡No veo la hora de conocer a Mary Pat! –me dice.

Sé que mi hermano pequeño tiene mucho trabajo, y no quiero preocuparlo. Pero cuando me pregunta qué opino de Mary Pat, se lo cuento todo.

–Jack ha perdido peso –le digo–. Y no duerme.

Y en ese instante se me ocurre que así es como las sectas debilitan la voluntad de sus iniciados.

–Pues yo diría que está enamorado –diagnostica Robert, y añade que ese estado, el más deseado del mundo, se caracteriza por una inseguridad que nada puede aliviar, y un sufrimiento que apenas da tregua.

Y sus palabras me recuerdan que ha pasado mucho tiempo desde la última vez que estuve enamorada.

–¿Y qué pasa contigo? –pregunta Robert–. ¿Has encontrado a alguien?

Él siempre me lo pregunta, y yo siempre me veo obligada a responderle que no, y lo mismo hago ahora. Pero mi hermano, por primera vez, me dice que quiere presentarme a uno de sus amigos, un cardiólogo pediátrico.

–Eso está muy bien –le digo–. Yo tengo un corazón pediátrico.

–No digas esas cosas de mi hermana –me replica.

–Y tú, ¿estás enamorado? –le pregunto antes de colgar.

–No –me contesta.

Le pregunto si Naomi, su mujer, lo sabe.

–Claro que sí. Ha sido ella la que me lo ha dicho.

Cuando por fin Jack me llama al trabajo, en lugar de decirme *Hola*, me pregunta sin más si podemos vernos.

–¿Cuándo? –pregunto.

–Ahora –responde.

Y sin darme tiempo a preguntarle dónde, cuelga.

Aunque son las seis de la tarde de un día laborable, me imagino que mi hermano me espera en Homer's, y acierto. Jack está sentado en la barra, la cabeza gacha.

Su rostro está demacrado, pero su cuerpo parece sorprendentemente atlético.

Me dice que no puede dormir, ni comer, ni pensar, ni escribir.

–Pero al menos puedes ir al gimnasio –le digo.

–Mary Pat no contesta mis llamadas –se lamenta.

–Ya, yo también he pasado por eso y sé cómo te sientes.

No acusa recibo de la indirecta.

–Nos hemos peleado –me cuenta.

–¿Y por qué?

–Bueno, en realidad, no fue una pelea –aclara, y luego se dirige al camarero–: Sólo quiero café.

–Tráigale también tortitas con jamón –digo yo–. ¿O prefieres huevos?

–No quiero nada –me dice Jack.

–Pues entonces tomará las tortitas –le digo al camarero.

Jack ni siquiera nos oye.

–Parece como si estuvieras en coma –le digo, y enseguida

me siento enferma. Nuestro padre estuvo muchos días en coma, y yo he pronunciado esa palabra con la ligereza de la gente que no sabe nada del asunto, como si le pidiera a un camarero: *¿Puede traernos otro coma, por favor?*

–Quería decir que estás como ausente –le digo, pero Jack está tan ausente, que ni siquiera ha advertido mi *coma*.

Mi hermano aparta el plato cuando llegan sus tortitas. Suspira una vez, y luego otra. Y después habla en una voz tan baja que es como si hablara consigo mismo:

–No puedo pegarle –dice.

–¿Qué dices?

–Que no puedo pegarle –repite, y sólo entonces me doy cuenta de que tiene que estar muy cansado, y muy desesperado, para hablar de estas cosas conmigo.

–¿Y tú quieres pegarle?

Se encoge de hombros.

–Lo quiere ella.

–¿En la cama? –pregunto.

–Claro que en la cama –replica él–. ¿Dónde iba a ser, si no?

–Ah, perdona. Claro, ella quiere que tú le pegues cuando folláis. Y tú no puedes. Continúa.

–Mary Pat piensa que eso significa que no la quiero.

–¿Puedo pegarle yo? –pregunto.

–¡Sophie! –exclama, ofendido–. ¡Su padre la maltrataba!

Y yo pienso: *Seguro que ella se lo merecía*, pero luego vuelvo a ser otra vez un ser humano.

Hay tanto cansancio y tristeza en la cara de mi hermano, que yo siento que mi cara también se vuelve triste y cansada.

–Oye, colega, si yo fuera tú, trataría de escapar de esta historia –le digo, pero antes de terminar de hablar ya sé que nada de lo que yo diga, por acertadas o convincentes que sean mis palabras, apartará a mi hermano de esa mujer.

–Hablas como si pudiera elegir.

–Claro que puedes.

202

—Mary Pat está saliendo con otro —dice—. Con un tipo que trabaja con ella.

Estoy a punto de decir: *¿Una víctima?*, pero me corrijo a tiempo:

—¿Un superviviente?

Mi hermano sigue defendiendo a Mary Pat:

—No, ella jamás saldría con un paciente.

Yo podría decir tantas cosas de Mary Pat. Podría decir que es una..., y usar esa palabra que reservamos para esta clase de ocasiones, el gran insulto. Pero sea lo que sea esa mujer, mi hermano la ama, y burlarse de Mary Pat sería burlarse de él y de sus sentimientos.

¿Qué más puedo decir? Le cuento que en el trabajo he estado corrigiendo un libro de dietas y trucos para adelgazar de personajes famosos.

—El último descubrimiento —le digo—: Come menos y haz más ejercicio.

Cuando le pongo el plato de tortitas delante, me dice:

—No tengo hambre.

—¿Te crees que me importa si tienes hambre? Esto no tiene nada que ver con el hambre. El hambre no viene al caso. El hambre es un lujo que no puedes permitirte.

Les pongo almíbar a las tortitas. Cuando me sirvo de la pila, me dice con tono seco: «¡No me toques las tortitas!», repitiendo las palabras de un anuncio de nuestra infancia.

—Lo que tú necesitas es una siesta —le digo.

Come un bocado, y luego otro.

Mientras mi hermano termina sus tortitas, yo hago planes para el futuro. Lo llevaré hasta su casa y subiré con él hasta su piso. Se acostará. Y yo iré a comprar comida. Lo llevaré a ver una película y luego iremos a un restaurante. Y me digo a mí misma, por si mi padre está escuchando: *Nos cuidaremos el uno al otro.*

Dena Blumenthal + Bobby Orr
parra siemprre

Mi madre está con su grupo de duelo y yo hablo por teléfono con una pariente lejana a quien no conozco, una vieja experta en culpabilizar a la gente, que dice que lamenta lo de mi padre, pero a la que en verdad entristece mucho más que nadie se molestara en decírselo, porque así habría podido asistir al funeral. No para de decir cosas como: «¿Tan difícil es descolgar el teléfono y marcar un número?»

Me salva el bip de una llamada entrante y le pido por favor que no cuelgue y me espere un minuto.

–Esto es una conferencia –protesta.

Un segundo bip.

–Bueno, ha sido un placer hablar con usted –le digo–. Le daré su recado a mi madre. –Aunque no pienso hacerlo–. Adiós.

La otra llamada es de Dena, y le cuento con pelos y señales el festival de culpabilización y reproches al que acabo de asistir, y que me fascina, ahora que ha terminado. Pero a ella no le produce el mismo efecto, y su «Hmmm» suena indulgente.

–Ni siquiera sabía mi nombre –le cuento–. Era un encuentro culpable entre desconocidos, ¿te das cuenta?

–¿Cómo estás? –me interrumpe Dena.

Ella pregunta mucho, y yo respondo muy poco:

–Bien, ¿y tú?

Dena considera mi respuesta una digresión, como si yo fuera una paciente que pregunta por la salud de su médico. Sólo me permite unas pocas preguntas sobre su vida antes de volver a la mía.

–¿Has llamado a Demetri?

No lo he hecho.

–Bien –dice–. ¿Y cuándo regresas a Nueva York?

–No lo sé –le contesto con un tono deliberadamente despreocupado.

Le cuento que tengo una entrevista de trabajo en *Shalom*, la revista judía que nunca leíamos cuando éramos niñas, y espero que se eche a reír.

Dena no dice nada. Sigo esperando.

–Tengo que prepararme –le digo luego, aunque la entrevista no tendrá lugar hasta dentro de tres horas.

–Bob –dice, que es el apodo que ella me da a mí y yo le doy a ella desde que estábamos en el instituto–, vives en Surrey. –Y pronuncia estas palabras con la simpatía y la autoridad de quien está familiarizada con la vida social de Surrey: muchachos que fuman cigarrillos en la puerta de la pista de patinaje, el ama de casa que devuelve un camisón de nailon en Strawbridge & Clothier, o el vecino bigotudo que pasea a un schnauzer miniatura al que llama Pepper.

–Lo bueno de no haber llegado a nada en tu profesión es que puedes empezar de nuevo en cualquier sitio –digo.

–Bob –dice Dena.

–¿Sí?

Duda un instante.

–Que tengas suerte.

Sólo hacía unos meses que salía con Demetri cuando me pidió que me fuera con él a Los Ángeles.

–Vente conmigo –dijo, y por primera vez desde la muerte de mi padre dejó de dolerme el corazón.

Me emocionaba dejar mi trabajo, y también mi piso. Era la primera vez en mi vida que me arriesgaba de verdad. Tenía la sensación de estar devorando la vida de un solo bocado. La semana anterior a nuestra partida me entró el pánico. De pronto oía lo que todos habían dicho y lo que habían callado acerca de Demetri: Dena lo había calificado de narcisista patológico, mi hermano mayor había dicho: «No tiene nada en la cabeza», y mi hermano pequeño había suspirado. Pero era la opinión de mi padre la que me obsesionaba. Yo sabía lo que él habría pensado de Demetri. No me lo habría dicho, claro está, pero me habría soltado un: *¿Y qué vas a hacer tú en Los Ángeles?*
–¿Y qué voy a hacer yo en Los Ángeles? –le pregunté a Demetri. Demetri ignoraba que mi pregunta era el encabezamiento de una carta de despedida. Me respondió que pasaría mis días fantaseando sobre cómo follaríamos por la noche, y que por la noche haríamos realidad mis fantasías.

Toda mi vida he visto la revista *Shalom* sobre la mesa donde dejamos el correo, y ahora que quiero leerla, ha desaparecido. Mi madre la ha tirado a la basura, y los basureros ya han venido y se han ido. Y todas las personas a las que llama también la han tirado. Mi madre está segura de que ha guardado los números que anunciaban el bar mitzvah de mis hermanos. Nos pasamos la hora previa a la entrevista revolviendo inútilmente en los cajones llenos de recuerdos de infancia: pinturas de muñecos de nieve hechas con esponjas, y redacciones con frases como: «El pájaro salta y salta sobre la hierba.»
Mi madre se siente culpable por haber tirado *Shalom*, e insiste en llevarme en su coche a la entrevista. Desde hace un tiempo me da consejos sobre cómo progresar en mi carrera, aunque ella no ha vuelto a trabajar desde el nacimiento de mi hermano, que ya tiene treinta y tres años. Ahora dice que si

me interesa el periodismo, *Shalom* no es un mal lugar para empezar.

–La cuestión es establecer contactos –explica–, adquirir experiencia y aprender cosas nuevas.

–Ya –replico–. Y de eso tú sabes mucho.

Comienza a disculparse, y yo la interrumpo. Le digo que comprendo que quiere ayudarme, pero que sus consejos parecen absorber todo el oxígeno en el interior del coche y eso me produce lesiones cerebrales.

Cambio de tema: ¿Conoce a Elaine Brodsky, la editora con quien voy a tener la entrevista?

–Conozco a Elaine de toda la vida –responde, y cuando lo dice, su voz suena fría y distante. Mala señal.

–¿Sois amigas? –le pregunto.

–No somos íntimas –me responde, que es su manera de decir que una persona no le gusta. Espero que no sea recíproco; mi primera jefa había sido novia de mi hermano mayor, y era muy rencorosa.

Aparcamos en el espacio reservado para los empleados del Manor, un edificio que parece una caja de hormigón llena de ventanas con cristales oscurecidos, como gafas de sol. Mi madre dice que me esperará; se ha traído un número viejo del *New Yorker* para leer, como hacía durante mis clases de violín en el instituto.

Cuando salgo del coche me desea buena suerte.

–Estarás genial, ya lo verás –me dice.

La acera está cubierta de escarcha; aunque no llevo tacones, camino despacio, con pasos inseguros, como un niño que aprende a andar o una vieja que teme romperse una cadera.

Elaine Brodsky sale a recibirme un momento después de que la recepcionista anuncie mi llegada; lleva una falda escocesa que me resulta inexplicablemente familiar, abrochada con un enorme imperdible dorado.

–¿Cómo está tu madre? –me pregunta cuando estamos en su despacho. Su voz no es tan fría como la de mi madre, pero tampoco suena cálida–. Me he enterado de lo de tu padre, lo siento mucho –añade, como si todos fuésemos una gran y desdichada familia.

Antes de lanzarse a hablar de los acontecimientos emocionantes que tienen lugar en *Shalom,* se queda un momento en silencio, como señal de respeto.

Yo intento compartir su entusiasmo por la nueva plantilla de voluntarias: una periodista novata de la escuela hebrea y una secretaria del Hogar Judío de Ancianos.

–¡Uau! –exclamo.

–Nos ayudamos unas a otras –me dice.

Después el tema de conversación soy yo. ¡Le encanta que haya trabajado en una editorial! ¿Me gusta escribir? Eso me vendrá muy bien, puesto que yo tendré que escribir casi todos los artículos.

Creo que ésta es la mejor entrevista que he hecho nunca. Me doy cuenta de que va a ofrecerme el empleo. Dentro de pocos minutos volveré a formar parte del mundo laboral.

Quiere que conozca al actual jefe de redacción de *Shalom.* Después de marcar el número de su extensión, me da el último número de «La Hoja Semanal de la Comunidad Judía de Filadelfia», y dice:

–Acaba de salir de la imprenta.

Leo el titular de la nota principal: LOS ALUMNOS DE QUINTO DE LA SEÑORA JACOBY ENCIENDEN LA MENORAH EN LA FIESTA DE HANUKAH. La estudiante de primer año de instituto que hay en mí sabe que estoy desesperada por conseguir un trabajo, pero lo estoy aún más por que no sea éste, y cuando Elaine cuelga el teléfono, de mi boca salen estas palabras:

–En verdad, yo no sé nada sobre judaísmo, ¿usted piensa que es necesario para este trabajo?

Yo estoy tan pasmada como ella. En ese momento entra el hombre que podría haber sido mi predecesor y nos damos la mano, y después Elaine Brodsky me dice:

–Dale recuerdos a tu madre.

Y mi madre y yo volvemos a casa.

Estoy acostada en mi cama cuando veo la falda escocesa de Elaine Brodsky en Molly, la muñeca que mi abuela Steeny me trajo de Escocia. Molly está en un estante junto a Gigi, la francesa, la alemana Frieda y la irlandesa Erin, y todas llevan el traje típico de su país natal. Hacía mucho tiempo que no me fijaba en las muñecas, y ahora que las miro, parecen cantar *¡El mundo es un pañuelo!*, y se refieren al mío.

–Te llama Dena –grita mi madre, y cojo el teléfono.

–¿Cómo te ha ido? –me pregunta Dena.

–Genial. Ha sido increíble –digo, y se lo cuento.

Ella se ríe y trata de hacerme ver lo cómica que ha sido la entrevista. Y lo consigue, pero sólo por un segundo. Porque después recuerdo que estoy viviendo con mi madre en Surrey, y que viviré aquí por siempre jamás. Acostada en mi cama con dosel, mientras miro mis muñecas disfrazadas y hablo por el teléfono que usaba cuando era niña, siento que estoy envejeciendo a paso acelerado. Dentro de poco, la gente comenzará a tomarnos a mi madre y a mí por hermanas.

–Tienes que salir –dice Dena.

–¿Y adónde quieres que vaya? ¿A la farmacia de la esquina?

–Ve al centro a ver una película –dice–. O ve a casa de mis padres.

Esta idea le parece tan buena que lo dice por segunda vez, y ahora es una orden:

–Ve a casa de mis padres. –Y me dice que en cuanto colguemos va a llamar a su madre.

Dena ha comenzado a apreciar a su madre, o al menos a comprender por qué otra gente la encuentra agradable, hace muy poco tiempo.

–La llamaré ahora mismo –dice.

Los Blumenthal viven en la única mansión verdadera de Surrey, la casa que todas las otras casas querrían ser. Es antigua y está cubierta de enredaderas, con una piscina medio escondida en el jardín de atrás. Tiene un gran salón formal que nadie utiliza, y lo mismo ocurre con el comedor, pero también hay habitaciones más íntimas y acogedoras: una pequeña alcoba con un asiento bajo la ventana, el vestidor de la señora Blumenthal con su tocador art déco y la biblioteca con su chimenea.

De niña, lo que más envidiaba era la cocina, que tenía absolutamente todo lo que se puede desear: trozos de embutidos envueltos en papel blanco, pan fresco de centeno y bagels comprados en la pastelería, Coca-Cola, Tab, Sprite, Doritos y Fritos, Mallomar y Oreos, cucuruchos de helado cubiertos de chocolate y nueces, y al menos dos sabores de helados Häagen-Dazs, por lo general chocolate con trocitos de chocolate dentro y vainilla con nueces pacanas; si lo que querías no estaba en la cocina, lo encontrabas en la despensa. Yo volvía a mi casa y comparaba sus provisiones con las nuestras; pollo frío, apio y helado de vainilla.

La asistenta de los Blumenthal hacía la compra, limpiaba y cocinaba lo que hiciera falta. Se llamaba Flossie y todos la querían más a ella de lo que se querían entre sí.

Las hermanas de Dena, Tracy y Ellen, gemelas idénticas, eran gimnastas y animadoras deportivas. Dena decía que Ellen era superficial y Tracy una bruja, pero yo las encontraba a ambas igualmente fascinantes. Cuando las tres hermanas estaban juntas, algo que sólo ocurría por casualidad delante de la televisión o junto a la piscina, el clima imperante era de forzada tolerancia.

Su padre anunciaba de vez en cuando que quería que se comportaran como una verdadera familia, y decidía de repente que se iban todos a Florida a jugar al tenis o a Utah a esquiar; el doctor Blumenthal insistía siempre en que todos los miembros de la familia estuvieran presentes a la hora de la cena, aunque a la noche siguiente el ausente era él.

El doctor Blumenthal, con su jersey de cachemira color gris

perla, lo bastante grande como para cubrirle la barriga, daba la impresión de ser un experto en su propio bienestar. No recuerdo haberlo visto nunca sin una bebida en la mano: una cerveza después del tenis, un gin tonic junto a la piscina, un martini por la noche, o un Bloody Mary los domingos. Podía ser amistoso o colérico, y con frecuencia era amistoso y después colérico.

La señora Blumenthal parecía inmune a ambas cosas. Más alta que su marido, y delgada, se movía como la gran tenista que era. El pelo, que llevaba demasiado largo para una madre y teñido de un color que Dena llamaba «rubio Surrey», y su porte altivo hacían que se pareciera mucho a sus galgos rusos antes de que los animales envejecieran.

Estaba siempre leyendo sentada en un gran sillón junto a la chimenea, o en el diván blanco de su inmaculado dormitorio, con una taza de té o una copa de vino y un cenicero sobre la mesa, junto a ella. La madre de Dena me preguntaba si estaba leyendo algo que me gustara, y si yo le decía que sí, anotaba el título del libro.

Esta tarde, cuando abre la puerta, tiene en la mano *Madame Bovary*, con un dedo dentro para no perder la página. Me da dos besos en las mejillas y dice: «Sophie.» Tiene una voz ronca, de fumadora.

Le digo: «Hola.» Me ha pedido que la llame Stevie –el diminutivo de Stephanie–, pero me es imposible llamarla otra cosa que señora Blumenthal, así que siempre que hablo con ella, evito nombrarla.

La sigo a la biblioteca y me pregunta:

–¿Qué quieres tomar?

Le pregunto qué está bebiendo ella.

–Todavía no he comenzado.

–¿Qué bebería si... –trato de pensar en una crisis que la hiciera sentirse tan mal como me siento yo–... si el doctor Blumenthal le dijera que la abandona?

–Champán –me contesta con una cara totalmente inexpresiva, y luego añade–: Me parece que hoy estamos de un humor gris oscuro. ¿Qué prefieres, whisky escocés o bourbon?

–Bourbon –respondo, aunque no sé cuál es la diferencia.

Nos sentamos en los grandes sillones junto al fuego y enciende un cigarrillo para ella y otro para mí.

–Hablemos de dinero –dice.

–De acuerdo.

–¿Tienes deudas, Sophie?

–No.

–Muy bien. Me imagino que tu padre te ha dejado algo.

–Sí.

Me pregunta cuánto, y se lo digo. No puedo saber si le parece poco o mucho.

–¿Y cuánto te costaría mudarte de nuevo a Nueva York?

–No lo sé.

–Pues deberías pensarlo.

Le explico que mi padre me pidió explícitamente que no me gastara la herencia en los gastos de todos los días; él quería que la usara para pagar la entrada de un piso, o un viaje, algo verdaderamente importante.

–Es una buena idea. –Hace una pausa, y continúa luego–: Pero cuando vuelvas a trabajar puedes reponer lo que gastes en la mudanza.

Quiero estar más cerca del fuego y deslizo la silla hacia la alfombra sobre la que en otros tiempos se echaban los galgos rusos. Me pregunto si la señora Blumenthal los echa de menos.

–Tal vez debiéramos hablar sobre las razones por las que estás en Surrey.

Procuro recordar los nombres de los perros: ¿*Masha e Ivan*?

–No sé si intentas retroceder a la época en que tu padre no había muerto o si estás tan paralizada que no puedes mudarte –dice.

Las dos cosas, aunque lo he comprendido en este mismo momento.

215

—No tienes fuerzas para marcharte, ¿es eso?

Asiento.

—Te comprendo, yo también he pasado por eso.

Me asombra que hable con tanta sinceridad de su vida. La gente de la edad de mi madre no lo hace nunca, o en todo caso no conmigo.

Se está muy bien junto al fuego, pero fuera está oscureciendo; puedo sentir el frío con sólo mirar los cristales negros de la ventana. La casa está tranquila y silenciosa. Me pregunto si el doctor Blumenthal pasará más tiempo en casa o menos, ahora que todas las chicas se han marchado. Me pregunto si ya está volviendo a casa, y si la señora Blumenthal sabe a qué hora llega. Mi padre, antes de marcharse de los juzgados, llamaba siempre a mi madre para preguntarle si necesitaba algo, aunque ella jamás le pidió nada.

Se me ocurre que la señora Blumenthal quizá no bromeaba con respecto al champán.

—¿Qué pasa con tu novio de Los Ángeles?

Me pregunto qué le habrá contado Dena.

—Es mi ex novio. Se llama Demetri.

—¿A qué se dedica?

Le cuento que ahora escribe los guiones de una comedia para la televisión, pero que es un cómico. Y no sé por qué se me ocurre que ella podría pensar que es un payaso, así que le explico lo que hace Demetri:

—Monta y escribe sus propios espectáculos; hace monólogos.

—Gracias —dice—. Ya sé lo que es un cómico. ¿Y es divertido?

Le digo que sí. En el escenario hace sketches, como aquel en el que se burla de su papel en un culebrón: «Yo no soy actor, pero en la tele hago de actor.» Pero cuando está solo conmigo, a veces también me hace morir de risa. Por un instante se me ocurre que podría parodiar su parodia sobre lo que dirían sus animales domésticos si pudieran hablar. Pero pensar en Demetri en sus mejores momentos hace que le eche mucho de menos.

–Todavía espero que me llame –digo casi sin darme cuenta. No se lo había confesado a nadie y me siento aliviada al decirlo en voz alta. Aunque no digo toda la verdad: que he esperado que me llamara, y me dijera que me echa de menos, y me quiere, y desea más que nada en el mundo que me vaya a vivir a Los Ángeles con él. Pero él ni siquiera ha llamado para decirme hola.

La señora Blumenthal se levanta para volver a llenar las copas.

–¿Por qué no lo llamas tú?

–Señora Blumenthal –espero que me corrija y diga *Stevie*, pero no lo hace–, Demetri nunca me dijo que me quería.

–Hay hombres que no lo dicen. Y otros que lo dicen continuamente y no lo sienten.

Me reconozco a mí misma en esta última categoría, no con Demetri sino con uno de sus predecesores. A veces le decía a Josh «Te quiero» porque tenía miedo de no quererlo; hacia el final de la relación no se lo decía casi nunca, y cuando lo hacía, lo que yo quería decirle era: *Ojalá te quisiera*.

–Lo que un hombre hace es más importante que lo que dice –argumenta ahora la señora Blumenthal.

Me dice que yo ya sé todo lo que necesito saber de Demetri, y me gusta su manera de decirlo, como dando a entender que ella tampoco sabe lo que debo hacer, ni tiene ningún interés personal en que yo tome una u otra decisión.

Le pregunto si cree que yo debería volver a Nueva York.

–No veo ninguna razón para que no lo hagas –responde–. Al principio podrías vivir con Dena. –Piensa un instante en lo que ha dicho, y añade–: Creo que a ella también le vendría muy bien.

Me pregunto qué quiere decir. Su observación no parece desleal, pero mi pregunta sí que lo sería.

De pronto me siento cansada. Le digo que creo que me quedaré en Surrey hasta que mi madre se encuentre mejor.

–Ya te marcharás cuando estés preparada –me dice.

Y eso me lleva otro mes. Me preocupa decírselo a mi madre, pero cuando por fin me decido, de repente parece heber rejuvenecido diecisiete años.

Dena y yo nos conocemos desde el instituto. Estábamos en la misma clase. Supe cómo se llamaba por su carpeta de anillas forrada de tela azul, en la que había escrito: «Dena Blumenthal + Bobby Orr parra siemprre.» Era el año en que los Philadelphia Flyers ganaron la Copa Stanley, y el hecho de que Dena osara jurarle amor eterno públicamente a Orr, el astro de los Boston Bruins, los máximos rivales de los Flyers, y no tuviera problemas, era una muestra de su pertenencia a una clase social privilegiada.

Yo, por mi parte, estaba enamorada de Bob Dylan; no me interesaban los Flyers, ni el hockey sobre hielo o patinar. Pero toda la gente de la que quería hacerme amiga iba los viernes por la noche a la pista de patinaje, de modo que un viernes me decidí a ir. Me llevaron unas chicas a las que no conocía demasiado, pero me pareció mejor eso que llegar sola.

Mi madre insistió en que me pusiera la parka verde, que me había comprado sin mi consentimiento en las rebajas del invierno anterior. Parecía un saco de dormir con cinturón, y era imposible que con semejante atuendo pudiera hacer amigos.

—Estarás caliente como una tostada —me dijo.

Mientras mi familia terminaba el postre, yo me senté a esperar con la parka desabrochada a que vinieran a buscarme. Pocos minutos después me la quité y la puse sobre mis rodillas, con los mitones y el gorro.

Eran casi las siete y media cuando mi padre me preguntó:

—¿A qué hora pasarán a buscarte?

—A las siete —respondí.

—Te llevaré yo —dijo mi hermano mayor.

—Gracias, pero esperaré.

Por fin se oyó un bocinazo en la calle.

218

Cada vez que alguien nos llamaba con la bocina a mis hermanos o a mí, mi madre ponía cara de sufrimiento, pero esa noche sólo me dijo: «Pásatelo bien.»

Mi hermano menor, a quien le gustaba patinar, me gritó:

—¡Cae siempre hacia delante!

Cuando llegamos, la chica cuyo padre nos había llevado en su coche ni siquiera entró en la pista; había quedado con un chico de noveno en el parking. Las otras dos habían llevado sus propios patines, y ya estaban en la pista de hielo antes incluso de que yo hubiera llegado a los vestuarios del club a alquilar los míos. El encargado me dijo que se le habían acabado los patines blancos de mi número y me dio unos negros, que me recordaron los zapatones pasados de moda que usaban los huérfanos. Después de atarme los cordones, me quedé un momento en el banco enmoquetado; en la sede del club hacía menos frío, y podías comprar chocolate caliente. Pero me levanté y me dirigí a la pista, entre el rac rac rac de las cuchillas de los patines sobre el suelo de vinilo.

Yo no había patinado nunca, pero no parecía difícil. Daba la impresión de que los chicos corrían sobre el hielo; las chicas, en cambio, se deslizaban con movimientos de bailarinas de ballet al compás del vals que sonaba en los altavoces.

No encontraba la entrada a la pista, y pensé en volver a la sede del club a beberme un chocolate caliente. Entonces alguien me rozó al pasar, abrió una puerta disimulada en la barrera, y yo le seguí. Me deslicé sobre el hielo y seguí deslizándome hasta que me encontré en medio de lo que parecía ser el carril rápido de una pista circular de alta velocidad. Los chicos del equipo de hockey se perseguían a la carrera, y a pesar del cartel que decía NO ATROPELLAR, se atropellaban. Tuve miedo de que me tiraran al suelo.

Pero me caí sola. Y hacia atrás.

La parka amortiguó la caída, pero después me molestaba hasta para sentarme. Por fin conseguí ponerme primero de rodillas y luego de pie. Crucé tambaleándome la superautopista hasta el arcén, y allí me quedé agarrada a la pared. Mis dos amigas pasaban patinando y me saludaban con la mano, y yo, la huérfana del saco de dormir, les devolvía el saludo.

Me di cuenta de que una pista de patinaje no era como una piscina; no podías quedarte quieta sin llamar la atención. Pero no me atrevía a moverme. Estaba convencida de que todo el mundo me miraba hasta que me di cuenta de que nadie se fijaba en mí; y entonces sentí tanta vergüenza de lo primero como de lo segundo.

Dena, con un gorro blanco de piel con borlas y una minifalda roja, estaba en el centro de la pista practicando un salto en tirabuzón que podría haberla clasificado para los Juegos Olímpicos. Era pequeña y delgada, con grandes pechos que intentaba disimular con su postura –y lo mismo haría en el futuro, cuando se hiciera adulta–. Tenía el pelo oscuro, los ojos azules y una larga nariz –sus dos hermanas se harían operar, pero ella no– que la hacía más llamativa que bonita.

Patinaba hacia atrás y hacía piruetas a tal velocidad que si la estabas mirando se volvía borrosa. Después dio la vuelta a la pista a toda velocidad, del brazo de una cadena de campeonas que iban con minifalda, como ella.

Cuando pasó junto a mí, noté que me miraba. Me dio miedo que fuera para señalarme a sus amigas, pero se soltó de la cadena y patinó hasta donde estaba yo.

–Hola, Sophie –dijo, y me sorprendió que supiera mi nombre. Yo no dije el suyo; aún no sabía si se estaba burlando de mí.

–¿Quieres patinar? –me preguntó.

Me cogió del brazo y dimos la vuelta a la pista muy despacio. Dena me explicaba lo que hacía: primero tomaba impulso, y luego se deslizaba.

Yo oía un tintineo que no paraba, y miré hacia abajo y descubrí las campanillas que Dena llevaba atadas a los patines.

–Trata de no mirarte los pies –dijo.

220

—De acuerdo —le dije, y casi me caigo.

—Tú agárrate a mí, no te sueltes.

La mayor parte de mis amigas viven en estudios, o en pisos más grandes pero con serios inconvenientes; un compañero de piso que duerme en el salón, un centro de rehabilitación de drogadictos en la acera de enfrente, por ejemplo. El piso de Dena es perfecto, salón y una habitación muy grande con vistas a Gramercy Park. No dice cuánto paga de alquiler, pero supongo que mucho, dado el ascetismo con que vive, aunque también sé que Dena disfruta siendo frugal.

Para Navidad hizo un viaje a la India y ahora está enamorada de lo que ella llama la vida sencilla. Hablar de ello la tranquiliza; su charla se vuelve más pausada, y le brillan los ojos cuando describe a un niño indio que jugaba durante horas con un trozo de cuerda.

Yo la escucho y asiento, pero pienso: *¿Y te has quedado mirando durante horas a alguien que jugaba con una cuerda?*

La primera noche me muestra dónde guarda el café en grano, el molinillo y una especie de pincel de acuarela que usa para recoger hasta la última pizca de café en el calcetín de algodón que le sirve de filtro. Los armarios de la cocina están poco menos que vacíos, y echo de menos la antigua despensa de los Blumenthal.

Dena me muestra la gran olla de sopa y el cuenco con la ensalada que prepara los domingos para toda la semana, y que le evita caer en la tentación de comer fuera, o de pedir comida a domicilio.

El cuenco de la ensalada no contiene más que hojas de lechuga un tanto marchitas.

—Ñam-ñam... —digo.

Dena se echa a reír.

—Richard la llama *Salade Fatiguée*.

Richard era su profesor en la escuela de posgrado del MIT, y aunque Dena no dice que está saliendo con él, está saliendo.

Una noche digo:

–¿Cómo van las cosas con Richard?

Dena está sirviendo la sopa para la cena, y la única señal de que ha oído mi pregunta es que se detiene con el cucharón en el aire. Cuando me alcanza el bol, dice:

–Tú haces demasiadas preguntas. Todo ese juego de preguntas y respuestas es tan... –mueve las manos en un gesto que significa: *¿Cómo lo decís vosotros?*–, es tan americano.

Y yo pienso: *Es que somos americanas.*

Esto me recuerda su fiesta cuando cumplió dieciséis años, y prohibió que le cantaran *Cumpleaños feliz.*

Luego comienza a hablar más lentamente, con calma.

–Hay un millón de maneras de descubrir lo que se quiere saber.

Y yo pienso: *Dime sólo mil.*

Le digo a Dena una y otra vez que quiero pagar mi parte del alquiler, y por último insisto muy seriamente. Entonces ella confiesa que su padre le ha comprado el piso.

Me sorprende. Su padre está siempre tratando de comprarle cosas, y Dena siempre las rechaza.

–De todos modos, es tu piso. –Y le explico que me sentiría más cómoda si le pagara un alquiler.

Me dice que no, pero me permite que compre provisiones y llene la nevera, como hacía Flossie en casa de sus padres.

–No necesitamos tanta comida –dice Dena–, es un despilfarro.

Le explico que no pienso emular la dieta de un chico que no tiene para jugar nada más que un trozo de cuerda.

–¿Te estás burlando de mí? –me pregunta.

–Claro que sí –le contesto.

El verano anterior yo había visto al padre de Dena cuando trataba de convencerla de que se desprendiera de su viejo Saab y se quedara con el Mercedes descapotable nuevo que él de todas formas iba a cambiar por un modelo aún más nuevo. Estábamos en el estudio: en la gigantesca televisión transmitían un partido de béisbol y el doctor Blumenthal lo miraba de reojo mientras preparaba nuestros martinis. Se había duchado y afeitado y llevaba puesta una bata de seda sobre los pantalones. La señora Blumenthal todavía se estaba vistiendo para la fiesta a la que iban aquella noche ella y su marido; yo alzanzaba a oír el zumbido de un secador de pelo.

No sabía si el doctor Blumenthal hablaba en serio respecto del Mercedes; más bien parecía querer pinchar a Dena. Y si eso era lo que pretendía, lo estaba consiguiendo.

Dena tenía los brazos cruzados sobre el pecho. Yo sabía que no aceptaba el Mercedes porque no quería que la trataran como a una princesa, pero eso era precisamente lo que parecía al rechazarlo. Se comportaba como una princesa delante del rey.

Dena estaba cada vez más enfadada, y yo pensé que tal vez podría levantarme sin llamar la atención, e ir al vestidor de la madre y mirar cómo se secaba el pelo, algo que deseaba hacer desde hacía años.

El doctor Blumenthal estaba enumerando las virtudes del Mercedes. Ahora alababa la seguridad, y se me ocurrió que su intención quizá no era pinchar a Dena. Parecía auténticamente preocupado por el bienestar de su hija, y eso me hizo echar de menos a mi padre y su preocupación por mi propio bienestar.

El doctor Blumenthal describió las operaciones de cirugía plástica que había tenido que hacerle a un paciente que había sufrido un terrible accidente de coche. Comenzaba a decir «Puede que un airbag...» cuando Dena lo interrumpió.

–Basta, papá –dijo; hablaba con voz áspera, como mordiendo las palabras.

Me volví hacia ella.

–Bob. –Mi tono de voz le decía: *No te precipites*–. Sólo se trata de un coche.

–Tú te callas.

Creo que ella pensó que podía hablarme de esa manera porque hacía tanto tiempo que nos conocíamos que éramos como hermanas. Pero ese *Tú te callas* demostraba que no lo éramos; en mi familia nos habían enseñado que eso era lo más grosero que se le podía decir a otra persona.

–De acuerdo, está bien –le dije al doctor Blumenthal como si me diera por vencida–. Me quedo yo con el Mercedes.

Para compensar a Dena por el alquiler que no le pago, me esfuerzo por ser una supercompañera de piso. Limpio el cuarto de baño y la cocina. Hago la colada de Dena junto con la mía. Y cambio su Saab de un lado a otro de la calle, como mandan las ordenanzas municipales para que puedan limpiarse las calles.

Todas las mañanas me sorprendo al descubrir que el estéreo de su coche todavía está en el tablero. Pero también noto que ahora aparcan en la calle coches nuevos, y caros, y ya no veo en las ventanillas los carteles a los que me había acostumbrado: NO TENGO ESTÉREO; NO HAY NADA EN LA GUANTERA NI EN EL MALETERO; YA ME LO HAN ROBADO TODO.

Cuando se lo comento a Dena, me dice que Nueva York es más segura hoy día que a mediados de los ochenta, y yo me maravillo ante su facilidad para generalizar.

Dena siempre promete que me hará un duplicado de las llaves del piso. Se lo recuerdo dos veces sin ningún resultado. Por la mañana no hay problema –nos vamos juntas del piso, ella a su puesto fijo y yo a mis trabajos temporales–, pero por la noche tenemos que coordinar nuestro regreso. Cuando ella va a salir, y yo no, me deja las llaves, pero no me parece bien hacerme yo misma una copia.

Dena parece molesta cuando tiene que abrirme la puerta, aunque no sea muy tarde. Y yo temo que mi presencia comience a irritarla. Si no tengo una entrevista, un piso para ver o un plan para después del trabajo, me voy a una cafetería en Union Square a comer una hamburguesa y a beber Coca-Cola light mientras leo.

Un domingo, cuando Dena está preparando la sopa y la ensalada para toda la semana, me doy cuenta de mi error; se comporta como si solamente quisiera saber qué cantidad de comida tiene que preparar, pero me pregunta con voz cortante:

—¿Esta semana también vas a salir todas las noches?

Le digo a todo el mundo que estoy buscando piso; miro los anuncios en los periódicos y voy a ver cada uno de los pisos que podría pagar. Y todos son inhabitables.

En la lavandería veo un anuncio de alguien que quiere subarrendar un apartamento en Washington Square. Queda una sola una tira de papel con el número de teléfono, pero la cojo y llamo.

El inquilino, un estudiante de posgrado llamado Dewitt, dice que el piso aún está disponible y que puedo verlo ahora mismo si voy para allí.

Acabo de poner la colada en la secadora. Sopeso, por un lado, lo contenta que se pondrá Dena si consigo un apartamento y, por otro, lo furiosa que estará si pierdo su ropa. Pero puede que Nueva York sea ahora tan segura que ya nadie robe en las lavanderías.

Paro un taxi.

La dirección es el 19 de Washington Square North —justo sobre la plaza— y me imagino una casa como aquella en la que vivía el juez de *Oliver*. Y también me imagino a mí misma como Oliver, mirando por la ventana la magnífica escena de la calle y cantando, como él: «*Who will buy this wonderful morning?*»

Pero se trata de un estudio en el sótano, con barrotes en las ventanas, tuberías remendadas con cinta adhesiva, suelo de cemento y un olor a arena-y-pis-de gato que me marea.

Dewitt se va dentro de dos semanas a Escocia a investigar las canciones populares celtas; está desesperado por subarrendar el estudio, y dispuesto a bajar el alquiler.

Le digo que me lo pensaré, aunque no me hace falta. Es el peor piso que he visto y olido, y a pesar de que es barato, tendría que usar parte del dinero de mi padre, porque Dewitt quiere todo el alquiler por adelantado.

Ya en casa de Dena, cuando empiezo a divertirla con mi relato sobre los horrores del piso, llama Richard.

Dena habla con él unos minutos y vuelve a la cocina; yo estoy fregando los platos.

—¿Cómo está Richard? —le pregunto.

—Muy bien —me responde mientras seca los cubiertos—. Su mujer ha vuelto de Italia.

Me imagino que no he oído bien, y cierro el grifo:

—Perdona, ¿qué has dicho?

No contesta y sigue guardando los cubiertos en el cajón.

—¿Richard está *casado*? ¿Estás saliendo con un hombre *casado*? —digo sin poder contenerme, y con el mismo tono de voz con que podría preguntar: *¿Richard está* muerto? *¿Estás saliendo con un* muerto?

—Ya te lo había dicho —me contesta con voz neutra.

—No, no me habías dicho nada.

Yo friego los platos y ella los seca en silencio. No nos miramos. Después se va a su habitación y cierra la puerta.

Y entonces me acuerdo de la lavandería. Bajo a toda prisa las escaleras y me voy corriendo hasta la Tercera Avenida. La lavandería está cerrada. La mujer que la atiende está fregando el suelo. Golpeo. Ella hace que no con la cabeza. Vuelvo a golpear.

—Me he dejado la colada —digo cuando la mujer llega a la puerta.

Me dice que vuelva a buscarla por la mañana.

De repente, me parece criminal no volver con la ropa de Dena. Sobre todo después de lo que he dicho de Richard.

—¡Por favor!

La mujer quizá ve lo angustiada que estoy; lo cierto es que me deja entrar.

Cuando llego a casa de Dena ya casi es medianoche.

Las dos nos ponemos a doblar la ropa sobre la mesa del comedor.

—Discúlpame por haber sido tan cruel antes —le digo.

Su rostro no dice nada: no reconoce que yo he hecho algo malo, ni lo perdona.

Quisiera sentirme más cerca de ella, pero no sé cómo hacerlo.

—¿Estás enamorada de él, Bob?

—Claro que no.

—Es mejor así. ¿No?

—Da lo mismo, en verdad.

Y yo no tengo la menor idea de qué es lo que ha querido decir.

Una vez, cuando estábamos en el instituto, Dena me dijo que mi novio me engañaba.

Era a comienzos de junio, al atardecer.

Mientras yo lloraba, ella me daba palmadas en la espalda, un gesto nada propio de Dena. Y me sugirió que fuera a la piscina.

—Puedes gritar bajo el agua —dijo—. Es lo que hago yo.

Era difícil imaginar a Dena gritando. Yo nunca la había visto expresar una emoción más intensa que el fastidio.

—¿Y qué te hace gritar?

—Mi padre, sobre todo.

Me dejó un bañador de una sola pieza que me iba demasiado grande, y ató los tirantes a la espalda con un cordón de za-

pato, de modo que parecía el de una nadadora profesional. Me
metí en la piscina, y lloré y grité bajo el agua.

–¿Ha ido bien? –me preguntó Dena cuando salí.

Asentí y traté de no llorar. Yo sabía que la estaba defraudando.

Cuando pude hablar, dije:

–No sé qué es lo que he hecho mal.

Dena suspiró.

–Te preocupas demasiado.

Dena me ayuda a mudarme al sótano de Washington
Square, que ella ha bautizado La Heredera. Espero que le cambie el nombre cuando lo vea –tendría que llamarse La Asfixiada, por lo mal ventilado que está–, pero sólo tiene elogios para
su aspecto rústico, de edificio industrial. Cuando saco a colación el olor a pis de gato, me sugiere que encienda velas perfumadas.

Después vamos al Caffe Reggio, en MacDougal Street. Pedimos dos capuchinos y ella le da unas cuantas caladas a mi cigarrillo, y yo me acuerdo de cuando éramos más jóvenes. Hace
tiempo que no me sentía tan cómoda con ella, y Dena también
parece más relajada, hasta que salimos del café.

–Siempre se me olvida decírtelo. Te llamó Demetri –me
dice mientras sostiene la puerta para que yo pase.

–¿Cuándo?

Dena reconoce que fue hace tiempo.

–¿Cuándo? –repito.

–No sé. Hace unas seis semanas, tal vez.

–¿Y te has olvidado de decírmelo?

–Estoy segura de que mi inconsciente no quería que hablaras con él –dice–. Parecías estar mucho mejor.

–¿Y eso también te lo dice tu inconsciente?

–Lo siento mucho.

–No vuelvas a hacerlo –le digo, y espero que esto sirva también para el problema mayor, que no soy capaz de poner en palabras.

Mientras cruzamos el parque Dena se esfuerza para que todo vuelva a la normalidad; comenta que nuestros pisos están a la misma distancia uno de otro que las casas de nuestras familias en Surrey.

–Siento lo de Demetri –me dice cuando estamos frente a mi piso.

–No tiene importancia –le contesto, aunque no es verdad. Llamo a Demetri en cuanto entro en La Heredera.

–Creía que nunca volverías a llamarme –me dice.

–Discúlpame.

–No pasa nada. –Y me dice que sólo me había llamado para charlar un rato.

A finales de agosto estoy en mi segundo piso subarrendado, y he trabajado como redactora publicitaria lo bastante como para saber que no sirvo para eso. Es como si volviera a vivir lo mismo que a los veintidós años, sólo que estoy a punto de cumplir veintiocho, que parece el polo opuesto de veintidós.

Cuando Dena me llama para preguntarme qué voy a hacer el fin de semana antes de mi cumpleaños, le digo que había pensado quedarme en la cama bebiendo bourbon.

–No es un mal plan –opina.

Unos días después, me invita a pasar un fin de semana «con todos los gastos pagados» en los Berkshires, donde alquila desde hace años una casa con un grupo de amigos que no conozco.

La invitación llega en forma de tarjeta postal dirigida a la «Señora Robert Dylan», y dice: «La señora Robert Orr tendrá el placer de recibirla a las diecinueve treinta horas, el día veintisiete de agosto de mil novecientos ochenta y ocho...» Del otro lado ha dibujado a pluma y en tinta china la casa con su jardín y las colinas que la rodean, y ha escrito: «Las garrapatas no aparecen en el dibujo.»

El viernes señalado, a las siete y media en punto de la tarde, Dena llama al interfono de mi piso, situado en un edificio sin ascensor en la Cocina del Infierno, y que ella ha bautizado El Calientaplatos. Aún no estoy lista, y le pregunto si quiere subir. Acepta; quiere conocer mi piso.

Miro a mi alrededor para ver lo que verá Dena. He seguido los consejos que daban en un artículo de *House & Garden* para hacer más bonitos los apartamentos que se alquilan para las vacaciones: he puesto geranios rojos en la ventana y he cubierto el sofá y el sillón con fundas blancas. En la revista, el rojo y el blanco realzaban el azul del paisaje marino que se veía desde la ventana.

Pero yo veo ahora que el rojo y el blanco de mi casa destacan el gris de las paredes del patio interior. Las fundas sobre los muebles le dan a mi estudio el aspecto de una habitación que está esperando que la pinten, y subrayan la necesidad de que lo hagan pronto; los geranios brillantes acentúan la falta de luz. Y nada corrige el defecto principal del piso: siempre parece estar sucio. No hay nada que puedas señalar y decir que necesita una limpieza, pero sientes la suciedad de la misma manera que sientes la presencia de las cucarachas.

–¡Hola! –saluda Dena cuando entra.

Lleva puesto un peto con las perneras cortadas por encima de las rodillas; yo la llamo Huck y le digo que tengo un hatillo de lunares colgado de un palo, y que se lo puedo prestar.

No me contesta; está mirándolo todo.

–No está tan mal como La Heredera –dice luego.

–Sí que lo está, pero de otra manera –replico, pero no quiero insistir en los defectos de mi piso, puesto que tengo que vivir aquí hasta finales de noviembre.

–Cuando lo pinten quedará mucho mejor –dice.

Le pregunto si tengo que llevar algo especial al campo.

–Un bañador y sandalias para el agua.

–¿Sandalias para el agua?

–Sí, esas sandalias negras de plástico.

–No tengo sandalias de plástico.

Me dice que lleve unas zapatillas de deporte con las que pueda nadar.

–Me gusta el cielo raso de zinc –comenta, y enseguida se acuerda de que ha dejado el coche aparcado en doble fila, y dice que será mejor que baje.

Cuando ya se ha ido, suelto un: «Muy bien, vete ya.» Me molesta, aunque no sé decir por qué, que elogie el cielo raso, o que alabe cualquier cosa del Calientaplatos que no sean mis fundas o mis geranios.

Pongo mis zapatillas de tenis en la bolsa de lona y cierro la cremallera. Y me despido con un «¡Hasta luego, gilipollas!» de las invisibles cucarachas.

Cuando salgo a la calle, Dena está de pie en la acera, los brazos caídos a los lados del cuerpo. Su Saab ha desaparecido.

Al llamar a la policía nos enteramos de que el coche no ha sido robado, sino que se lo ha llevado la grúa. Como el depósito de los coches está junto al río, fuera del alcance del transporte público colectivo, tenemos que coger un taxi, y a Dena esto la molesta casi tanto como que se le llevaran el coche. Dena es antitaxis, aunque sea yo la que paga la carrera.

Siguiendo las señales, subimos una rampa y llegamos a una caravana. Hay cola, y nos ponemos al final. Nadie habla; están demasiado furiosos. Todos esperamos lo mismo, que nos atienda una mujer, la funcionaria, que está sentada como un cajero de banco detrás de un cristal que espero, por su bien, que sea a prueba de balas.

Cuando nos toca a nosotras, nos dice que debemos ciento sesenta y cinco dólares por la grúa y cincuenta y cinco por aparcar en zona prohibida.

Dena abre los ojos como platos, y yo pienso en el pincel de acuarela que utiliza para no desperdiciar ni una partícula de café.

–Voy a pagar yo –digo.

–Ni hablar –replica–. Es mi mierda de coche.

–Pero yo llegué tarde.

Discutimos –*Pago yo; No, tú no*– hasta que el hombre que está detrás de nosotras en la cola dice: «Pagaré yo.» Me doy la vuelta y allí está, el tío más encantador y divertido del mundo. Y uno de los más bajos. Le pregunto si quiere venir con nosotras al campo.

–Claro que sí –me dice, y pregunta adónde vamos. Y mis ojos le piden que me pida mi número de teléfono, aunque no sé si podré dárselo delante de Dena.

–Me gustaba –digo cuando estamos en la autopista del West Side. El tráfico es denso y apenas nos movemos; Dena pasa del carril de la izquierda al del centro y otra vez a la izquierda, y a la velocidad que vamos, es como cambiar de lugar de aparcamiento.

Dena hace una *C* con el dedo gordo y el índice, que significa: *Contexto, por favor.*

–Estoy hablando del tío que se ofreció a pagar nuestra multa –aclaro–. Me recordó aquel sketch.

–¿Qué sketch?

Cuando abro la guantera para buscar un pañuelo de papel, dice:

–¿Qué buscas en mi guantera?

–Meto la nariz en tus asuntos íntimos.

Encuentro el accesorio que busco, un pañuelo que hará de cinta para la damisela que no puede pagar el alquiler, de bigote del villano que le exige el pago y de pajarita del héroe que dice que él lo pagará.

Mi frase favorita es la del villano: «¡Maldición ¡He fracasado otra vez!»

–¿Dónde has aprendido eso?

–De mi padre –digo, para que no pueda burlarse de mí; en verdad, aprendí el sketch en unas colonias.

Una vez cruzado el puente George Washington, podemos ir más rápido. El techo de tela del Saab se está viniendo abajo, y se agita como una vela al viento.

—Imagínate qué agradable sería ahora tener el descapotable de tu padre —opino.

Ella niega con la cabeza, pero está sonriendo, y yo me alegro de salir de Nueva York, de que sea el comienzo del fin de semana, de que las ventanillas estén bajadas y la radio puesta. Mi alegría viajera sólo dura hasta la salida de Riverdale, morada de mi abuela, a quien no me decido a visitar.

—Si quieres, te acompaño —dice Dena.

Aprecio el ofrecimiento, pero su capacidad para leer mi pensamiento me produce malestar. Ella espera que yo haga lo mismo, y no puedo.

Cuando llegamos a la Taconic Parkway, empezamos a comernos las provisiones que ha traído Dena: trozos de pan y de queso, almendras y pasas, agua para ella y cerveza para mí.

Alarga la mano para que le pase la botella de agua, y yo se la doy y le pregunto quién estará este fin de semana en la casa.

—Solamente Matthew —responde.

Estoy a punto de interrogarla acerca de él, pero ella me pregunta:

—¿No has sabido nada de Demetri?

Le cuento que me ha enviado una postal con sus nuevos chistes.

—¡Vaya!

—Son muy divertidos.

Y cuando me pregunta: «¿Todavía piensas en él?», yo me pregunto por qué ella puede preguntarme cosas que yo no puedo preguntarle a ella.

—Tengo la sensación de que he roto con él en parte para complacer a mi padre.

–O tal vez fuera porque el tío tiene un cacahuete en lugar de corazón. –Y luego añade con voz más suave–: Pero no pensarás que has cometido un error, ¿verdad?

–No.

–Mejor así. Sé que ha sido muy difícil.

Dena alaba mi fortaleza y mi valor.

–Bob –digo–, me acobardé.

–¿Es eso lo que piensas?

–Eso es lo que pasó. –Hago una pausa–. ¿Cómo está Richard?

–Bien, Richard está bien. –Dena respira hondo, y yo tengo la esperanza de que por fin diga algo más–. La semana pasada fui a una conferencia que dio en Columbia.

–¿Tiene hijos? –le pregunto, e inmediatamente me preocupa haber ido demasiado lejos.

–Sí, ya están en la universidad. –Busca detrás de ella y me tiende una bolsa–. Feliz cumpleaños.

Es una cinta de una de mis novelas preferidas, *Washington Square*. La pone en la platina y pulsa Play.

–Lo siento –dice después de un minuto.

Me vuelvo para mirarla. Pienso que quizá va a hablarme de sí misma, o de Richard, o de por qué no puede hablarme de sí misma ni de Richard.

–Es una versión abreviada –dice, refiriéndose a la cinta.

Llegamos a la casa después de medianoche. Cojo mi bolsa de lona de la parte de atrás del coche y camino descalza, primero sobre musgo y después sobre los guijarros de la entrada. Cuando pasamos junto a un viejísimo Jeep Wagoneer con madera a los lados, le digo a Dena que ese coche –o camión o lo que sea– ha sido siempre mi coche preferido.

–Es de Matthew –me informa Dena.

La casa tiene techos bajos y suelos de madera de tablas anchas. La única luz es la de las velas, y todo tiene un aspecto suave y fantasmal.

No sé si es por las velas, pero hablamos en voz muy baja.

–¿No hay luz eléctrica? –pregunto.

–Es un experimento –explica Dena.

–¿Y cuál es la hipótesis?

Ella dice algo sobre reducir la factura de la electricidad, y luego enciende la luz.

La cocina está pintada de un color amarillo muy años cincuenta, o quizá la pintaron por última vez en esa década; la tela de las cortinas está estampada con un motivo de tomates, y hay un reloj con forma de gato –los ojos y la cola oscilan con cada tic y cada tac–. La habitación consigue ser nostálgica sin parecer un decorado, posiblemente porque su encanto es más cutre que cursi.

–¡Margaret! ¡Margaret! –llama Dena, y una vieja perra labrador color arena entra en la cocina. Dena la acaricia y le dice: «¡Hola, muchacha!», que era como llamaba a la hembra de galgo ruso que tenían, cuyo nombre no consigo recordar.

Me agacho en el suelo de linóleo, y Margaret me está lamiendo la cara cuando siento la presencia de otro ser humano de pie detrás de nosotras. Miro y veo a un desconocido alto y delgado, la ropa arrugada, el pelo rubio y lacio con raya a un lado, tez sonrosada y ojos azules detrás de unas gafas con montura metálica; es guapo, aunque sospecho que no le gusta nada que se fijen en eso, lo que lo hace aún más atractivo.

–¡Hola! –lo saluda Dena, y nos presenta–: Sophie, Matthew.

–Hola, Sophie –dice él. Su voz parece dulce sin serlo realmente, y por un segundo es como si él y yo estuviéramos solos en la cocina. Luego la cocina misma se evapora y él y yo estamos solos, sin tiempo ni lugar.

Dena rompe el hechizo:

–¿Ya han arreglado la ducha?

Desde el suelo, sin dejar de acariciar a Margaret, estudio a Matthew mientras habla con Dena de temas domésticos. Es reservado, pienso, y poco transparente. Hay algo en él que parece inaccesible, o al menos difícil de descifrar, y no sé por qué: Matthew se muestra amistoso, cálido, y contesta a todas las preguntas de Dena.

Dena sirve tres copas de vino, pero Matthew dice que aún tiene que trabajar, y pone a calentar agua para el té.

–Creo que yo también tomaré té –me oigo decir, aunque quiero tomar vino y detesto el té.

Dena le cuenta nuestras peripecias con la grúa.

Y yo añado que toda la gente que había ido a buscar su coche estaba furiosa, y que creo que la empleada del depósito municipal tiene el peor trabajo de Nueva York, peor incluso que trabajar en la sanidad pública, o en publicidad.

Matthew me sonríe, y a mí me dan ganas de seguir hablando. Estoy pensando en contarle la anécdota del hombre que se ofreció a pagar nuestras multas, y en representar después mi escena de la damisela, el villano y el héroe, pero no me atrevo a representarla de nuevo delante de Dena.

Matthew me pregunta cómo quiero el té.

–Con leche y azúcar –respondo, con la esperanza de que así tenga menos sabor a té.

–¿Qué tal ha ido la reunión? –le pregunta a Dena.

Dena no me ha hablado de ninguna reunión, y yo pienso por enésima vez que Dena se muestra más comunicativa con sus otros amigos que conmigo.

–Fue una situación tensa –responde–. Pero el tío que tú me habías dicho que me gustaría me cayó bien.

–Anders –dice él.

–Sí, es agradable.

Dena trabaja en la oficina de planificación urbana de Roosevelt Island; sé que va al trabajo en tranvía, pero no tengo ni idea de lo que hace en su trabajo. Y me parece que debería saberlo, puesto que lleva tanto tiempo allí.

–¿Y para qué era la reunión? –pregunto.

–Era una reunión con gente de Swatch –explica–. Quiero que hagan un reloj para los tranvías.

236

Asiento con la cabeza como si entendiera la relación entre un reloj y la planificación urbana.

Dena vuelve a dirigirse a Matthew para comentarle que en su despacho todos están muy estresados desde que comenzaron los rumores sobre despidos.

–Lo peor del estrés es que nos vuelve a todos muy superficiales –reflexiona Matthew.

–Es muy listo –le digo a Dena cuando él se va al piso de arriba.

–¿Desde cuándo tomas té? –me pregunta ella.

–Ya hace un tiempo –respondo, y agrego una cucharada de azúcar para disimular el gusto y tragar todo lo que pueda.

Mientras Dena va a buscar toallas y sábanas del armario, yo trato de escoger una pregunta de entre las muchas que quiero hacerle sobre Matthew. Me decido a empezar por: *¿Tiene novia?*

–Bob... –comienzo a decir.

Cuando me mira, está tan pálida y tiene una expresión tan rara, que le digo:

–¿Cómo se llamaban vuestros galgos rusos?

–Ivor y Magda.

–Es verdad, no conseguía acordarme.

Mientras me desnudo, se me ocurre que tal vez mi descripción del episodio de la grúa ha molestado a Dena; ella ha pagado un pastón, y yo he convertido lo sucedido en una broma. Me digo que tengo que encontrar la manera de devolverle el dinero. Pero quizá la molestó mi pregunta acerca de los hijos de Richard; puede que le recordara cómo hablé la noche en que me enteré de que estaba casado, y eso ya no tiene remedio.

Pero luego, acostada en la oscuridad, me olvido de Dena. Pienso en Matthew, y eso me excita y al mismo tiempo me tranquiliza.

Me doy cuenta de que me recuerda a mi padre, aunque no sé bien por qué. Parece listo, parece fuerte, parece reservado.

También mi padre podía parecer inaccesible; para todos, excepto para mi madre. Había algo muy especial entre ellos. Y eso es lo que yo quiero entre Matthew y yo.

Por la mañana, Matthew está en la cocina, fregando los platos. Me dice: «Buenos días», y me encantan su voz tan sosegada, sus tejanos anchos y sus pies desnudos.

–Mmmm... días –le contesto.

Me dice que Dena ha ido al colmado. ¿Quiero tortitas con arándanos que ella ha cogido esa mañana? Me muestra un bol con el batido para hacer las tortitas.

–Puede que más tarde, cuando esté despierta –contesto.

Me sirve una taza de café de una anticuada cafetera de filtro.

–¿Trabajas en publicidad? –me pregunta un poco incómodo.

–Más o menos –le digo–. No es algo definitivo. –Después me acuerdo de que tengo que terminar un trabajo para el lunes y le propongo pagarle un dólar si me ayuda–. Tenemos que encontrar un nombre para un club de personas que se alojan a menudo en los hoteles de la cadena Comfort Inns.

–¿Ya tienes algo pensado?

–El «Club Comfort Inn» –le contesto, y de inmediato le pregunto qué hace él.

–Soy arquitecto –me dice, y yo pienso: *Claro que sí, como Henry Fonda en* Doce hombres sin piedad, *eres un hombre que lucha por la justicia y construye grandes edificios. Eres el hombre que cambiará el paisaje de mi vida.*

Le pregunto si está trabajando en algún proyecto.

–Sí, en una cocina –responde.

Me levanto para ponerme otro café y me quedo de pie junto a Matthew delante de la encimera de la cocina. Miro por la ventana el patio trasero y las colinas, a lo lejos.

Matthew me pregunta si quiero ver el huerto y le digo que sí.

Salimos, y me muestra lechugas y escarolas, tomates, zanahorias, albahaca, menta y cilantro. Coge dos ramitas de romero y las mordisqueamos mientras volvemos a la casa.

Dena está guardando las provisiones, y cuando Matthew ya está en el piso de arriba, me pregunta:

—¿Qué estabais haciendo fuera, chicos?

Me acuerdo entonces del día en que Dena volvió tarde de la pista de patinaje y yo la esperaba en la habitación de su hermana. Ellen se preparaba para salir y me dejó que mirara con ella en su armario.

—Ponte esto —le dije yo, señalando un bonito jersey azul marino con florecillas rojas bordadas en el cuello.

—Es demasiado pequeño para mí —repuso Ellen—. ¿Lo quieres?

En ese mismo momento Dena, que acababa de llegar a casa, apareció en la puerta de la habitación.

Le dije: *Gracias* —formando la palabra con los labios, sin sonido— a Ellen por el jersey que doblé con cuidado sobre el brazo, y seguí a Dena a su habitación. Ella cerró la puerta y preguntó:

—¿Qué hacías en la habitación de Ellen?

La verdadera respuesta era: *Me lo estaba pasando bomba*, pero sólo dije:

—Ah, yo creía que esa habitación era la de Tracy.

Dena quiere llevarme a conocer la ciudad más próxima. Mientras vamos en su coche, siento el sabor del romero en mi boca, y pienso que Matthew también lo siente en la suya.

Mi amiga me muestra el mercado donde los granjeros venden sus productos, la librería, su restaurante favorito y la tienda de ropa de segunda mano donde compró las bermudas de madrás que lleva puestas. Pasamos frente a una tienda de antigüedades que dice que es muy buena y barata, y le pregunto si quiere que entremos a echar un vistazo.

—El día es demasiado bonito para ir de tiendas —responde, y sus palabras suenan a reprimenda, una chica pija riñendo a otra por ser pija.

Dena y yo estamos preparando la merienda cuando aparece Matthew y pregunta si vamos al lago.

Por lo visto, sí.

—¿Os importaría llevaros a Margaret? —pregunta—. Podéis coger mi coche.

—Claro que la llevamos —digo al mismo tiempo que Dena, y se me ocurre que no soy yo la que tiene que responder.

—Si consigo adelantar el trabajo, iré luego en la bicicleta.

—Siempre dices lo mismo y luego nunca vienes —dice Dena.

—Iré, si puedo.

El Wagoneer es enorme y anticuado, y me encanta. Mientras Dena lo conduce por un largo camino sin pavimentar que sube y baja entre colinas, me imagino a Matthew y a mí, en el mismo coche, como novios. Y después nos imagino con unos años más, como marido y mujer, y Margaret, mi perra adoptiva, en el asiento de atrás.

—¿En qué piensas? —me pregunta Dena.

—Estaba pensando que me gustaría hacer un viaje largo en coche.

La playa que rodea el lago no es más que una franja estrecha de arena y lodo, y la parte más ancha está llena de bañistas y gente tomando el sol. No importa: Dena ha cercado un rincón cubierto de hierba, un claro sombreado por grandes árboles de ramas bajas.

Margaret avanza y se sienta en el agua.

Después de comer, Dena cierra los ojos y pienso que va a dormir la siesta.

Estoy tendida a su lado. Y pregunto con voz soñolienta:

—¿Alguna vez hubo algo entre tú y Matthew?

—No. ¿Por qué?

El *¿por qué?* es tan rápido y cortante que sólo puedo contestar:

–Preguntaba por curiosidad, nada más.

Se sienta y saca un libro grande, voluminoso: *The Power Broker: Robert Moses and the Fall of New York*. Ahora está completamente despierta.

Como tengo varios libros por leer, he traído tres, además del periódico, que no puedo leer porque se lo ha llevado el viento. Cojo mi libreta y decido empezar a hacer los deberes para la agencia de publicidad. Al cabo de un rato, tengo dos nombres: «Comfort Inniciados» y «El Club de la Alfombra Roja». Los dos me parecen horribles, pero ¿puede haber un nombre bonito para un club Comfort Inn?

Digo que voy a bañarme, y Dena me recuerda que lleve las zapatillas.

–El fondo es de lodo blando, y hay tortugas que muerden.

Dudo. Pienso en la cara de Matthew si llega y me encuentra en bikini y zapatillas.

Dena levanta la vista del libro.

–Las necesitarás –me dice.

Decido postergar el baño hasta que ella duerma su siesta. Cojo nuevamente la libreta y trato de pensar en un tercer nombre para el club; en publicidad siempre se necesitan tres. De cualquier cosa.

–¿No vas a nadar? –me pregunta Dena.

–No, aún no.

Dena se echa. Y ya está dormida cuando veo que Matthew se acerca a nosotras en su bicicleta de montaña. Recuerdo las palabras de Dena: «Luego nunca vienes», y pienso: *Ha venido por mí*.

Lo contemplo mientras deja la bicicleta en la hierba. Lleva puesta una camisa arrugada y el bañador.

Le señalo a Dena, y digo moviendo los labios, sin sonido: *Está durmiendo*.

Matthew mira a Margaret que está sentada en el agua y me pregunta si se ha bañado. Niego con la cabeza.

Me dice que la perra tiene que nadar, que es bueno para sus caderas, y que él se va al agua.

Cuando se quita la camisa observo que tiene los hombros estrechos y el pecho casi lampiño y un poco hundido. Por un momento me siento decepcionada, pero enseguida me digo: *Sophie, que ya no eres una niña; ése es el pecho de un marido.*

Matthew guarda las gafas en su estuche y me dice que ahora está ciego y depende de mí para llegar al lago. Y yo le cuento que cuando no tengo puestas las lentillas yo tampoco veo nada, y el mundo se convierte en una pintura abstracta. Y él sonríe sin fijar la vista en nada, como los ciegos.

—¿No necesitamos zapatillas? –le pregunto cuando estamos a medio camino del lago.

—Dena cree que sí –contesta, y se ríe.

Entra corriendo en el agua –está fría– y se sumerge. Margaret nada a su lado, y él la anima, como un buen padre.

Me meto en el lago hasta la cintura. De pie en el agua de color marrón claro, me doy cuenta de que hace mucho tiempo que no nado. Estoy acostumbrada al océano, a zambullirme bajo las olas y flotar y dejarme llevar por las olas. Trato de recordar las lecciones de natación que tomé en las colonias, pero lo único que me viene a la memoria es el olor a cloro y las tiritas mojadas.

—¿Quieres que lo crucemos a nado?

Por un momento hago como si me encontrara demasiado absorta en la majestuosidad del paisaje para nadar. Después decido que voy a decirle la verdad:

—Creo que he olvidado cómo se nada.

—¿Quieres que te enseñe?

—Sí, enséñame.

Mueve los brazos para mostrarme cómo es el crol y después se pone detrás de mí, me coge los brazos y los mueve. Sus manos son suaves, pero firmes.

—Y ahora los pies, arriba y abajo, como si patearas, sin parar –dice.

242

Y le pregunto algo que desde hace años me da vueltas en la cabeza:

—¿Hay que tener las piernas estiradas?

—Ligeramente flexionadas —responde.

Miro hacia la costa y veo a Dena: se ha puesto la mano sobre los ojos, a modo de visera, y nos vigila.

Preparamos la cena entre los tres. Comemos mazorcas de maíz asadas y una ensalada con tomates y lechuga del huerto. Y cuando empiezo a hablarle a Matthew de la *Salade Fatiguée* de Dena, ella me ordena: «Cállate.»

Yo, como siempre, tengo ganas de decirle *Cállate tú*, pero en cambio me marcho de la cocina como si acabara de recordar que tengo una cita en el piso de arriba.

Matthew hace pescado a la parrilla, que no es precisamente mi comida preferida, pero sabe mejor de lo que yo esperaba y pienso: *Hasta es capaz de hacer que el pescado sepa bien*, y es como una metáfora de las dificultades que habremos de afrontar juntos.

Estamos sentados en el porche protegido por mosquiteras. Se oye el canto de los grillos. Yo cuento cosas de mi padre y Matthew me habla del suyo, un pastor protestante, todavía vivo, de Kansas.

Dena insiste en fregar los platos sola, y unos minutos más tarde regresa con una tarta de chocolate con velas y cantando *Cumpleaños feliz*.

Matthew se le une: tiene una voz profunda, muy profunda, que me recuerda un gospel: *Swing low, sweet chariot, coming for to to carry me home*.

Pienso un deseo y soplo las velas.

Cuando Dena vuelve a la cocina a buscar platos, Matthew dice:

—No sabía que fuera tu cumpleaños.

Le explico que mi cumpleaños es el próximo miércoles, y que mi hermano me organizará una fiesta.

–¿Por qué no vienes? Dena también vendrá.

Sólo hemos comido unos bocados de tarta cuando Dena mira su reloj y dice:

–Tenemos que irnos.

–¿Adónde vamos? –pregunto.

Y me responde que es una sorpresa de cumpleaños. Matthew llena una petaca con whisky y me dice que coja un jersey.

–Te hará falta –dice–, ya verás.

El anfiteatro está lleno, y justo cuando hemos encontrado sitio en las gradas, suben al escenario seis negras con vestidos de color pastel. Con movimientos perfectamente sincronizados, se ponen de espaldas al público y dejan sus bolsos blancos en el suelo. Lo encuentro curioso, y Matthew también piensa lo mismo: nuestras miradas se encuentran.

Cantan música gospel. Suenan como The Staples Singers, sobre todo en «I'll Take You There», una de mis canciones favoritas de siempre.

Al poco rato casi todo el público se ha puesto de pie, y nosotros también. La gente da palmadas al ritmo de la música, y aunque yo no creo en Jesús, creo en aquel o en aquello que hace que estas mujeres canten como cantan, que sople esta brisa nocturna y que los dedos de Matthew se demoren en los míos un poco más de lo necesario cuando nos pasamos la petaca.

Cuando falta poco para que termine el concierto, Dena se sienta. Le pregunto si le pasa algo y me contesta:

–Estoy cansada.

Ahora sólo estamos Matthew y yo, la petaca de whisky y el roce de nuestros dedos.

Todos cantan el bis, «Amazing Grace». Cierro los ojos en «I once was lost, but now am found». La voz de Matthew es alta y clara, y me encanta. No tengo oído para la música, pero susurro las palabras con todo mi corazón.

244

–¿Qué significa gospel? –pregunto en el coche.

–Es el Evangelio, el mensaje del Señor –dice Matthew.

–La verdad –responde Dena.

–Entonces, cuando la gente dice «la verdad del Evangelio», ¿está diciendo «la verdad verdadera»?

Matthew se encoge de hombros por dos veces.

En casa anuncio que voy a tomar otro whisky whisky en el porche porche.

La frialdad del «Buenas noches» de Dena hace que me pregunte si le he dado las gracias por la tarta y el concierto. O tal vez no he ayudado lo bastante en la cocina. Friego los platos que han quedado en el fregadero.

Después me sirvo un vaso de whisky con hielo y salgo al porche. Acaricio el lomo de Margaret y miro la luna que brilla sobre las colinas. *Dentro de un minuto,* pienso, *Matthew bajará la escalera, saldrá al porche y me besará, y entonces empezará nuestra vida juntos.*

Pasa una hora antes de que se abra la puerta del porche.

Es Dena.

Trato de poner cara de que me alegro de verla y advierto que su expresión es más bien sombría. Deja su vaso de whisky en la mesa y se sienta frente a mí.

–Me has preguntado si alguna vez hubo algo entre Matthew y yo. –Respira hondo, y sigue hablando–: Fue el primer año que alquilamos la casa.

Me doy cuenta de que le resulta muy difícil hablar y de que no quiere hacerlo. Le digo:

–No tienes que contármelo, si no quieres –le digo.

Pienso que ha decidido no hablar. Estudia atentamente el vaso, lo hace girar entre los dedos como si quisiera averiguar cómo lo hicieron. Y cuando habla, no deja de mirarlo ni un segundo.

–Fue una noche que habíamos bebido mucho. Bueno, yo había bebido, en todo caso. Fui a su habitación y me metí en la cama con él.

Me doy cuenta de que está recordando aquella noche y volviendo a vivirla, de que ahora está más con Matthew en su cama que conmigo en el porche. Puede que esté abrazándolo, o besándolo.

Después, la cara se le congela en una sonrisa forzada, y advierto que es una sonrisa de humillación.

—Matthew me dijo que no, y me echó.

Me doy cuenta de que he estado conteniendo el aliento cuando me oigo soltar el aire, y espero que Dena no se haya dado cuenta.

—Al día siguiente —prosigue— me dijo que no se sentía atraído por mí de esa forma, y que nunca se sentiría, y que si íbamos a ser amigos, yo tenía que saberlo. —Me mira—. Nunca nos hemos dado ni siquiera un beso.

Quisiera abrazarla, pero sé que no quiere que la consuelen.

Me pregunta si tengo cigarrillos y voy a buscarlos. Enciendo uno, el primero que fumo desde que llegué; no quería que Matthew supiera que fumo. Le ofrezco el cigarrillo a Dena y ella lo coge, y yo enciendo otro.

—¿Cuántos años hace de eso?

—No sé. Cuatro, o quizá cinco.

—¿No es difícil compartir una casa con él?

—No —responde, y su voz es muy firme—. Somos amigos, muy buenos amigos.

Dena se va a dormir y yo me bebo otro whisky en el porche. Me ha hablado como siempre he querido que lo hiciera, y sin embargo no me siento más cerca de ella. Tal vez porque su relato parecía tener una finalidad, aunque no sé cuál era.

Cuando subo la escalera me doy cuenta de que estoy un poco borracha. Voy al cuarto de baño y me lavo la cara y me cepillo los dientes hasta que ya no siento el sabor del whisky y los cigarrillos.

La puerta de la habitación de Matthew no está cerrada del

todo, y aún tiene la luz encendida. Me quedo inmóvil, decidiendo si entro. Pienso en lo que me ha contado Dena, y me pregunto si era una advertencia.

Llamo a la puerta.

–Adelante –me dice Matthew después de un tiempo que me parece larguísimo. Está sentado al escritorio, dibujando en un gran trozo de papel de calcar color miel. Tarda un momento antes de darse la vuelta para mirarme.

–Sólo quería darte las buenas noches –le digo.

–Ah, muy bien. Buenas noches –me contesta él.

Ya en la cama, trato de descubrir qué me hizo pensar que Matthew sentía lo mismo que yo. Fue al lago, pero tal vez sólo había terminado su trabajo; se puso detrás de mí y me cogió los brazos, pero tal vez sólo quería enseñarme a nadar; sus dedos cogían los míos cuando le pasaba la petaca, pero quizá tenía cuidado para que no se cayera.

Me digo que lo descubriré por la mañana, y por la mañana lo descubro.

La casa parece vacía, aunque el Saab y el Wagoneer están aparcados en la entrada. Hay café en la cafetera, y me sirvo una taza. Lo único que se mueve en la casa son los ojos y la cola del gato del reloj.

Matthew entra por la puerta mosquitera del porche.

–Hola, buenos días; Dena ha ido a dar un paseo en bicicleta.

Me ofrece parte del periódico. Nuestras miradas se cruzan, pero me mira como miraría a cualquier invitado de fin de semana, a cualquier amiga de Dena; me mira como si para él yo no fuera nadie.

–Dame una sección que no estés leyendo, una cualquiera –le digo, porque tengo que poner el periódico entre nosotros.

Pero no me hace falta; Matthew se va a leer al porche.

Al principio el dolor es agudo, y luego, aunque no desaparece, se vuelve constante y más profundo, es más un dolor sordo que una punzada intensa.

En el lago, actúo como si Matthew no me importara. Cuando él me pregunta cómo era Dena a los catorce años, respondo que casi igual a como es ahora.

–Di la verdad verdadera –me pide Matthew.

–No le digas nada –me dice ella.

Me callo; sé que se hablan a través de mí.

Esa tarde todo saca a la luz mis defectos y mis fracasos, las razones por las que este hombre que quiero no me quiere, y una razón llama a la otra, y se suman.

Cuando Matthew y Dena se van a nadar, yo me pregunto por qué nunca aprendí a nadar, a patinar, a dibujar, a cantar o a tocar el piano. Soy perezosa, indisciplinada, impaciente. No puedo decir que consiguiera aprender algo de verdad ni que posea talento para algo en particular. Apenas tengo un trabajo, y de ningún modo una profesión.

Cuando Dena camina por la playa con sus sandalias negras, como si su aspecto no le importara nada, pienso que yo me preocupo demasiado por el mío y no consigo ser más guapa.

Cuando se echa y coge su libro sobre Robert Moses y Nueva York, me doy cuenta de que no sé nada de la historia de Nueva York, o de los Estados Unidos, que no sé nada de historia, ni moderna ni antigua, que no tengo conocimientos de geografía, y ni siquiera sé de verdad qué es la física. Todo eso contribuye a hacer de mí una persona insustancial.

Entonces pienso en mi padre. Se me ocurre que al esforzarme por complacerlo esperaba convertirme en el tipo de mujer a la que amaría un hombre de su talla.

Matthew nada hacia la otra orilla del lago. Ahora se lo ve muy pequeño y distante.

Dena se pone de pie y dice:

–Ven, quiero mostrarte el camino antiguo, en plena naturaleza.

Nada me interesa menos que un sendero en plena naturaleza, pero voy porque eso significa que no tendré que mirar a Matthew.

La sigo por el bosque. Hace fresco y está oscuro; sólo algún que otro rayo de sol atraviesa el espeso follaje. No hablamos. Dena se detiene cada pocos pasos para estudiar una hoja o una flor que a mí no me parecen dignos de examen.

Caminamos un largo rato y yo pienso: *Odio la naturaleza.*

–¿No te parece increíble este lugar? –pregunta.

–No está mal.

–¿Quieres volver?

Le digo que sí.

Decide regresar por otro sendero y escoge uno menos transitado; es estrecho y está invadido por la hierba. Camino a su ritmo contemplativo, y me siento como si llevara un arnés.

Dena se detiene a coger unas flores de color púrpura iguales a las malas hierbas que se ven junto al contenedor de basura en las áreas de descanso de las autopistas.

–Dena –le digo, hablándole desde atrás.

–¿Sí? –me responde sin darse la vuelta.

–No soporto cuando me dices: «Cállate.»

–De acuerdo –dice al tiempo que se pone de pie–. No volveré a hacerlo.

Y yo me acuerdo de que en otra ocasión, cuando estábamos en el instituto, le pedí que no me dijera «Cállate» y ella, en broma, me respondió: «Cállate.»

Dena empieza a caminar más deprisa. La sigo a cierta distancia para no tropezar con ella si se detiene a deleitarse en otras maravillas de la naturaleza, pero ahora sigue sin paradas. Camina cada vez más deprisa, y me resulta difícil mantener su ritmo. Después de un rato, ni siquiera lo intento. Y la pierdo de vista.

Me está esperando, arrodillada entre helechos, donde nuestro sendero se une al camino principal. Cuando llego junto a ella, se pone de pie y me dice:

–Quiero pedirte un favor.

–Dime.

No habla de inmediato. Se me ocurre que está eligiendo las palabras.

–No salgas con Matthew –dice por fin.

–¿Qué?

Tiene en las manos los hierbajos que ha recogido, las florecillas de área de descanso de autopista

–Dena, no va a pasar nada con Matthew.

Me duele decirlo.

Se da cuenta de que estas palabras no son una promesa, y las acepta a medias con una breve inclinación de cabeza. La miro y digo:

–Me habías dicho que sólo erais amigos.

–Odio esa expresión. ¿Qué hay más grande, más profundo o más importante que los amigos?

Y yo traduzco sus palabras: quieren decir que lo que hay entre ella y Matthew, sea lo que sea, es más grande, más profundo o más importante que lo que hay entre ella y yo; o entre él y yo.

–No quiero perderte, Bob –dice luego.

–No vas a perder a nadie.

Pero Dena aún espera mi respuesta.

Sería fácil para mí prometérselo; después de todo, es muy poco probable que yo pueda salir alguna vez con Matthew. Pero me parece que no está bien que Dena me lo pida; que me pida que sacrifique la posibilidad de ser feliz por la felicidad de ella, que ni siquiera será felicidad, sino menos desdicha.

–No –le digo.

Se queda mirándome.

–Después de todo lo que he hecho por ti... –dice por fin.

Guardo mis cosas para regresar a Nueva York, y mi único consuelo es que no tendré que ver a Matthew nunca más. No tendré que volver a estar con él y pensar en todas las cosas que no soy ni seré nunca. Él se marcha un poco antes que nosotras. Viene a mi habitación.

–Me alegro de que por fin nos conozcamos.

–Yo también –le digo, y pienso: *Sal de aquí, por favor.*

–Te veré el miércoles.

No sé de qué me habla. Después me acuerdo: lo he invitado a mi fiesta de cumpleaños.

Dena y yo volvemos a Nueva York sin hablar. Escuchamos un progama en la radio: *El fin de semana, y todo lo que ha pasado.*

Cuando me deja en El Calientaplatos me dice: «Adiós», y me sorprende oír en su voz lo que yo misma he estado tratando de disimular: que lo que sentimos la una por la otra no es más que nostalgia del cariño que nos teníamos hace mucho, mucho tiempo.

Me pongo a pensar por qué Dena hizo mal en pedirme que no saliera con Matthew, y por qué yo hice bien en negarme a satisfacerla, y llego a la conclusión de que todo esto no tiene nada que ver con nuestra amistad, sino con mi manera de ver a la Dena actual.

Para no compadecerme de Dena, me digo que ella misma se lo ha buscado; que ha optado por pasar un fin de semana tras otro y un verano tras otro con un hombre que le recuerda todo lo que ella no es, un hombre que no la desea y nunca la deseará; ella, entretanto, también ha elegido acostarse con un hombre casado. Y me digo que yo jamás haré esa clase de elecciones.

La fiesta que me ha organizado mi hermano es en el loft de su novia, en TriBeCa. Hace poco que salen, y me parece que es pedirle demasiado a una novia tan reciente, pero Jack dice que Kim quiere hacerlo.

Es una gran fiesta, y muy divertida. Ellos también han invitado a sus amigos, y viene toda la gente que conozco en Nueva York. Toda, menos Dena.

Matthew llega tarde, justo cuando Jack está haciendo un brindis. Lo veo entrar y observo que viene con las manos vacías; es el único invitado que no ha traído flores, una botella de vino o una tarjeta.

Lo saludo con la mano, pero no me acerco. Es fácil evitarlo, hay tanta gente aquí... Le veo hablar con mis hermanos, primero con Jack y luego con Robert; más tarde se le acerca una chica preciosa que trabaja con Kim, pero no hablan mucho tiempo.

Estoy sorprendida de que Matthew se quede hasta tan tarde.

Me espera cerca de la puerta mientras me despido de los invitados, y después se me acerca y me dice: «Feliz cumpleaños.»

Le digo: «Gracias.» Pero no lo miro mientras hablo. Estoy esperando que se vaya. Pero no se mueve.

Y cuando por fin lo miro, Matthew no aparta los ojos.

—Quisiera volver a verte —me dice.

Y todo lo que he sentido por él vuelve de golpe. Le doy mi número de teléfono de El Calientaplatos.

Me da un beso que apenas me roza los labios, y que no significa nada, o que significa todo.

Y en cuanto se ha ido, pienso: *Feliz cumpleaños, Sophie.*

—¿Era él? —pregunta Jack.

—Sí, era él.

Jack niega con la cabeza.

—¿Qué pasa?

—Ese hombre no es para ti.

—¿Cómo lo sabes? —le pregunto, pero lo que en realidad quiero decir es: *¿Cómo lo* sabes?

—Es un Ashley Wilkes —responde—. A su lado, cualquiera de los hombres presentes es un Rhett Butler.

–¿Cómo lo sabes? –repito, con el mismo tono de antes.

–¿Que cómo lo sé? –dice Jack mientras me da un abrazo de oso–. ¿Que cómo lo sé? Pues porque lo sé.

Matthew no me llama, y me duele, pero no me hundo en la desesperación, como me ocurrió la última tarde en el lago. Encuentro consuelo en las palabras de Jack: *Ese hombre no es para ti*. Aunque sé que también debo tener cuidado con esto. Y no me arrepiento de haber roto con Demetri. Ahora me doy cuenta de que todo lo que decían de él era cierto: era egoísta, egocéntrico, pagado de sí mismo, etc. Claro que también era más divertido que nadie, un millón de veces más que Matthew. Puede que para mi padre eso no fuera importante, pero lo es para mí. Y ése es el inconveniente de dejarte guiar por el criterio de otra persona y no por el tuyo, aunque la otra persona sea tu padre.

Cuando termina septiembre, mis hermanos y yo vamos a Surrey, a la casa familiar. En el coche, Jack me pregunta si he sabido algo de Ashley y le contesto que no.

–Para mí que es gay –dice luego.

–Eso sí que tiene gracia –le digo–. Porque yo pienso que Kim es lesbiana.

Es la primera vez en mucho tiempo que los cuatro estamos juntos, y mi madre nos prepara una espléndida cena. *Shalom* está sobre la mesa del correo, como siempre; les cuento la entrevista que tuve con la directora a mis hermanos, y ellos se ríen y ahora también mi madre puede reír. Luego recuerdo en voz alta lo confundida que estaba aquella tarde y cómo me ayudó la señora Blumenthal.

–¡Ojalá te hubiera podido ayudar yo! –se lamenta mi madre.

–Lo que importa es que alguien lo hizo –digo, e imito la voz ronca de la señora Blumenthal cuando me dijo: «Necesitas una copa.» Les cuento con qué tranquilidad me respondió «champán» cuando le pregunté qué querría beber si el doctor Blumenthal la abandonara.

No creo que la esté traicionando; no repito lo que me dijo acerca de no tener fuerzas para mudarse.

Mi madre suspira.

–¿Qué pasa? –le pregunto.

Parece dudar, y cuando empieza a hablar me doy cuenta de que ha estado pensando si la historia que iba a contar era apropiada.

–Dena vino a cenar una noche, cuando estaba en el instituto, y comentó que su padre se quedaba a dormir muchas noches en el hospital. Siempre que había una urgencia.

No acabo de entender lo que nos quiere decir.

–Es cirujano plástico –aclara mi madre.

Sigo sin entender.

–En la cirugía estética rara vez hay urgencias –me explica Robert.

Más tarde, cuando estoy en la cama, me pregunto si Dena sabe lo que hace su padre. Decido que es muy probable que sí, y me imagino cómo me sentiría yo si me enterara de que mi padre engañaba a mi madre.

Después me acuerdo de Richard, y se me ocurre que para Dena el matrimonio no ha de significar gran cosa. No puedo culparla, en verdad. Ella aprendió de sus padres lo que es un matrimonio, así como yo lo aprendí de los míos. Por lo que sé, acostarse con Richard es para Dena la manera de no ser como su madre.

Cuando regreso al Calientaplatos el domingo por la tarde, está sonando el teléfono. Pienso que puede ser Dena, y es un alivio oír una voz de hombre.

–Hola, soy Matthew Stevens –me dice para identificarse, aunque yo nunca supe su apellido.

—¡Hola, Matthew Stevens!

—He pensado que podríamos ir a tomar una copa.

Nos encontramos en un restaurante del West Village. Hace un poco de frío para sentarse en la terraza, pero lo hacemos igualmente. Puede que ambos estemos fingiendo que hace más calor, para poder comportarnos como si no hubiera pasado tanto tiempo desde la última vez que nos vimos. Los dos pedimos whisky.

Matthew no lleva gafas. Seguramente está más guapo sin ellas —se le ven mejor los ojos azules, y sus pestañas tan largas—, pero yo siento que le falta algo. Recuerdo que me había dicho que no veía nada sin gafas, y me pregunto si mi cara es para él sólo un óvalo color carne; definitivamente, me mira como si no me viera muy bien.

Cuando traen las bebidas, dice que lamenta no haberme llamado antes y yo espero una explicación. Pero me cuenta que viajó a París, que la ciudad es más bonita en septiembre que en abril, y me habla de la luz sobre el Sena. Era dorada, cuenta, y hace que comiences a añorar el momento que estás viviendo.

Yo hace tiempo le había descrito a Dena exactamente la misma sensación a propósito de la luz de Venecia, y se lo cuento a Matthew.

Él me pregunta si sé algo de ella, y no parece sorprendido cuando le contesto que no.

—¿Y tú, has tenido noticias de ella?

—Sí, claro.

Duda antes de seguir hablando; imagino que es consciente de que está traicionando a Dena, pero de todas formas lo hace. Dice que ella todavía lo llama para pedirle que no salga conmigo.

Y entonces me doy cuenta de que ella le había hablado de mí después del concierto de gospel. Le cuento que Dena me había dicho que sólo eran amigos, y recuerdo cómo odiaba mi amiga esa frase, *sólo amigos*.

Asiente.

—Hay algo que no entiendo —digo.

—¿Qué es lo que no entiendes?

—¿Por qué le importa tanto que salgas con otra chica, si sólo sois amigos?

—No es eso lo que le preocupa. Eres tú. No quiere que salga contigo.

De repente, todo parece muy claro, aunque no se me había ocurrido antes. Yo había entendido que Dena no quería que Matthew saliera con nadie, *ni siquiera conmigo.*

Ahora sé que no volveré a tener noticias de Dena, y que nunca más la llamaré. Siento un escalofrío. Es algo muy raro poner fin a una amistad, aunque tengas muy claro que lo deseas. Es como una muerte; de repente, tu experiencia de una persona se vuelve finita.

Bebo un largo sorbo de whisky.

—¿Y tú otorgas a tus amigos el derecho de decidir a quién puedes ver?

Cuando le oigo decir: «Dena estaba muy alterada», advierto que se está defendiendo. Ahora veo a Matthew como lo veía mi hermano, y pienso que fue muy poco lo que Ashley hizo por Scarlett después de la guerra.

Matthew se pone las gafas. Me dice que Dena ha empeorado últimamente, que llora, y aunque hay preocupación en su voz, tengo la impresión de que está hablando más de sí mismo que de ella, de que intenta convencerme de que no es tan extraño que él obedezca los deseos de Dena.

Me explica que él siempre ha sido muy sincero con Dena.

—Le he dicho desde el principio que ella no me atraía de esa manera, y que nunca lo haría.

Y yo recuerdo la cara de Dena cuando me lo contó.

—Lo que importa no es lo que dices sino lo que haces. Es tu manera de comportarte con ella lo que le da esperanzas —le digo mirándolo a los ojos—. Y has hecho lo mismo conmigo.

Él asiente, y me doy cuenta de que acepta algo. ¿Culpabilidad? ¿Debilidad? ¿Fracaso? En todo caso, admite que ya ha pasado antes por esto, y más de una vez. Me gustaría que me explicara por qué, pero no dice nada más. Es posible que sea gay, pero también que no lo sea; o que tenga más miedo que el resto de nosotros, mucho más miedo quizá; e incluso puede ser que la relación que tiene con Dena sea más profunda, o que le importe más que nada en el mundo. No lo sé. Pero ya no creo, como aquella tarde en el lago, que sean mis múltiples defectos los que le impiden desear una vida conmigo. Es más probable que él no pueda, o no quiera, amar a nadie, y que sea indiscriminado en su falta de amor.

–No, para mí es suficiente –le digo al camarero cuando se acerca a la mesa y nos pregunta si queremos otra copa.

–La cuenta, por favor –pide Matthew.

–Vamos a medias –le digo, pero Matthew hace que no con un gesto, y no insisto; sólo es una copa.

Deja unos billetes sobre la bandejita.

–¿Quiere el cambio? –pregunta el camarero.

No, no lo quiere.

Antes de ponerse de pie, Matthew dice que lamenta los problemas que ha podido causar entre Dena y yo.

–Me siento responsable –dice.

–No, hombre, tú no eres responsable de nada –digo, y de verdad lo pienso. Después de todo, él no ha hecho casi nada.

257

Amor adolescente

Sentí la presencia de Bobby incluso antes de verlo, como un cordero presiente al lobo. Venía en mi dirección esquivando caballetes y asientos. Estábamos en Expresión Artística I, el curso de los miércoles por la tarde, de seis a nueve, en la New School. Sólo había otro hombre en la clase, y era un director de escuela jubilado.

Bobby era bastante guapo –juvenil y un poco desaliñado, hombros musculosos, ojos oscuros y mandíbula cuadrada–, pero eso no explicaba su magnetismo. Cuando se sentó junto a mí, mi armadura se convirtió en un suave plumaje.

–Hola, soy Bobby Guest –se presentó con voz ronca.

–Y yo, Sophie Applebaum.

En ese momento se puso de pie la profesora. Era una mujer delgada, fibrosa, pero con músculos, y tenía el pelo largo, abundante, de un castaño rojizo. Se llamaba Maureen y era ese tipo de mujeres de cincuenta años que nos hacen pensar que envejecer puede ser una recompensa y no un castigo. Hablaba con acento del Medio Oeste y decía «eh, chicos», como si fuera un monitor de colonias, pero era evidente que no tenía un pelo de tonta.

Su estilo de enseñanza, nos confesó, había sido siempre relajado y pasota, y desde que había adoptado a un insomne niño vietnamita de tres años de edad, lo era mucho más. Si queríamos recibir una instrucción seria, nos dijo, podía proporcionarnos el nombre de otro profesor. Esa mujer parecía conocerse muy bien, y me dieron ganas de copiarla.

Tras explicarnos su teoría no intervencionista de la enseñanza, nos pidió que recorriéramos la sala y nos fuéramos presentando.

La primera que lo hizo fue la mujer que estaba a mi derecha, y tenía la cara y el cuello cubiertos por una base de maquillaje color beige. Era más joven que Maureen, pero parecía mayor; me recordó el vestíbulo de un hotel con grandes sillones, alfombras espesas y sin aire ni luz naturales.

–Soy Margo –me dijo–. Trabajo en relaciones públicas.

–Yo soy Sophie –le dije yo, con la esperanza de que bastara con eso. Maureen, amiga de todos los tímidos de la Tierra, hizo un gesto que indicaba que sí, que era suficiente.

Bobby fue el único de la clase que se presentó con nombre y apellido. Después tosió, y su voz cambió de ronca a suave, así que cuando dijo: «Soy camarero», me acordé de que al cantante Mel Tormé lo llamaban la Voz de Terciopelo.

Teníamos una superviviente de un cáncer, una contable y una gatita sexy que era actriz, y se llamaba «Cheryl con C». La más vieja de la clase era una bisabuela, y la más joven, una chica de instituto que no bajó el volumen de su walkman para presentarse. Y dijo poco menos que gritando: «Yo quiero diseñar cubiertas de CD», y Bobby añadió: «Para sordos», alzando apenas la voz para que solamente yo le oyera.

Maureen dijo:

–Podéis hablar entre vosotros, así os conoceréis mejor. –Y sacó de una bolsa de colmado los objetos que íbamos a dibujar: una bota vieja, botellas, una bufanda de gasa, manzanas y un paraguas.

Bobby abrió una vieja caja de útiles de pintura y yo hice lo mismo con la mía, nueva y de marca. Él apretó el tubo de pintura sobre la paleta como si lo hubiera hecho miles de veces. Yo estaba sacándole punta a un lápiz cuando mi vecina Margo suspiró en mi dirección.

–Es que no me lo puedo creer –dijo.

–¿Qué es lo que no puedes creer?

–¡Yo he venido a esta clase para conocer hombres!

Bobby le tendió la mano y se presentó por tercera vez en menos de una hora:

–Bobby Guest.

–Hombres de una edad conveniente –le dijo Margo, pero se notaba que se sentía halagada.

–Es una locura, ¿verdad? –dijo luego mirándome, y me di cuenta de que para ella ambas éramos lo mismo, dos guisantes deseosas de amor en una vaina sin hombres.

Margo empezó a dibujar y Bobby a pintar. Y yo me quedé mirando la bota y las botellas.

–Empieza a trabajar –me dijo él sin levantar la vista.

Puse manos a la obra, y muy pronto me olvidé de mí misma y de él. La bota y mi dibujo, mi dibujo y la bota: era todo lo que tenía en mente.

Me sobresalté cuando oí la voz de Bobby:

–¿Nos vamos a fumar un cigarrillo?

La tarde fresca se estaba convirtiendo en una noche fría, y Bobby se quitó la chaqueta negra de piel.

–Toma –me dijo.

–No, gracias, estoy bien –respondí, aunque estaba helada.

–¡Vamos, cógela! –insistió, y yo me la puse.

Me ofreció un cigarrillo, un Camel sin filtro, pero yo cogí uno de mis Benson and Hedges.

–Eres la primera persona que conozco que fuma Camel –comenté–. Siempre he pensado que era la clase de cigarrillo que se fuma en el desierto.

–Claro, y tú fumas Benson and Hedges cuando tienes que trabajar de canguro.

–Así es. ¿Y tú qué haces, además de servir mesas?
–No todos los camareros de Nueva York aspiran a ser otra cosa.
–De modo que eres un camarero profesional.
–Bueno, hago muchas cosas.
–Dime una.
–Fumo cigarrillos.

No sabía bien por qué, pero me sentía incómoda, así que pensé que hablar de cosas concretas podía ayudarme:
–¿Cuántos años tienes? –pregunté.
–¿Cuántos crees que tengo? –respondió, y yo pensé: *Es actor.*
Dije mi edad:
–¿Treinta y tres?
Se quitó un trocito de tabaco de la lengua.
–¿Por qué quieres saberlo? –preguntó–. ¿Quieres ficharme con exactitud? ¿Quieres poder decir «Bobby Guest es un camarero de treinta y tres años»?
–No.
–¿Qué es lo que de verdad quieres saber, Applebaum? –dijo, y cuando me llamó por el apellido fue como si estuviéramos de nuevo en el instituto, y me gustó.
–¿Quieres saber si estoy saliendo con alguien? No, no salgo con nadie. ¿Y tú? No, perdona, no respondas a eso.
–De acuerdo.
–Puedes hacerme una pregunta –dijo–. Una sola pregunta, y te diré la verdad.
–Muy bien –dije–. ¿Qué estás tratando de hacer ahora?
–¿En este instante? ¿Contigo? –Volvió a responder con una pregunta, y me dedicó una sonrisa de lobo.
–¿Cuál es tu objetivo en la vida? –dije, y me di cuenta de que mi pregunta sonaba terriblemente cursi y solemne.
Él miró hacia otro lado. Y reflexionó.
–Creo que quiero llegar a ser un hombre mejor de lo que estaba programado –dijo luego.

Él mismo parecía sorprendido por la sinceridad de su respuesta. Después apagó el cigarrillo con la bota y lo tiró al desagüe.

–Tengo treinta y siete años –dijo.

Arriba, Cheryl estaba de pie delante de la pintura de Bobby. Él lanzó un «¡Biiip! ¡Biiip!» digno de la escuela primaria. Y ella se dio la vuelta de tal manera que lo rozó con los pechos.

–Tu pintura es excelente –le dijo.

Lo era, sin duda. Me recordó los solitarios paisajes de Cape Cod que pintaba Hopper.

–¿Qué haces en Expresión Artística I? –le pregunté.

–Lo mismo que tú.

–En serio, ¿por qué no estás en un curso más avanzado?

–Porque allí no sería el mejor.

Cuando salimos a fumar el segundo cigarrillo me ofreció la chaqueta, y la cogí sin chistar.

–¿Y tú, Applebaum, a qué te dedicas?

Cuando le expliqué que trabajaba como redactora publicitaria, me preguntó si había visto alguno de mis anuncios.

–¡Chicas en vivo y en directo! –dije–. Ese anuncio es mío.

Parecía saber que no era la primera vez que yo hacía ese chiste, e hizo como que no lo había oído. Me preguntó si me gustaba mi trabajo.

–Lo importante es que por el momento no lo odio –respondí.

–Ah, veo que apuntas alto.

–Perdona –dije–, ¿eras tú el que me estaba diciendo antes que te encanta servir mesas?

–Bueno, es un trabajo y me permite pagar las facturas.

–¿Hasta que triunfes como fumador?

Se me acercó como si buscara calor. Me miraba a los ojos, pero yo tuve la sensación de que no trataba de ver quién era yo, sino de medir el efecto que él producía en mí.

–Eres actor, ¿verdad? –le dije.

–¿Por qué me dices eso?

–No lo he dicho como un insulto.

–Sí que lo has hecho.

Arriba, Maureen recorría la clase y miraba los trabajos. Y mostró la misma cara inexpresiva delante de mi confuso esbozo que de la obra maestra de Bobby. Pero cuando él y yo salíamos de la clase, vi que estaba mirando otra vez el lienzo de Bobby. Los ascensores estaban llenos y eran lentos, y bajamos por la escalera. Bobby llevaba un casco en la mano.

–¿Vas en moto?

–Sí.

–¿No es muy peligroso?

Se encogió de hombros.

Cuando estábamos en la calle, me preguntó dónde vivía, y le dije que en el Upper West Side. Él vivía en el Village.

–¿Quieres ir a comer algo? –me preguntó mientras miraba hacia la calle Doce.

–¿Me estás invitando a salir contigo?

Se echo a reír.

Bobby me hacía sentirme más joven y más vieja de lo que era, a la vez inexperimentada y de vuelta ya de todo.

–Hago lo posible por no salir con tipos como tú –le dije, una frase propia de un instituto de bachillerato, o de la cafetería de una residencia de ancianos.

–¿Y quiénes son los tipos como yo? ¿Camareros? ¿Actores? ¿Escritores?

–Sátiros –respondí.

Entonces me fijé en sus cejas –las había arqueado–, y me di cuenta de que expresaban lo que él no podía o no quería decir, que había herido sus sentimientos. Hizo un gesto de asentimiento, como hace la gente cuando oye un chiste y no le parece divertido.

–Sólo tenía hambre, nada más.

266

Estaba casi segura de que nos dirigíamos a un restaurante, pero no lo sabía. No hablábamos. Caminábamos por la Quinta Avenida como dos peatones que por casualidad caminan al mismo paso.

—Ya sabía yo que eras actor —dije, casi para mí misma.

Lo negó con la cabeza.

—¿Qué escribes? —le pregunté delante de su moto.

—Ésta es mi parada, bajo aquí —me dijo—. Buenas noches, Applebaum.

Pensé en Bobby toda la semana. No quería hacerlo, pero era más fuerte que yo.

Llamé a mis amigos.

—¿Qué clase de hombre se hace llamar Bobby a los treinta y siete años? —pregunté.

—¿Un jugador de hockey? —aventuró uno de ellos.

—Bobby Kennedy —respondió otro.

Le repetí la pregunta a mi hermano mayor.

—¿No podríamos pasar directamente al verdadero tema de esta conversación? —me dijo él.

Y mi hermano menor, cuando hacía un minuto que le estaba hablando de Bobby, empezó a imitar a un robot de un programa de televisión de nuestra infancia: «Pe-li-gro, Will-Robin-son, pe-li-gro.»

Llegué muy pronto a la New School y me senté en el mismo sitio que la semana anterior, frente a Cheryl con *C*, que llevaba unos tejanos tan apretados que le dibujaban una *W* redondeada en la entrepierna.

Cuando entró Margo hice como que no la veía, aunque le envié un mensaje telepático: *Por favor, no te sientes a mi lado.*

Y lo hizo.

—¡Hola! Pensaba que no ibas a venir más —le dije.

—¿Por qué?

–Habías dicho que venías para conocer hombres, ¿no?

–Bueno, digamos que vengo por amor al arte –dijo, y abrió su estuche–. Además, quizá encuentre a alguien aquí que a su vez conozca a alguien.

Yo trataba de no mirar hacia la puerta; cuando Bobby entró en la sala, empecé a buscar nada en mi estuche de dibujo.

Oí el ronroneo metálico de un walkman, levanté la vista y comprobé que la adolescente que quería diseñar CD se había sentado en el taburete que yo creía que pertenecía a Bobby.

Y Bobby estaba sentado junto a Cheryl.

Le dije a la jovencita que no recordaba su nombre; «Michele», me respondió.

Yo quería preguntarle si podía bajar el volumen del walkman, pero en cambio me oí decir con voz amable:

–¿Qué estás escuchando, Michele?

–Zeppelin.

Michele llevaba la misma ropa de la semana anterior, un jersey demasiado grande con agujeros, una larga camisa negra y botas militares.

–Yo pensaba que ya no había nadie que escuchara a los Zep –dije.

–Mi padre. Es DJ.

–¿En qué emisora?

–En fiestas –respondió, y dejó que su pelo largo, negro y ondulado le cubriera la cara.

Yo también habría querido desaparecer debajo de una cortina de pelo.

Un diván había sustituido sobre la tarima a la naturaleza muerta y Maureen anunció que teníamos un modelo. Oí silbar en el vestíbulo –siempre he tenido debilidad por los silbadores– y entró un hombre gordo, vestido con una bata de lana de cuadros y chancletas amarillas. El pelo, que empezaba a ralear, estaba teñido de un horrendo marrón rojizo, pero no por completo, como comprobaría muy pronto. Había hecho un fardo con su ropa.

–Éste es Bert –dijo Maureen–. Él también es pintor.

Nos quedamos mirándola mientras abría un armario para Bert, y todos vimos caer al suelo los grandes calzoncillos blancos del modelo. Yo me sentí como si mi propia ropa interior quedara de repente al descubierto, o, peor aún, los calzoncillos de mi padre. Pero Bert se agachó, los cogió y los arrojó silbando dentro del armario. Se desató la bata y chancleteó hasta el diván, donde acomodó su gran barriga y su pequeño pene en una artística pose.

–¿Estás cómodo, Bert? –le preguntó Maureen–. ¿Podrás mantener la pose?

Sí, lo estaba. Sí, podría.

Esta vez no cogí el lápiz, sino pinceles y pinturas, lo que me permitió retratar al modelo de una manera más impresionista. Empecé con la cabeza de Bert y dejé un gran espacio en blanco para el cuerpo. Me concentré en los ojos y la nariz.

Necesitaba un cigarrillo, lo necesitaba más que nunca, y cuando Bert se puso de pie para estirarse, cogí la chaqueta y me dirigí a la puerta.

Cuando pasé junto a Bobby, se echó hacia atrás y me dijo: «Hola.»

Yo le respondí con otro «Hola» nada coqueto, y seguí andando.

Poco después se reunió conmigo fuera; encendió el cigarrillo haciendo pantalla con la mano para protegerlo del viento.

–Tengo una chaqueta –le dije cuando me ofreció la de él.

–¿Por qué estás enfadada?

–No estoy enfadada.

–Soy yo quien debería estarlo.

–¿Por qué?

–Tendrías que darte cuenta tú sola, yo no puedo decírtelo.

Fumábamos de pie, y el silencio me hacía sentirme incómoda.

–Sólo por curiosidad –dije–, ¿por qué te haces llamar Bobby?

–¿Qué quieres decir?

269

—Quiero decir, en lugar de Bob, o Rob, o Robert —y añadí, para tratar de suavizar el tono—: mi hermano se llama Robert.

—Se hará llamar Robert, entonces.

—Pues sí, es Robert.

—¿Conoces a Billy Collins, el poeta? —preguntó.

—No.

—Tienes que leerlo. Te gustará.

Asentí, como si leyera poesía a menudo, la comprendiera siempre y estuviera decidida a buscar los poemas de Collins, el poeta, en cuanto pudiera.

—¿Qué te parece la clase? —me preguntó de alumno a alumno.

—Me gusta.

—¿Y Maureen?

Fue un alivio poder hablar de Maureen, y seguí y seguí; hablar de ella me hacía sentirme más fuerte y también menos convencional, como la propia Maureen.

—Cuando yo tenga cincuenta años, espero ser como ella —dije para terminar.

—Pues ahora no estás ni la mitad de bien que ella.

Cuando por fin conseguí hablar, levanté la mano y pedí:

—¡Un médico! ¡Un médico, por favor!

—Es una broma —dijo.

—¡Eres un gilipollas! Y serás tal como estabas programado, nunca irás más lejos.

—No puedes hacer eso.

—¿Qué es lo que no puedo hacer?

—No puedes usar contra mí algo que yo te conté porque confiaba en ti.

—¿Por qué no? Es lo que tú acabas de hacer conmigo.

Maureen estaba de pie junto a mi caballete, los dedos sobre los labios.

—Sophie —empezó, y me gustó su manera de decir mi nombre; solícita, e incluso afectuosa. Me sugirió que utilizara todo

270

el lienzo, y que, para mejorar la composición, dibujara el modelo completo antes de concentrarme en los detalles.

Pero yo veía de reojo el detalle de los labios pintados de Cheryl, que le sonreían a Bobby. Hice como que no los veía. Simulé estar absorta en mi arte. Fingí ser una pintora que pintaba. Cuando noté que Bobby me estaba mirando, levanté la vista. Nuestros ojos se encontraron; él sostuvo mi mirada como si me sostuviera a mí; yo sostuve su mirada como si lo estuviera sujetando. Y entonces él miró hacia otro lado, se fue, y todo terminó. Un encuentro de un minuto.

Antes de que finalizara la clase, Bert se puso la bata y se paseó por la sala, deteniéndose delante de cada caballete para mirar la pintura, el dibujo o el collage que lo representaba. No le dijo nada al director jubilado, que estaba sentado con las manos sobre el regazo, ni tampoco a la bisabuela, que admiraba sonriente su propio dibujo. A saber qué veía Bert, o qué esperaba ver. Su cara permanecía impasible, pero me inquietó pensar que quizá habíamos herido su vanidad.

Retrocedí unos pasos y tuve una visión de mi pintura que no había tenido hasta ese momento. Estaba llena de defectos, pero había dos muy llamativos: yo había tratado a Bert peor que la propia vida, y había hecho su vientre aún más grande y su pene aún más pequeño.

Iba a ser más difícil encoger el vientre que agrandar el pene. El problema era que, cuando tuve la oportunidad, había evitado mirárselo, y ahora no recordaba sus características. Traté de recordar los penes que había conocido. Me había fijado muy bien en algunos de ellos, pero me habían parecido inescrutables incluso cuando los tenía delante, y ahora ninguno acudía en mi ayuda.

Mezclé más pintura de color carne, y a ciegas alargué y ensanché el pequeño vástago. Pintaba frenéticamente mientras vigilaba los movimientos de Bert por la sala.

Cuando estuvo a dos caballetes de distancia, retrocedí para ver lo que veía él. El pene era ahora tamaño porno, y grueso como un tronco, pero lo peor era que se curvaba hacia arriba y luego caía como la trompa de un elefante.

Tenía el tiempo justo para rehacerlo, pero suspendí abruptamente la tarea cuando Bert se acercó. No era cuestión de pintar su pene mientras él miraba. Y me puse a retocar el lóbulo de la oreja.

Contuve el aliento. Pero Bert pasó delante de mi caballete sin mirarlo y siguió hasta el de Margo, y se detuvo a contemplar el dibujo de ella.

–¿Y bien? Dime algo –le pidió ella.

–Me gusta mi barbilla.

Margo se echó a reír –una risa alegre, sonora–, y Bert rió con ella.

Yo, por si querían estar solos, me fui a lavar los pinceles. Y de camino le eché un vistazo a la pintura de Michele, un bosque fantástico en el que Bert, con indumentaria medieval y atravesado por una flecha, moría desangrado.

Y en sus auriculares sonaba «Stairway to Heaven»: «If there is a bustle in your hedgerow...»

Mientras esperaba a que se desocupara la pila, vi que Cheryl leía un papel con una frase subrayada. Y oí que la ensayaba en voz muy baja con diferentes entonaciones: un «Un postre asombroso» alegre, seguido de un «Un postre asombroso» displicente.

Cuando regresé a mi caballete, Bobby estaba sentado en mi taburete y miraba muy sonriente mi pintura.

–Vete de aquí –le dije.

–Applebaum, me gustaría que uno de estos días hicieras mi retrato.

Esa semana yo trabajaba con Sam para L'Institute, una nueva línea de productos para el cuidado de la piel y para evitar el

272

envejecimiento. A los cincuenta y dos años, que en publicidad equivalen a unos tres mil cien, Sam sabía de envejecimiento más que nadie en la agencia. En otro tiempo había sido director creativo y ahora trabajaba por cuenta propia; había producido campañas para televisión que fueron premiadas, y ahora diseñaba un paquete con una muestra de crema hidratante para enviar por correo.

Le pregunté a Sam por algo que me había intrigado desde que empecé a trabajar en publicidad:

—¿Dónde está la gente de más edad, con más experiencia?

—Están muertos —me contestó con su cara más inexpresiva. Y luego añadió que en publicidad la madurez era tan valorada como entre las animadoras deportivas.

Sam era el único director de arte que todavía usaba un rotulador y un bloc de notas en lugar de un ordenador. Yo había puesto los productos en el alféizar de la ventana para que él los dibujara, y para probarlos yo: cremas de limpieza para la cara y esponjas exfoliantes para el cuerpo, tonificantes, mascarillas y cremas hidratantes para el día y para la noche. Puse en mi puerta un cartel que decía L'INSTITUTE y Sam agregó PSIQUIÁTRICO. Colgué un póster que advertía de los peligros del sol y del tabaco y alababa los beneficios de beber ocho vasos de agua diarios.

Cuando nos quedábamos sin ideas, yo decía «Agua», y traía una botella para cada uno. O le alcanzaba la crema hidratante y le decía: «Se te ve un poco seco.»

Presentamos nuestro trabajo el lunes, y otra vez el martes, y a todo el mundo le gustó hasta el miércoles, en que tuvimos una reunión con Bruce, el superjefe.

Bajamos desde la novena planta al vestíbulo, y allí cogimos otro ascensor que llegaba hasta la vigésima tercera. Y entramos en el gran despacho de Bruce junto con los equipos de las plantas decimoctava y vigésima. A las seis de la tarde, cuando todos estaban aún cogiendo bebidas de la nevera y bromeando, yo me imaginé a Bobby entrando en la clase de Expresión Artística 1.

Eran más de las siete cuando Bruce les dijo: «Muy buen trabajo», a los otros equipos, que ya se marchaban para hacer unos pequeños cambios en sus campañas de prensa y de televisión. El rostro de Bruce pasó de la aprobación al desconcierto cuando Sam le expuso nuestra idea de enviar las muestras publicitarias desde Suiza, que era donde se suponía que tenía su sede el instituto, aunque en realidad no existiera. Y el superjefe negó vigorosamente con la cabeza cuando yo leí en voz alta y con acento suizo la carta del también inexistente director de la ficticia institución.

Después, como si Sam y yo fuéramos niños que viviéramos en un cuento de hadas, Bruce nos recordó que el instituto no existía, y que los productos se habían elaborado en Trenton.

De repente, el tiempo se había acabado; Bruce ni siquiera quiso que le comentáramos las otras ideas que habíamos desarrollado.

—Es más importante mostrar sinergia —dijo, y nos pidió que diseñáramos las muestras publicitarias a partir de «Muestra la belleza que hay en ti» y «Cambia de cara», los dos spots de televisión.

Sam, como siempre, se mostró muy tranquilo. Se quitó las gafas y se las dejó colgadas del cuello. ¿Qué plazo teníamos? Bruce quería ver nuestro trabajo a la mañana siguiente.

Bajamos en silencio hasta la primera planta, y en silencio subimos hasta la novena. Pedimos la cena. Sam llamó a su mujer. A las ocho, cuando nos sentamos a trabajar, yo pensé que Bobby habría salido a fumar un cigarrillo, y me lo imaginé fuera, de pie, con Cheryl.

—¿Por qué estás tan triste? ¿Tenías una cita, colega? —me preguntó Sam.

Le respondí que no, y me sentí terriblemente sola, envejecida y desesperanzada, y me di cuenta de lo mucho que deseaba ver a Bobby.

—Necesitas agua —dijo Sam, y trajo una botella para cada uno.

Nos pusimos la crema hidratante de noche.

Sugerí un eslogan: «Lo que Trenton hace, las mujeres lo agradecen.»

–Shh... dame un bindi –dijo Sam.

Le pasé uno de los cigarrillos indios que fumaba desde que dejó de fumar.

Unos tres minutos más tarde levantó el bloc de notas y me mostró diseños de folletos basados en los spots de televisión.

–¿Cómo lo has hecho?

–Cuando alguien me pide que coma mierda, me la trago toda de una vez.

La semana siguiente, antes de que empezara la clase, estuve atenta a la puerta, pero Bobby no apareció.

–Bobby ha tenido un accidente de moto –anunció Maureen.

Oí un quejido, y me di cuenta de que había sido yo.

–¿Está bien? –preguntamos al unísono Cheryl y yo.

–Se ha hecho daño en una pierna –explicó Maureen–. Pero vendrá la próxima semana.

Cuando abrí mi estuche de dibujo, me encontré dentro un libro de poemas de Billy Collins. Tenía una dedicatoria:

Para Applebaum,
de mala gana.
Bobby Guest

Me imaginé que Bobby me había regalado los poemas para demostrar que era listo o profundo o sensible; me imaginé que sólo era Bobby gritando su nombre una vez más.

Pero me llevé el libro a la cama. Pensé que leería un poema, cerraría los ojos y me dormiría. Pero me quedé leyendo hasta la madrugada.

–Escucha esto –le dije a Sam, y mientras él dibujaba le leí la primera estrofa de «Another Reason Why I Don't Keep a Gun in the House»:

The neighbors' dog will not stop barking.
He is barking the same high, rhythmic bark
that he barks every time they leave the house.
They must switch him on on their way out.[1]

–Sigue –dijo Sam–. ¿Por qué paras?

Leí los poemas en mi mesa, mientras comía y en la cola del cajero automático; los leí mientras esperaba el metro y mientras esperaba a una amiga para ir a comer, y luego se los leí a ella.

–Te comportas como si los hubiera escrito Bobby –me dijo.

Cuando Bobby entró en la clase, todo el mundo aplaudió.

Hizo una reverencia, apoyó las muletas en la pared y se subió como pudo al taburete que estaba al lado de Cheryl.

Maureen parecía extenuada y bostezó antes de seguir con la clase. Preguntó si a alguien le molestaba que Bert cambiara de pose.

El único que levantó la mano fue el director jubilado. Y no la bajó. Maureen parecía perdida, y Bobby, nuestro héroe herido, la rescató:

–Me temo que tendrá que resignarse, señor Marshall.

Con los labios apretados, el antiguo director de escuela bajó la mano.

–De acuerdo, si soy el único –dijo, pero su tono era punitivo, y se me ocurrió que seguramente echaba de menos el poder que había tenido para suspender y expulsar.

---

1. «Una razón más para no tener un arma en mi casa.» / «El perro del vecino seguirá ladrando, horas y horas / como cada vez que se van de casa. / Siempre los mismos ladridos rítmicos y agudos. / Lo deben de conectar cuando van a salir.»

Me abalancé sobre Bobby y le pregunté si ya estaba bien. Me dijo que sí, y me agradeció que se lo preguntara.

–Me han gustado mucho los poemas, de verdad.

–Me alegro.

–Me encantan. Muchas gracias.

–De nada –dijo, y Cheryl asintió, como si el regalo hubiera sido de ambos.

Bert adoptó una nueva pose; desde mi posición, el muslo le ocultaba el pene, y yo hice exactamente lo que me había dicho Maureen: lo retraté entero, y su figura llenó toda la tela.

Cuando Bert se levantó para descansar, Bobby me llamó.

–Pssst, Applebaum –dijo, y me señaló la puerta.

–¿Has dicho «Pssst»? Ya no lo dice nadie. –Lo seguí hasta el ascensor–. Bueno, ¿qué pasó?

No respondió hasta que estuvimos fuera y yo encendí nuestros cigarrillos.

–Me dieron un tortazo en la autopista de West Side –explicó–. Había bebido un bourbon de más.

–¿Estabas bebiendo bourbon en la autopista?

–No, Applebaum. Había bebido, pero no en la autopista.

–Es lo más estúpido que he oído en mi vida. ¿Eres idiota o qué?

Y fue entonces cuando se apoyó en las muletas y me besó. Me besó y lo besé. Y luego se echó hacia atrás. Y dijo:

–Sí, tienes razón. Soy un idiota.

Cuando volvimos a clase, pinté sin cuidado, libremente; pinté como un artista drogado con Quaaludes. Antes me había desesperado por pintar algo que le pareciera bueno a Maureen, o a otra gente, pero ahora me había olvidado de todo eso. Pintaba lo que veía y sentía. Estaba pintando de verdad.

Maureen le echó un vistazo a lo que yo estaba haciendo, y su cara preguntaba: *¿En qué andas, gatita?*

Cuando finalizó la clase, cerré el estuche y apoyé mi pintura en la pared para que se secara. Y mientras esperaba a que Bobby terminara de hablar con Cheryl, examinaba el trabajo de mis compañeros.

Margo pasó junto a mí con Bert, y su «¡Adiós!» sonó lleno de energía. Bobby seguía hablando con Cheryl, o escuchándola. Y ella hacía como que no me había visto. Fui hacia ellos desinflándome por el camino. Pensé que lo único que iba a poder hacer era decirles adiós. Pero en cambio le pregunté a Bobby:

–¿Quieres ir a comer o a tomar algo?

–Sí, vamos.

Fuimos al Café Loup, en la calle Trece, y nos sentamos en una de las mesas de la entrada, para poder fumar. Pedimos vino tinto, ensaladas y bistecs poco hechos con patatas fritas.

–Y bien, ¿de dónde eres, marinero?

–De Surrey –respondí–. Cerca de Filadelfia.

–Nunca había oído hablar de ese lugar.

–Ni tú ni nadie –dije.

Bobby me contó que se había criado en Manhattan y había ido al Collegiate, un colegio privado en la calle Setenta y ocho, y luego a Yale. Me pareció que había cierto orgullo en su voz al decir que había dejado la universidad cuando estaba a punto de graduarse.

–Eso es una estupidez –dije.

–Ya, pero no me ha impedido vivir.

–Y tus padres, ¿no se pusieron como locos?

–Ya lo estaban. –Y me explicó que habían trabajado un tiempo en películas de serie B (no, seguro que yo no había oído hablar de ellos), y que desde entonces su única actividad era vestirse para la cena.

–¿Y qué se ponen? –pregunté.

–Se visten –repitió, y describió a su madre con un vestido de gasa y a su padre de esmoquin.

–¡Qué elegancia! –comenté.

—Sería más elegante si la hora del cóctel no empezara a mediodía.

Y, respondiendo a una pregunta que yo no había hecho, me dijo que el dinero era de su abuelo, que se había hecho rico en el negocio de los derribos. Él había demolido la Penn Station. Bobby me confesó después que él también había sido actor; había trabajado en una telenovela, en unos cuantos spots publicitarios y en una obra en un teatro de vanguardia. Dijo que era buen actor, pero que el oficio era malo para él. Ahora estaba escribiendo cuentos. En parte los leía y en parte los cantaba, acompañándose con la guitarra, en un club del East Village. Una agente literaria que lo había visto allí le había propuesto que los escribiera a máquina y se los enviara. Pero no lo había hecho.

—¿Por qué?

—¿Y si me los rechaza?

—Se los envías a otro agente.

Negó con la cabeza.

—Así siempre podré decir que un agente me pidió que le enviara mis relatos. Yo quiero ser el único que se interponga en mi camino hacia el triunfo.

Nos dimos cuenta al mismo tiempo de que no quedaba nadie más en el restaurante y Bobby miró la cuenta.

—Pagamos a medias —dije, pero él ya había dejado el dinero en la mesa.

—Puedes pagar... —hizo una pausa, y luego, en lugar de decir *la próxima vez,* dijo—: nunca.

Cuando fuimos a recoger los abrigos al guardarropa, vi que el restaurante vendía camisetas y gorras de béisbol con su logo, unos dedos que proyectaban la sombra de un lobo.

Ya en la calle, Bobby me preguntó si quería dar un paseo hasta Union Square.

—¡Pero si estás tullido!

—No, estoy bien —afirmó, y era cierto. Se movía muy bien con las muletas y cuando se lo hice notar, me contó que después de su último accidente de moto se había convertido en un experto; hasta había aprendido a escribir con la mano izquierda.

–¿No eres un poco suicida?

Yo acababa de encender un cigarrillo, y él me respondió:

–¿Y tú? ¿Qué pasa contigo, Fumeta?

En Union Square me llevó contra una pared y me besó y me besó. Se quitó la chaqueta y me envolvió con ella. En ese momento, en el parque, por la noche, bajo los árboles, yo era una chica de quince años.

Desde la zona reservada para perros nos llegaban sus ladridos, y Bobby me preguntó si había leído «Una razón más para no tener un arma en mi casa».

–He leído todos los poemas.

Me preguntó si había alguno que me gustara más que los otros:

–Sí, «Fantasía de venganza» –dije.

–A mí, «El poeta rival» –dijo Bobby.

–Me encanta ese que dice: «Tú eres el de abajo / incómodo en tu esmoquin de alquiler / con una Cheryl del barrio colgada al cuello.»

–Con una *Cindy* del barrio colgada al cuello –me corrigió Bobby.

–¿Y qué he dicho?

–Has dicho «Cheryl».

–Ya. Los dos nombres empiezan con *C*. ¿Te acuestas con ella? –le pregunté.

–No. He estado viviendo como un monje.

–Qué divertido. Porque yo he estado viviendo como una mona. –Esperé un segundo–. ¿Y por qué te sientas con ella?

–Para poder mirarte desde una distancia segura.

Nos besamos, y luego se apartó.

–¿Oyes eso? –preguntó.

Era el viento, y lo escuchamos en silencio.

Encendí un cigarrillo y dije:

–En serio, ¿por qué te sientas con Cheryl?

Me cogió la mano para encender su cigarrillo con el mío. Luego dijo:

–Se parece a mí.

–Me estás tomando el pelo –dije–. ¿En qué?

Reflexionó un minuto. Finalmente, dijo:

–Cuando estaban filmando *Marathon Man*, Dustin Hoffman le preguntó a Lawrence Olivier por qué era actor, qué lo motivaba. ¿Sabes qué le contestó? «Mírame, mírame, mírame, mírame.»

Bobby me dijo que los ladridos le hacían sentirse culpable; tenía que volver a casa para sacar a pasear a Arlo, su perro.

Empecé a canturrear el estribillo de «Alice's Restaurant», la canción de Arlo Guthrie, y Bobby se puso a cantar conmigo.

Me asombró la belleza de su voz.

Cuando levantaba la muleta para llamar un taxi para mí, le dije:

–Me pones nerviosa.

–No, tú me pones nervioso a mí.

–¡Perfecto!

Después le di todos mis números de teléfono.

Ya estaba en la cama, y hacía un momento que había apagado la luz cuando sonó el teléfono.

–¿Por qué te pongo nerviosa? –me dijo Bobby en lugar de *hola*.

–Me parece que eres un Casanova –le contesté, y me di cuenta de que no había vuelto a usar esa palabra desde la universidad, y que ahora no me gustaba.

No me contestó de inmediato, y pensé que se había ofendido. Pero no era así.

–Lo he sido –admitió.

No dije nada.

–Pero no quiero serlo contigo.

–Pues no lo seas.

Le pregunté qué le ponía nervioso de mí.

–No voy a contártelo todo –dijo, y me preguntó si me podía invitar a cenar y al cine el sábado por la noche.

–Me parece que me he enamorado de ese chico. Y en serio –le conté a Sam en el trabajo.

Ni siquiera me di cuenta de que había dicho *chico* hasta que Sam me preguntó:

–¿Os disteis un beso en los caballitos? –Y un momento después, añadió–: ¿Y sabe cantar?

–Canta muy bien. ¿Por qué?

–Es muy agradable vivir con alguien que sabe cantar –dijo–. Creo que la voz de Gloria ha salvado nuestro matrimonio.

Bobby me llamó al atardecer para contarme cómo se veía el cielo sobre el río. Más tarde volvió a llamarme desde el restaurante del Village donde trabajaba entre un accidente de moto y otro. Dijo:

–¿Qué tengo que hacer para convencerte de que vengas hasta aquí a fumar un cigarrillo conmigo?

Yo estaba en chándal, sin lentillas y tenía que lavarme el pelo. Le dije que iría si me prometía que nunca más se subiría borracho a la moto.

–Prometido.

–Dame una hora.

El Lion's Head era un bar donde se reunían escritores, y en las paredes colgaban las cubiertas de los libros que habían escrito los parroquianos. El hombre que Bobby me presentó como escritor protestó:

–Yo soy maestro –me dijo con acento irlandés.

–Sí, un maestro cuyo libro está a punto de salir –lo interrumpió Bobby, y el escritor-maestro no dijo nada.

Bobby bebía whisky alternado con sorbos de cerveza.

—¿Qué dirías si te pidiera que pasaras la noche conmigo? —me preguntó.

—Diría que es demasiado pronto.

—Tienes razón.

Cuando salí del trabajo me fui andando hasta Saks y me compré un vestido que no podía permitirme. Era de cuello alto pero sin mangas, y corto sin ser mini. Y, con él puesto, era una mujer que iba a abandonar muy pronto la publicidad para emprender una nueva y apasionante profesión, aunque todavía sin decidir. Y era una pintora que exponía por primera vez en una galería del SoHo. Cuando llegué a casa estaba sonando el teléfono. Lo cogí.

—Te echo de menos —oí.

—Yo también te echo de menos —le dije, y de inmediato tuve miedo de haber hablado de más, y seguí temiéndolo todo el tiempo que duró la charla.

Le hablé de mis hermanos y me dijo que le habría gustado tener con sus hermanos una relación tan estrecha como la que yo tenía con los míos. Los hermanos de Bobby eran mucho mayores que él, y ambos vivían en Los Ángeles, donde uno tenía un pequeño papel en una comedia, y el otro, el productor, trabajaba para «El Ratón», que al parecer era el nombre que le daban a Disney los ratones trabajadores.

Me preguntó por mi infancia y yo le pregunté por la suya. Me contó que se había caído de una estatua de Hans Christian Andersen en Central Park; él lloraba y su niñera le dijo: «No seas tan quejica», justo antes de desmayarse.

—¿Y la despidieron?

—No —respondió, y cambió de tema—. Creo que deberías saber que en el instituto gané la Copa Faversham al mejor atleta.

—¡No! ¿La Faversham? ¡Por Dios!

—¿Cuánto tiempo crees que necesitarás para venir a vivir conmigo? —me preguntó.

Le dije que creía que debíamos esperar hasta después de nuestra primera cita.

–¿Sabes? –dijo–, nos pondremos a hacer niños enseguida. No vayas pasito a pasito, Applebaum, que ya no eres joven.

El sábado fui al gimnasio. Hice pesas para mi nuevo vestido sin mangas. Corrí en la cinta y subí la StairMaster; cada escalón me acercaba más a Bobby.

En casa, el contestador automático estaba lleno de mensajes, entre ellos uno de Jack, que me ordenaba que no bebiera demasiado, y otro de Robert, que me decía que llevara una moneda de veinticinco céntimos para un teléfono público, por si mi compañero se pasaba de rosca. No había ningún mensaje de Bobby.

Estaba segura de que llamaría mientras me duchaba.

Estaba segura de que llamaría mientras me secaba el pelo.

Levanté el auricular para asegurarme de que funcionaba. Escuché la señal de que había línea.

A las 19.30 me puse el vestido nuevo, máscara en las pestañas, colorete en las mejillas y brillo en los labios.

A las 20 me serví una copa de vino. Traté de leer. Traté de hacer el crucigrama del periódico, pero era sábado, y demasiado difícil.

A las 20.30 llamé a Bobby y me respondió el contestador.

–¿Qué pasa, Bobby? –dije–. Llámame.

A las 21.30 me quité el vestido, me puse la bata y pedí comida china.

A las 22 sonó el teléfono y respondí con un «Hola» gélido, pero era el portero, desde abajo: «Suben con la comida.»

A las 23.30 llamé a mi amiga Laurie.

–¿Qué sabes de ese tío? –preguntó–. Quiero toda la información.

Le dije que se había criado en Manhattan.

–Es probable que lo conozca.

Cuando le dije el apellido, me dijo:

—Conozco a Bobby Guest. —Y por un segundo pareció emocionada por la coincidencia.

Yo tuve miedo de que mi amiga hubiera salido con él.

—Pero ¿lo conoces bien? —le pregunté.

—Bueno, sé quién es —me respondió. Me contó que era del pequeño grupo de chicos del instituto famosos por guapos y porque iban de guays, y añadió que una amiga suya de Spence había salido con un amigo de él de Collegiate.

—Veré qué puedo averiguar —me dijo.

Cuando sonó el teléfono a la 1.00, yo todavía esperaba que fuera Bobby.

—Es un mal tipo —me informó Laurie. No sólo era mujeriego, sino que había traicionado a amigos, maltratado a conocidos y ofendido a desconocidos.

—Todo el mundo tiene algo que contar de Bobby Guest —dijo Laurie.

Mientras ella enumeraba los delitos cometidos por él, yo recordaba los besos en Union Square, y pensé: *Ya nunca volveré a sentirme como si tuviera quince años.*

—Bobby Guest acaba siempre decepcionando a todos —dijo Laurie—. Es de esa clase de tíos.

Aun sabiendo lo que sabía, me pasé la noche dándole vueltas a todo lo que había dicho y hecho, intentando ver en qué momento, exactamente, lo había perdido.

El domingo dejé otro mensaje para Bobby.

Cada vez que sonaba el teléfono, corría a responder.

Mis dos hermanos se ofrecieron para matar a Bobby, y yo pensé que aquellos niños de antes eran ahora unos hombres estupendos.

—¿Cómo ha ido? —me preguntó Sam en el trabajo.

—Su voz no ha salvado nuestro matrimonio.

Me sentí enferma todo el lunes y todo el martes. Y recordaba cuando lo había llamado *Sátiro*, y cuando le había dicho *Serás tal como estabas programado, nunca irás más lejos*, pero, sobre todo, me acordaba de aquel *Yo también te echo de menos*. Y el martes por la noche, muy tarde, me dije: *Ya basta*. Aun cuando hubiera dicho algo inconveniente, probablemente nunca llegaría a saber qué era.

Y volver a repasarlo todo era exactamente lo mismo que hacía cuando me ponían una inyección: me pellizcaba para sentir que yo era la única responsable de mi dolor.

El miércoles todavía no había decidido si iría a la última clase.

–¿Estás loca? –dijo Laurie–, ¿qué más necesitas saber?

–Ve –me dijo Sam–. Y escucha lo que él tenga que decirte.

Cuando iba en el metro a la New School, estaba disgustada conmigo misma. Había leído que Ronald Reagan seguía siempre el consejo de la última persona con la que había hablado. Y me dije: *Eres como Ronald Reagan, Sophie*.

Bobby no estaba en la clase.

Encontré mi pintura de la semana anterior y la puse en el caballete. Era tan atrevida que costaba creer que fuera mía.

Bert había adoptado la misma pose de la semana anterior.

Margo desplazó su asiento para acercarse a mí.

–He salido con Bert –me contó en voz muy baja.

–¿De verdad? ¿Y qué tal ha ido?

–Ha sido muy divertido. Bert conduce un taxi, ¿sabías? Me ha llevado en su coche.

Se comportaba como si fuéramos amigas, y en ese momento lo éramos.

Me pasé más de una hora mirando primero a Bert, luego a mi pintura, de nuevo a Bert, y otra vez a mi pintura.

–No sé qué más puedo hacer con esto –le dije a Maureen cuando se acercó y se detuvo a mirarla conmigo.

–Puede que ya esté terminada –me dijo ella, y yo decidí que lo estaba.

No tenía tiempo para empezar un nuevo cuadro antes de la fiesta de fin de curso, así que salí a fumar un cigarrillo.

Bobby estaba apoyado en un coche y se incorporó cuando me vio; había cambiado las muletas por un bastón.

–Sé buena conmigo, Applebaum, que soy un minusválido –dijo.

Encendió un cigarrillo para él y otro para mí.

–Discúlpame por el plantón del sábado –dijo luego; su tono era cortés y desinteresado; habría sido el mismo si hubiera dicho: *Lamento que estés resfriada*.

Lo que me había gustado de él en Union Square era lo que ahora me resultaba detestable: que me hacía sentirme como si tuviera quince años.

–¿Qué te pasó? –pregunté con el mismo tono educado e indiferente.

–Me puse a ver en la tele una película antigua de mi madre. Sólo tenía un pequeño papel.

Me contó que su madre hacía de cantante de cabaret; se esforzó para recordar el título de la película, como si ésa fuera la información que yo le pedía.

–Lo cierto es que me quedé dormido.

–No –dije. Por un momento fui fuerte como Maureen, fui lo que quería ser–. Yo te he preguntado *Qué te pasó* de verdad.

Entonces vi que le temblaba la mano.

–No lo sé.

–¿Eso es todo? –dije–. ¿No lo sabes?

–Íbamos muy deprisa...

–Sí, demasiado deprisa.

Bobby suspiró.

–Gracias, Applebaum. –Y la gratitud que oí en su voz fue la única señal de que reconocía que había hecho algo que estaba mal.

—Te dejé un mensaje; podrías haberme llamado.

—Sí, ya lo sé. Ojalá lo hubiera hecho.

Y yo entonces pensé que había conseguido escribir sus relatos, y contarlos y cantarlos delante de la gente, pero que no podía pasarlos a máquina y ponerlos en un sobre. Con todo, esperé que me diera algo, una disculpa sincera, una explicación convincente, una promesa para el futuro, algo. Pero él sólo me cogió la mano.

—¿Qué te parece el sábado?

—¿El sábado qué?

—Cena y cine —dijo.

—No.

—¿No porque tienes planes o no porque no vas a darme otra oportunidad?

Negué con la cabeza.

—Espera —dijo—. ¿Todo esto es porque una sola vez no te llamado?

Yo lo miraba, y el estudiante más guapo del instituto Collegiate me miraba a mí.

—Por Dios, qué dura eres.

—No —repetí.

—Sólo ha sido una vez, una sola vez que no te he llamado —dijo—. ¿Y me expulsas por una sola falta?

Me costaba creer que el Bobby Guest que tenía delante era el Bobby Guest que yo tanto había deseado.

—Bien —dijo por fin y me acompañó hasta la puerta—. Al menos hemos hablado. Para mí ya es un gran paso poder hablar de todo esto contigo.

Estaba a punto de despedirme cuando él me abrió la puerta; la abrió para mí, y también para él. Y entonces me di cuenta de que había venido a la fiesta pero había querido hablar antes conmigo para evitar una escena incómoda delante de los demás.

—¿Sabes cuál es el problema? —me dijo en el ascensor—. Que tú esperabas que cambiara por completo, y de un día para otro.

Aquello era una fiesta sólo porque Maureen había llevado botellas de gaseosa, una gigantesca bolsa de *pretzels* y un radiocasete. Una canguro había traído a la hija de Maureen, que no se separaba de Bobby. Me asombró el poder que tenía hasta con mujeres de tres años. La niña jugaba con el pelo y las orejas de Bobby, y le pegaba en las manos, algo que yo también habría querido hacer.

Y él me guiñó un ojo, como si no hubiera pasado nada entre nosotros, o como si aún pudiera pasar algo.

Bert y Margo se habían sentado juntos en el diván, sobre la tarima; parecían el rey y la reina del baile.

Sólo Michele estaba de pie ante un caballete. Pintaba letras retorcidas en las que pronto se leería: *Jimi Hendrix, Electric Ladyland.*

No se oía la música que siempre salía de sus auriculares y le pregunté:

–¿Qué estás escuchando?

–Nada –respondió; sonreía como si me estuviera haciendo cómplice de un secreto.

Me pregunté cuál podía ser, quizá llevar un walkman la ayudaba a sentirse menos torpe, o menos tímida, o a estar sola.

La miré durante un rato, con la esperanza de que me lo dijera, y por fin lo hizo:

–Va muy bien como cinta para el pelo. –De repente, pareció que se acordaba de algo–. Ah –dijo, y me dio la tarjeta de su padre–. Por si necesitas un DJ.

Le di las gracias.

La superviviente de un cáncer tenía que irse temprano y se acercó a despedirse. Me cogió las manos, me miró a los ojos y me dijo: «Cuídate.» Yo le respondí: «Tú también.» Me sonrió y me apretó afectuosamente las manos; parecía enterada de lo que me había pasado con Bobby.

Pero oí que le decía lo mismo al director de escuela jubilado y a la contable, que estaban enzarzados en una amable discusión sobre qué era el arte, con la bisabuela como árbitro.

Antes de irme vi a Cheryl, y comprendí por fin qué había querido decir Bobby; es verdad que eran muy parecidos. Aunque estaba sola, Cheryl interpretaba un papel. Se acariciaba el cuello, y sus miradas eran intensas, plenas de sensibilidad. Estaba preparándose para cuando la descubrieran.

El que vino después de ti

1

Yo nunca había imaginado que en mi familia alguien fuera a cambiar, y menos que nadie mi padre, que fue el primero, y el que más cambió: se murió. Después de eso, y durante mucho tiempo, mi madre no fue la misma. Había adelgazado. Dormía mal. Cogía todos los virus, resfriados y gripes. En una ocasión fui a visitarla y andaba por la casa arrastrando unas pantuflas rosadas y forradas de piel que sólo te pondrías para esperar a que la policía descubriera tu cadáver.

Pero eso no era un cambio, era pena. Lo que de verdad cambió a mi madre fue el amor.

Las pantuflas eran un regalo de su madre, mi abuela, con quien comía todos los viernes. Pregunté: «¿No se pueden cambiar?»

Mi madre no contestó y yo no insistí. Era su cumpleaños. Lo celebrábamos leyendo las cartas de pésame que ella había separado del resto; las llamábamos las Lloronas. Las guardaba en un cesto antiguo en su mesilla de noche, y las habíamos desparramado sobre su cama.

Me gustaba leerlas. Una buena Llorona podía devolverle la vida a mi padre por unos segundos. Pero algunas de esas cartas habían sido elegidas por razones que para mí eran un misterio. Hasta entonces yo no había dicho nada –el cesto era de mi madre–, pero habían pasado más de siete años desde la muerte de mi padre, y me parecía que ya era hora de volver a la normalidad.

Con voz temblorosa de falsa emoción, leí una carta protocolaria del despacho del adjunto al alcalde de Filadelfia: «... Para nosotros, ha sido un privilegio y un honor haber conocido al juez Applebaum.»

–Me pareció que era como una proclama –explicó mi madre.

–Humm –fue mi comentario.

–Bueno..., es un honor.

–Y un privilegio.

–¡Sshh!

–Dios, ésta siempre me impresiona –dije cuando cogí la siguiente misiva misteriosa, una tarjeta que sólo llevaba un mensaje impreso y una firma.

–¿Qué dice?

–«Mi más sentido pésame.» –Hice una pausa antes de atacar la firma poco menos que ilegible–. Len Rollhoff.

Mi madre miró por encima de mi hombro.

–Es Lev, Lev Polikoff –dijo mi madre, y oí en su voz algo que antes sólo había visto: una miríada de pececillos plateados saltando en la bahía de Martha's Vineyard, y era un sonido tan sorprendente y hermoso como aquella visión.

Me arrancó la tarjeta de la mano, como si yo hubiera interceptado una carta privada, y yo dije lo que correspondía:

–Ya la he leído.

–Pensé que había sido un gesto muy delicado de su parte –dijo, y era evidente que estaba intentando recuperar la calma.

–Sí, su firma es muy delicada.

Me miró como si quisiera decir: *No me estropees algo bonito,* y tenía razón, claro está.

–¿Quién es?

–Alguien que conocí hace tiempo. –Y allí estaba otra vez el brillo de los pececillos plateados.

–Pero ¿quién es?

–No tiene importancia.

Se levantó y caminó arrastrando las pantuflas hasta su armario. Por un instante, tuve la esperanza de que fuera a cambiarse las pantuflas por las zapatillas de baile que solía usar para andar por casa, pero mi madre sólo se estaba escondiendo.

–Estaba pensando que podría ir a pasar un fin de semana a Nueva York –dijo.

Lo decía siempre. No era un problema de memoria, sino que le gustaba repetirse. Decir una y otra vez lo mismo tenía para ella el mismo efecto tranquilizador que las aficiones con movimientos repetitivos, como tejer o bordar. Pero a mí me hacía el mismo efecto que si me clavaran las agujas de tejer o de bordar en los tímpanos.

Como yo no le había contestado, ella se dio la vuelta y repitió:

–Estaba pensando que podría ir un fin de semana a Nueva York.

–Deberías ir... y llévate contigo a Lev Polikoff.

Con la cara vuelta otra vez hacia el armario, dijo que mi piso, un estudio sin sofá cama para huéspedes, sería demasiado pequeño para las dos.

–Espero que no te ofendas –añadió, como siempre.

–Claro que no –le contesté, también como siempre.

–No creo que sea un buen momento para que me hospede en casa de Robert –continuó.

Se quedó esperando que yo le preguntara por qué, y lo hice, pero sólo porque era su cumpleaños.

–Ese chico está demasiado ocupado –dijo.

Era verdad que mi hermano menor, con sus adorables niños y su consulta médica siempre llena, estaba demasiado ocupado, pero la verdadera razón por la que mi madre no quería hospedarse en su casa era que mi hermano estaba casado con Naomi.

–Ellos estarán encantados de recibirte –dije, que era al menos una verdad a medias; Robert sí que lo estaría. Mi hermano menor era tan escrupuloso con sus obligaciones que ni siquiera pensaba que el deber era un deber; había nacido con el gen de la responsabilidad alojado en el centro cerebral del placer.

–Puedo quedarme en casa de Jack –dijo mi madre. Yo la había oído preguntárselo una docena de veces, y Jack siempre le respondía que sí, que le parecía muy bien. Y éstos eran los eternos preparativos para un fin de semana que no llegaba nunca.

Su hipotético anfitrión llamó unos minutos más tarde. Me di cuenta de que era Jack por el alivio en la voz de mi madre. Yo también me sentía aliviada; mi hermano mayor era el comodín de la familia. Mi madre habló con él unos minutos, le agradeció que la hubiera llamado para felicitarla por su cumpleaños y luego me pasó el teléfono.

–¿Qué estáis haciendo, chicas?

Cuando Jack venía de visita hacía lo posible por llevar a mi madre a ver exposiciones o a un concierto; es decir, a hacer todo aquello que mi madre no había hecho demasiado en vida de mi padre.

–Estamos leyendo las Lloronas.

–Estupendo. ¿Dónde llevarás a cenar a mamá, al cementerio?

Le dije que no la llevaría a ninguna parte porque la cumpleañera quería cocinar.

–¿No vais a salir, entonces?

–No, a menos que consiga llevarla al cine.

–Ya son las siete.

–Pues nos quedaremos en casa.

Un operador interrumpió la conversación para pedirle a mi hermano que depositara otros setenta y cinco céntimos.

–¿Desde dónde llamas? –le pregunté.

–Desde un bar de topless.

–No, en serio.

–¡Joder! –exclamó, y me dijo que había puesto su última moneda de veinticinco céntimos en el tanga de una bailarina–. Hablemos hasta que nos corten.

Cuando dije que la amenaza de que nos cortaran me hacía difícil hablar, dijo:

—Tengo algo que decirte.

—¿De qué se trata?

—Me resulta muy difícil hablar de esto.

—Vamos, dímelo de una vez.

—Nunca se lo he dicho a nadie.

En ese momento se cortó la comunicación, y me di cuenta de que me había tomado el pelo.

Mi madre recogió las Lloronas y las puso otra vez en su cesto.

—¿Nos tomamos una copa de vino? —preguntó.

—Sí, claro.

—Podríamos ponernos junto al fuego —dijo, pero volvió a la cama.

Cogí el periódico y miré la cartelera cinematográfica buscando una película que mi padre no hubiera querido ver, con subtítulos, o sin argumento.

Ella cogió *La casa de la alegría*, un libro de Edith Wharton que mi madre llevaba leyendo desde hacía más tiempo que el que había tardado la autora en escribirlo.

Después de unas pocas páginas, mi madre puso el libro boca abajo sobre su pecho, como si diera a su corazón la posibilidad de proseguir la lectura allí donde la había dejado su cerebro.

—¿Tienes mucha hambre? —me preguntó.

—Normal.

Mi madre había pensado hacer bistec con ensalada y patatas al horno.

—A menos que te apetezca otra cosa.

—Lo que me apetece es hablar de Lev.

Mientras ella empezaba con la cena, yo encendí fuego, con troncos falsos que cogí del armario del vestíbulo y verdaderos que traje del porche.

–Háblame de tu trabajo –me dijo, y se me acercó en el sofá. Mi madre se había vuelto más cariñosa desde la muerte de mi padre, y yo no me daba por aludida.

–Estoy tratando de dejar la publicidad –le dije.

–¿De verdad? Siempre pensé que trabajar en publicidad tenía mucho glamour, que era algo apasionante.

–Mi trabajo no es de ese tipo.

–¿La publicidad no es publicidad?

–Sí, claro, es como si dijeras que conducir un autobús y un coche de carreras no deja de ser conducir.

–¿Y qué clase de publicidad haces tú?

Ya me lo había preguntado antes, y yo se lo había explicado, pero siempre me resultaba dificultoso.

–Yo escribo correo basura, mamá.

–Ah. Mucha gente dice que los anuncios de la televisión son más interesantes que los programas.

–El problema está en que no me gusta conducir.

Las dos contemplamos el fuego.

–¿Sabes que la abuela de Dena se mudó al edificio de tu abuela? ¿Sigues viendo a Dena?

–No –contesté, aunque la había visto hacía poco en el mercado de Union Square; estaba comprando manzanas con un tío mayor que llevaba mocasines. Iban cogidos del brazo, y si bien el gesto no parecía estrictamente sexual, tampoco era enteramente platónico, y yo me había preguntado si aquel hombre sería Richard, el novio al que Dena se negaba a llamar novio porque estaba casado.

Nunca había hablado a mi madre del no-novio casado de Dena. A ella le habría escandalizado aún más que a mí –la habría horrorizado, en verdad– y habría cambiado para siempre el concepto que tenía de Dena. Y a mí eso no me parecía bien, aunque ella ya no fuera mi amiga.

–La abuela de Dena es una mujer distante –dijo mi madre.

–Mamá...

−¿Sí? −Se puso en guardia.

−Tus pantuflas me deprimen.

−Me las regaló tu abuela.

−Ya lo sé −dije−, pero creo que quiso gastarte una broma.

−Son muy cómodas.

Mi madre era muy flexible, y estaba sentada con sus largas y preciosas piernas enroscadas como serpientes, como una contorsionista en reposo. Se miró los pies; los estudió atentamente durante un momento.

Se quitó las pantuflas, se puso de pie y las tiró a la chimenea; pero ella, igual que yo, no coordinaba bien la vista ni la mano, y las dichosas pantuflas cayeron demasiado lejos del fuego para arder. Cogió las tenazas y puso las pantuflas sobre los troncos, donde estaba la acción.

Se quemaron en un segundo, como pura fibra sintética que eran. Las miramos arder. Fue rápido, pero satisfactorio.

−Lo siento −le dije, cuando volvió al sofá y enroscó otra vez las piernas−. ¿No me estabas hablando de Lev Polikoff?

−Hace mucho tiempo de eso. −Sonrió para sí misma y pareció más alegre, puede que debido al sacrificio ritual de las pantuflas.

−¿Cuándo fue?

−Lo conocí cuando yo trabajaba en el museo. −Se refería al Museo de Arte de Filadelfia, donde había trabajado como guía después de la universidad−. Era pintor.

Yo traté de que la cosa fuera más deprisa.

−Y te tiraba los tejos −dije, usando su mismo vocabulario.

Asintió.

−¿Y? −pregunté.

−A la abuela no le gustaba.

−¿Por qué?

−No sé, creo que nunca me lo dijo.

−¿Y tú dejaste de verlo? ¿Así, sin más?

−Mi generación era más obediente que la tuya.

−¿Por qué crees que no le gustaba a la abuela?

–Porque no era un buen partido, me imagino.

La miré: ¿*Un buen partido?*

–No se ganaba bien la vida –dijo–. Mi madre no quería que yo perdiera el tiempo. –Se acordó entonces de algo más–: Y no le gustaba su barba.

–¿Por qué? ¿Era demasiado judía? –pregunté.

–Ella solía decir: «Otra cosa sería si se la arreglara.»

–Sólo quería lo mejor para ti –le dije, que era la frase con que mi madre defendía siempre a mis dos abuelas. Pero luego, hablando en serio, añadí–: Gracias por no decirme nunca que no tenía que perder el tiempo.

–De nada –dijo ella–. Pero lo que pasó es que yo tenía miedo.

Era una bonita sorpresa oírla decir la verdad. Pero de inmediato la zona de su cerebro que se ocupaba de las relaciones públicas presentó un comunicado de prensa oficial:

–Confío en ti; sé que tomarás las decisiones que más te convengan.

Me levanté para volver a llenar las copas, y cuando las dejé sobre la mesa, le pregunté si había contestado a la carta de Lev Polikoff.

–No.

–Así que sólo hubo esa tarjeta –dije.

–Me llamó.

–Joyce –dije.

–He hablado muchas veces con él –me explicó–, es muy agradable.

–Eso está muy bien –comenté, y en verdad me parecía genial.

Mi madre puso una cinta que Lev Polikoff le había enviado; era de música cubana, y cuando la estaba escuchando, ya no parecía apática, sino distendida; y soñadora, en vez de triste. En sus ojos había algo nuevo, no sabría decir qué era, parecían ver mucho más de lo que tenían delante.

Le hubiera hecho más preguntas sobre Lev Polikoff, pero

oímos que se abría la puerta de atrás, y a Jack que gritaba: «¡Sorpresa, sorpresa!» Y con mi hermano llegó la fiesta.

Mi hermano trajo alegría y organizó la velada: la compañía se puso en movimiento. *Luces, cámara, acción:* mi madre preparó la ensalada, yo puse la mesa y Jack se sirvió una cerveza.

Jack siempre conseguía llegar a casa con novedades, y durante la cena nos dio la noticia de primera página: JACK TIENE UNA REUNIÓN EN LOS ÁNGELES PARA TRATAR LA CONVERSIÓN DE SU GUIÓN CINEMATOGRÁFICO EN EL GUIÓN DE UN PROGRAMA PILOTO DE TELEVISIÓN; LOS PRODUCTORES PAGAN EL AVIÓN Y EL HOTEL.

Mi madre resplandecía de satisfacción, como si pensara que la reunión de Jack era un premio que él se merecía y que ella siempre había sabido que obtendría.

Yo era un poco más escéptica. Hasta ese momento, todas las reuniones de las que me había hablado sólo habían conducido a más reuniones. En una ocasión en que estaba muy desanimado, me había dicho que era menos un guionista que un profesional de las reuniones; pero luego se dijo a sí mismo –y me lo dijo a mí– que sólo un guión entre tropecientos era producido, aunque ahora parecía haber olvidado esa estadística.

–He situado la obra en Nueva York –nos contó–, así no tendré que mudarme a L.A.

Todos mis conocidos llamaban «L.A.» a Los Ángeles, pero cuando lo dijo Jack me acordé del padre de una de mis compañeras de habitación en la universidad, que sostenía que las abreviaturas eran indicio de superficialidad, pereza y mal carácter.

–No sabía que quisieras escribir para la televisión –dije.

–Supone un montón de dinero –dijo–. Si el programa piloto va bien, yo seré el productor ejecutivo.

–¡El productor ejecutivo! –exclamó mi madre.

Me levanté para recoger la mesa y traer el pastel de cumpleaños. Encendí las velas. Cantamos. Mi madre pidió un deseo y sopló.

Le di mi regalo, una vieja fotografía de cuando mi madre era niña, en el regazo de la abuela que ella más quería; yo la había hecho restaurar y poner en un marco.

Jack no le había traído nada; pero como dijo mi madre, y habría podido bordarlo en punto de cruz: «Tu presencia es el mejor regalo.»

El domingo, después de un desayuno tardío, Jack miró el suplemento del fin de semana del *Philadelphia Inquirer*.

–¿Qué te parece Rodin?

Mi madre miró por encima del hombro de mi hermano y señaló otro anuncio en la cartelera.

No me pidieron mi opinión. Sabían que yo no tenía ganas de ir a contemplar obras de arte; que iría a donde fueran ellos y soportaría la exposición que ellos eligieran. En ese sentido, yo ocupaba el lugar de mi padre.

–Había pensado que podíamos ir a ver «Intimidad» –dijo mi madre.

–¿Qué es eso? ¿Ropa interior? –pregunté.

–No, son retratos.

Los retratos eran la pasión de mi madre. Había encargado los retratos de varios jueces, y también el de mi padre, y era la curadora de la exposición del vestíbulo de los juzgados.

Le dijo a mi hermano que muy cerca de la galería donde exhibían «Intimidad» había un edificio que le interesaría. Iríamos después de visitar a su madre.

Jack negó con la cabeza.

–«Intimidad» cierra a las cinco –dijo–. La casa de la abuela está siempre abierta.

Mi madre y Jack apenas hablaban mientras miraban las pinturas en la galería, y eso hacía que su relación pareciera más estrecha que la que tenían conmigo.

Yo también me demoraba delante de cada pintura, pero no

veía lo que veían ellos. Lo único que mostraban las pinturas eran personas posando, y a mí eso me parecía lo contrario de la intimidad.

Me acerqué a mi madre, que llevaba un buen rato delante de un cuadro.

–¿Y qué tienen estos retratos de íntimos? –pregunté.

Me explicó que estos pintores eran llamados intimistas porque pintaban a sus modelos en su contexto personal. Hice un gesto con la cabeza para que siguiera hablando. Me gustaba escuchar a mi madre cuando hablaba de algo que conocía muy bien.

–Gracias –le dije cuando terminó–. Estaré en la sección de ropa de dormir.

Cuando salíamos dije que las galerías deberían tener tiendas de regalos.

–Es que las galerías son tiendas de regalos –dijo mi hermano.

El edificio que fuimos a ver había sido diseñado por un arquitecto para el cual había trabajado Jack. Mi hermano lo rodeó mirando hacia arriba.

Me pareció muy feo, y lo dije.

Mi madre, con su diplomacia de siempre, no me contradijo: «Es radical», dijo.

Cuando llegamos al edificio de mi abuela, me imaginé lo que me esperaba en su piso, y le dije a Jack y a mi madre que antes quería ir la charcutería.

–No, que ya es muy tarde –dijo mi madre.

–Sí, vamos –le dio la razón Jack.

–¡Ah –dije yo–, ahora tenemos prisa! Yo he ido a *vuestra* galería y a *vuestro* edificio. Y ahora quiero hacer algo que me interese a *mí*.

No les dejé que me dieran prisa. Estudié la lista de bocadillos en la pizarra, y el precio por libra de los fiambres. Y examiné las ensaladas de patatas y de col en el escaparate.

—Vamos, que la abuela te dará de comer en su casa —dijo mi madre.

Le dije que sólo estaba admirando la composición de las bandejas de comida en la vitrina.

—Me encanta cómo refleja la luz el celofán.

Jamás me atrevería a llevar comida a casa de mi abuela —sería de mala educación—, pero ya comenzaba a sentir esa sensación de carencia que se iba a manifestar con toda su fuerza apenas entrara en el piso, donde la comida nunca sabía bien.

Fui a donde estaban las flores. Todas juntas se veían muy hermosas y llenas de color, pero si miraba un ramo en particular, notaba los pétalos que faltaban, o los que estaban mustios. Y si yo era capaz de encontrar un defecto, mi abuela podría señalar cien; ella tenía un don especial para descubrirlos.

Cogí el ramo más grande, unos enormes crisantemos amarillos.

—Es una buena idea —dijo mi madre, aunque no parecía muy convencida.

—Me parece que será una visita muy agradable —dije cuando entramos en el edificio de apartamentos donde vivía mi abuela.

El portero llamó a mi abuela. «¿Señora Parker?», dijo, y anunció nuestra llegada.

En el ascensor, insistí:

—Me parece que esta vez sí que nos entenderemos bien.

Miré a mi madre y comprobé que estaba haciendo acopio de valor.

—Es un presentimiento que tengo, ya verás —dije.

Mi abuela estaba enfadada porque habíamos ido antes a la exposición y porque llegábamos tarde. En realidad mi abuela estaba enfadada porque ése era su estado habitual.

Estaba en buena forma, muy delgada pero no demacrada, y llevaba un jersey rojo de cachemira con una bufanda de seda roja y blanca alrededor del cuello y unos pantalones blancos muy modernos; tenía mejor aspecto que nosotros, y lo sabía.

Hizo pasar primero a Jack, como si él fuese el huésped y mi madre y yo las asistentas.

Mi hermano la saludó con un «Hola, Steeny», que era la abreviatura de Bernstein, el apellido de soltera de mi abuela, y como la llamaban sus amigas.

Cuando le di el ramo de crisantemos, abrió mucho los ojos, y yo me sentí culpable por no llevarle flores más a menudo. Le preguntó a mi madre qué flores eran.

–Crisantemos –le respondió ella.

–Ah, claro. Nunca me han gustado los crisantemos.

Tiró el papel en el cubo de la basura, y se quejó de la cantidad de basura que se produce hoy día en el mundo.

Yo empezaba a ponerme de mal humor, así que dije:

–Iba a traer rosas, pero Jack pensó que te gustarían más los crisantemos.

Mi madre y Jack me miraron, pero yo no aparté los ojos de mi abuela.

–Las rosas son demasiado caras –dijo mientras cortaba los tallos.

–¿Qué flores te gustan? –pregunté.

Respondió que todas las flores eran demasiado caras.

–Supongamos que todas las flores costaran un céntimo. ¿Cuáles serían tus preferidas?

–¿Un céntimo?

–Bueno, digamos que cincuenta céntimos.

–Me gustan las rosas –dijo.

–¡Ves, te lo dije! –le dije a Jack–. ¿Y de qué color? –le pregunté a mi abuela.

–Amarillo.

–¡Lo sabía!

–Esas rosas pequeñas –agregó mi abuela–. Rosas de pitiminí.

–Muy bien –dije–. La próxima vez traeré rosas amarillas y pequeñas.

–No –protestó mi abuela–. Son demasiado caras.

Después nos preguntó qué queríamos tomar; ella nunca ofrecía una bebida o una comida determinada; era como alguien que te invita a su casa sin fijar el día ni la hora.

–Parece que has engordado –me dijo.

Yo no pesaba ni un gramo más, pero mi abuela tenía la habilidad de hacerme engordar con sólo mirarme.

–Gracias –dije–. Sabes, creo que beberé un whisky.

Me miró fijamente. Bajé el listón.

–O un jerez. Mamá, ¿te apetece una copa de jerez?

–Eso suena muy bien –dijo mi madre.

Yo había engordado cinco kilos desde que llegamos, y mi madre había envejecido diez años; de pronto se le veían las raíces sin teñir: una línea blanca e ininterrumpida que dividía la autopista de su pelo castaño.

Vi que mi abuela lo había notado y se lo decía en voz baja a mi madre, que envejeció uno o dos años más.

–¿Jerez? –le pregunté a Jack en voz más alta de lo necesario.

–Tomaré un Pink Squirrel –pidió para divertirse.

–Pues tendrás que preparártelo tú mismo –dijo mi abuela.

Pero sólo tomó Coca-Cola ligh, que se sirvió de una botella de tamaño familiar que había perdido hacía tiempo el gas.

Mi abuela fue a buscar el jerez. Yo la seguí hasta el salón. Era uno de esos salones que la gente llama «regios», con cortinas hasta el suelo y sillones de terciopelo, todo grande y a juego; cretona y caoba y bronce. Lo único que no pegaba –y me llevó un segundo darme cuenta– era un oso de peluche sobre el inmaculado sofá amarillo en el que no me había sentado nunca, porque me lo prohibieron desde niña. Mi abuela había dicho: «La grasa de tu pelo ensuciará la tela», y yo había pensado: *Pero ¿tengo grasa en el pelo?*

Mi madre miró el oso sólo un segundo, y luego hizo como que no estaba allí. Sus ojos subieron hasta el cuadro que colgaba sobre la cabeza del oso. Era el retrato, en un marco dorado, de una mujer con un vestido de fiesta de satén color marfil; un tirante caído le dejaba el hombro desnudo. Mi madre me dijo que lo había pintado un discípulo de John Singer Sargent.

–Es un retrato muy bueno –dijo.

–¿Qué lo hace tan bueno? –pregunté.

–Fíjate en los tonos de la piel. Y cómo ha pintado las manos. –Un criterio para evaluar un retrato, me explicó, era ver si el artista podía pintar las manos o tenía que ocultarlas.

Yo había ido hacía unos años a clases de pintura y dibujo, y las manos que había hecho parecían pájaros.

–Sí, las manos son lo más difícil –le dije.

Mi madre aún me estaba describiendo las virtudes del cuadro cuando mi abuela volvió con tres pequeñas copas de jerez en una bandeja de plata.

Cogimos las nuestras, y la abuela nos dijo «¡Mira lo que haces!» y «¡Ten cuidado!», como si ya hubiéramos derramado una primera copa de jerez y sus principios no le permitieran servirnos otra.

Y fue entonces cuando decidí que me iba a sentar en el sofá amarillo y prohibido.

–¡Largo de aquí! –dije al osito.

Pregunté si aquel retrato tenía una historia, y mi abuela me contestó que «estaba en el trastero de la casa de Welland Road».

Me gustaba recibir nueva información.

–¿Y el que lo encuentra, se lo queda?

–No, de ninguna manera –dijo mi abuela–. Llamé a los que nos habían vendido la casa, los Biddles, y dijeron que no lo querían, que era demasiada molestia ir a buscarlo.

A ella le interesaba más saber si habíamos encontrado mucho tráfico en la autopista.

No sé por qué, no quise contestarle y le pregunté en cambio:

–¿No tendrás una galleta salada?

Sólo hice el gesto de ponerme de pie, porque sabía que aunque mi abuela ahora tenía un oso de peluche en su salón, jamás me permitiría entrar sola en su cocina; no le gustaba que tocara sus cosas, ni siquiera las galletas saladas. Y de repente me dieron ganas de registrarlo y revolverlo todo, desde su impresionante colección de bolsas de papel usadas hasta los estuches de joyas que cerraba con tres gomas elásticas.

—Veré qué es lo que tengo —dijo.

Volvió con un plato de galletas saladas y lo dejó sobre la mesa de centro. Ahora todos querían galletas saladas: mi madre, Jack e incluso mi abuela cogieron una.

Todos masticábamos, y era lo único que se oía hasta que mi abuela dijo que nos habíamos perdido por muy poco la llamada del hermano de mi madre.

—Yo le había dicho a Dan que estaríais aquí —dijo mi abuela, como si llamar por teléfono desde Chicago requiriera una planificación especial y un equipo de comunicaciones muy difícil de conseguir, o como si la llamada de mi tío fuera un favor que no nos merecíamos. Se me ocurrió una idea brillante:

—¿Y si lo llamamos ahora?

Mi abuela no pareció haberme oído; lo que le interesaba no era que habláramos con mi tío, sino que supiéramos que no habíamos estado allí cuando él llamó.

—Yo hablé ayer con él —dijo mi madre.

Yo miré a mi abuela y le dije:

—Hay algo que me gustaría saber.

Abrió mucho los ojos; para ella yo seguía siendo la misma niña de la época de: *Los niños son para ver, no para oír* y *Los niños sólo hablan cuando se les pregunta.*

Pero yo no me desanimé.

—Me gustaría saber cómo era mi madre de joven. Antes de conocer a mi padre.

Mi madre me lanzó una mirada de advertencia, y me di cuenta de que pensaba que mi intención era preguntar por Lev Polikoff. No se me había ocurrido, pero a menudo yo era la última en enterarme de lo que me pasaba por la cabeza.

–No hay mucho que contar –dijo mi abuela.

–¡Gracias! –dijo mi madre.

Me reí –era emocionante oír a mi madre hacer una broma– y Jack también se rió.

–¿Y tú, abuela? ¿Cómo eras tú de joven?

–¿A qué viene esto, Sophie?

Ni yo misma lo sabía.

–No sé –dije por fin–, se me ocurrió que podíamos conocernos mejor.

Nadie dijo nada.

–¿Me vas a contar algo, entonces, o no quieres hablar? –le pregunté a mi abuela.

Entrecerró los ojos, tal vez por el esfuerzo de pensar en algo que decirme.

–¿Sabes qué me gustaría que me contaras? –dijo Jack, para burlarse de mí, pero también para divertirse–. Cómo se las arregló el abuelo para que te casaras con él.

Y mi abuela empezó como lo hacía siempre, contando que sus padres decían que él era demasiado viejo para ella, y ella demasiado joven para casarse.

–¿Qué edad tenías? –le preguntó mi hermano mirándome a mí.

¿Diecisiete?, hice yo con los labios, sin sonido.

–Diecisiete –contestó mi abuela–. Y ya tenía un montón de pretendientes.

Y mi madre intervino como si lo tuviera preparado:

–Vuestra abuela era una chica guapísima.

–El abuelo era muy celoso –continuó mi abuela–. Una vez yo había salido con otro, y él me siguió. Se sentó en el cine en la fila detrás de la nuestra. ¿Te das cuenta?

–Estaba enamorado de ti –dijo mi madre.

–Decía que no soportaba verme con otros chicos.

–¿Cuántos años tuvo que esperarte? –preguntó mi madre.

¿Cinco?, volví a decir sin sonido.

–Cinco –dijo mi abuela–. Para entonces, estaba realmente desesperado. Me daba mucha pena, de verdad.

–¿Y tú qué hiciste? –preguntó mi madre.

–Le dije que escribiera una carta a mis padres. Y con eso se los ganó.

–¿Qué decía en la carta? –preguntó mi hermano.

–En su mayor parte, decía que sería un buen marido.

Esperé un momento antes de preguntarle:

–¿Y aún tienes la carta?

–Claro que la tengo.

–¿Me dejas que la lea? –pregunté.

–Ahora no recuerdo dónde está.

Le pregunté a mi madre si ella la había leído.

–No, creo que no la he leído –contestó–. Me encanta esa historia.

–Ahora yo quiero preguntarte algo a ti –le dijo mi abuela a Jack.

–Vamos, dispara.

–¿Cómo está esa chica, no recuerdo su nombre..., la hija de Nora?

Nora era la amiga más antigua de mi madre, pero cuando ella dijo «Rebecca», mi abuela no se dio por enterada.

–Rebecca –dijo mi hermano.

–Sí, Rebecca –corroboró mi abuela.

–Está muy bien –dijo Jack–. Ha vuelto a cambiar de novio.

Según Jack, todos los novios de Rebecca eran negros, lo que parecía, si no racista, al menos racial, y me preguntaba: *¿Por qué solamente tíos negros, Becky?*, de la misma manera que me preguntaba en el caso de mi amigo Alex: *¿Por qué mujeres asiáticas?*, o en mi propio caso: *¿Por qué piratas?*

–¡Qué pena! –dijo mi abuela.

Jack se rió.

–Yo creo que a éste lo quiere de verdad.

–Decía qué pena por ti.

—Jack ya tiene novia —intervino mi madre.

—Tu conociste a Mindy —dijo él–. Rubia. Mandona.

—No es como Rebecca —dijo mi abuela.

—Rebecca es mi prima —que era lo que siempre contestaba mi hermano cuando llegábamos a este punto de la conversación.

—Prima política —que era lo que mi abuela le decía una y otra vez.

—Son amigos, mamá —dijo mi madre.

—Además, a Rebecca sólo le gustan los negros —dije yo, zanjando definitivamente la cuestión.

—Vaya, no lo sabía —dijo mi abuela.

Mi madre me fulminó con la mirada, y negó con la cabeza. Yo intenté por ella reparar el agujero que se había abierto en la atmósfera, pero cuando dije: «Abuela, ¿de dónde has sacado este oso?», mi madre volvió a negar con la cabeza.

Mi abuela contó que se lo había encontrado en un armario, y que había tenido que coserle las patas y la nariz.

—¿No es un encanto? A mí me parece monísimo.

—¿No tiene nombre? —pregunté.

—¡Claro que no!

—Sí, es muy mono —dijo Jack.

—Bueno —dijo mi abuela dando por terminada la conversación–. Me parece que deberíais iros ya. No me gustaría que tuvierais problemas con el tráfico.

Para mi abuela, el tráfico era el miedo siempre presente en su vida.

2

Volví a Nueva York con Jack en su viejo descapotable Karmann Ghia. Empezó a llover y el techo tenía goteras; yo secaba de vez en cuando el salpicadero con un trapo; lo reconocí, era una antigua toalla que mi madre tenía para los invitados, verde con margaritas bordadas, y pensé en la larga y dura caída de la toalla, desde la riqueza del aseo de la casa de mi madre, a trapo del coche de mi hermano.

Cuando estábamos en la autopista de Pennsylvania, le pregunté a Jack qué guión estaba adaptando para el programa piloto.

–*El Juez* –respondió.

–Ah, aquel que habías escrito sobre papá.

–No habla de papá.

–De acuerdo.

Le pregunté qué cosas iba a tener que cambiar, y cómo lo haría. Y luego seguí preguntándole sobre las reuniones y los productores, y sobre qué opinaba él de Los Ángeles.

–¿Sabes?, me he dado cuenta de que nunca me preguntas nada –le dije luego.

–Lo siento –dijo–. ¿Qué hora es?

Jack esperó hasta la siguiente salida de la autopista para hacer una pregunta de verdad.

–¿Cómo va el trabajo?

–Un asco. Un asquete total.

–Vaya. Entonces volvamos a mi vida.

–Necesito un trabajo nuevo.

–¿No me habías dicho que te había llamado un cazatalentos?

–Sí, pero era para hacer de redactora publicitaria. –Le recordé que no quería seguir trabajando en publicidad.

Se quedó en silencio. Yo tenía la esperanza de que estuviera pensando cómo podía ayudarme a encontrar una nueva profesión, pero cuando sonrió me di cuenta de que estaba pensando en otra cosa.

–¿Qué crees que debería hacer?

–Tal vez deberías tratar de volver a trabajar en el sector editorial –sugirió–. Te gusta mucho leer.

–También me gusta comer, y eso no quiere decir que tenga que trabajar en un restaurante.

Se quedó pensando durante un par de minutos.

–Serías una buena maestra.

Le recordé que había sido una pésima estudiante.

–Pues podrías enseñar a niños retrasados –dijo, y se rió a carcajadas.

–Estoy hablando en serio.

–¿Qué te parece el negocio inmobiliario?

Estaba a punto de decirle: *¿Y por qué no como entrenadora de perros?* cuando recordé que su novia era agente de la propiedad inmobiliaria.

–¿Cómo está Mindy? –pregunté, aunque lo que en realidad necesitaba preguntar era: *¿Quién es Mindy?* La había visto muy pocas veces, y no le había prestado mucha atención; como decía Robert, en la vida sentimental de nuestro hermano mayor todo solía terminar en el plazo de un año, tanto lo bueno como lo malo.

–No sé, no la he visto.

–¿No?

Se quedó callado. Finalmente, dijo:

–Me ha dado un ultimátum. «O cagas o dejas la taza libre.»

–¿Con esas palabras?

No respondió, y eso significaba que sí.

–Qué romántico –dije.

Me explicó que ella quería tener una familia, y una chica no puede posponer indefinidamente la decisión de tener hijos.

–¿Cuántos años tiene? Yo pensaba que tenía mi edad.

–Sí, es de la misma edad que tú.

–¿Te ha dado un plazo? –le pregunté unas cuantas salidas más adelante.

–No quiere verme hasta que me decida –dijo–. Y quizá no tenga más remedio que cagar.

Cuando le conté a Robert lo que Mindy le había dicho a Jack, asintió, en un gesto que podía ser de aprobación. Cuando le dije: «¿No te parece muy ordinaria?», se encogió de hombros, como diciendo: *Eso no tiene importancia.* Robert, a diferencia de mí, nunca se equivocaba a la hora de distinguir lo que era importante y lo que no lo era.

—¿Parecía hablar en serio? ¿Qué fue lo que dijo? —preguntó.

—«Quizá no tenga más remedio que cagar» —dije imitando a Jack.

Robert y yo estábamos comiendo en un restaurante chino nuevo, en la esquina de la consulta de mi hermano. En las banderas que adornaban la marquesina ponía BIENVENIDOS A LA INAUGURACIÓN, y era más que posible que el Jardín de Jade cerrara muy pronto con esas mismas banderas diciendo adiós, porque mis verduras con salsa parecían el diorama de un pantano, y la langosta de Robert le había recordado a una placenta. Habíamos terminado de comer, o mejor dicho habíamos renunciado a hacerlo, cuando Robert le dijo «¡Hola, Neil!» a otro incauto comensal que había entrado.

Era alto, desgarbado, vestía bata blanca de laboratorio y tenía aspecto juvenil, y llevaba unas gafas de montura negra con las que parecía que no nos miraba a nosotros, sino a su interior.

—Mi hermana Sophie, Neil Resnick —nos presentó Jack.

—Hola —dije.

—Ven, siéntate con nosotros —dijo mi hermano.

A pesar de su altura y su delgadez angulosa, tenía la nariz pequeña y las mejillas redondeadas, y cuando se quitó las gafas para limpiarlas le vi los ojos, oscuros y tan grandes y dulces que me trajeron a la memoria uno de aquellos retratos de niños pintados sobre terciopelo. Su pelo era espeso como el de un adolescente y largo como el de un hippy, pero esto parecía más un problema de descuido que una cuestión de estilo. Cogió el menú, dijo que era la primera vez que venía, y preguntó qué podía pedir.

—Yo que tú, me conformaría con esto —dijo Robert, y le pasó el bol de madera con fideos crujientes.

—El agua es buena —dije.

Neil pidió sopa *wonton*.

Robert dijo al camarero que habíamos terminado y añadió:

«Estaba muy bueno, gracias», porque el camarero parecía deprimido.

–¿Eres médico? –le pregunté a Neil.

–Sí, soy neurólogo. ¿Y tú?

Le dije que estaba pensando dedicarme a la neurocirugía, pero que entretanto trabajaba en publicidad.

–¿Trabajas cerca de aquí?

Le dije que trabajaba en la zona más estresante de la ciudad, en la calle Cuarenta y pico Este, donde todos los edificios irradiaban crisis y la ansiedad acechaba en cada esquina.

Neil dijo que allí, en la zona de los hospitales, entre las calles, donde dominaban la enfermedad y la preocupación, pasaba lo mismo.

–¿Y qué crees que pasa en la Cincuenta? –preguntó.

–Ya sabes –le respondí–, mariposas, caballitos, pan recién hecho, parejas de enamorados.

Yo también me puse de pie cuando Robert dijo que tenía que volver al hospital.

–¿Tienes que marcharte?

Sí, tenía una reunión a la que ya llegaba tarde.

–¿No quieres que... –empezó a decir Neil–. Podríamos quedar para comer en la Cincuenta.

–Claro que sí –dije, y le di el número de teléfono del trabajo.

–Divorciado, una hija –me informó mi hermano a la salida.

–Es simpático –dije.

–Sí que lo es –confirmó Robert.

Joe, el director de arte con el que trabajaba, me estaba esperando en mi despacho. Ya llevábamos unos minutos de retraso para la reunión, pero su «Deberíamos ir ya» no sonó a estímulo para ponerse en movimiento, sino a condena.

La luz roja de mi teléfono parpadeaba y Joe no puso inconveniente cuando pronuncié mi habitual: «Sólo quiero...»

Escuché el mensaje: era Neil –un instante de duda– Resnick.

Yo no pensaba en francés, pero me vino a la mente la palabra *frisson*. Nunca había tomado éxtasis, pero, por lo que sabía, era como si me hubiera tragado dos pastillas.

Joe se dio cuenta de lo que me pasaba –abrió los ojos un poco más, apenas un poco– y yo le respondí con un guiño; a fuerza de trabajar juntos habíamos logrado una simbiosis propia de los hermanos siameses.

Fuimos a la sala de reuniones a paso de perdedores. En la mesa había sillas desocupadas, pero nosotros nos pusimos contra la pared, junto a los Disconformes.

Gary, nuestro director creativo, que hoy era el maestro de ceremonias, estaba de pie con el marcador en la mano, junto al caballete. En ese momento preguntaba:

–¿Qué es sinergia?

No estaba claro si se trataba de una pregunta retórica, y nadie habló hasta que él preguntó:

–¿Alguien lo sabe?

La sala se llenó de definiciones –«Todos en la misma onda», «Coordinación», «Una máquina bien engrasada»– y Gary fue anotando las respuestas en el papel montado sobre el caballete. Luego se dio la vuelta e hizo un gesto con la cabeza, al parecer asombrado ante el poderío intelectual concentrado en la sala.

Por lo general, en estas reuniones siempre tengo la sensación de que el tiempo se ha detenido y la belleza ha desaparecido del mundo; ahora, como aún estaba bajo el «efecto Neil», la reunión me parecía una farsa musical, y me encantaba, a pesar de que no me gustaban las farsas, ni los espectáculos musicales.

Y cuando Gary dijo: «Imaginad a todos los departamentos trabajando de manera sinérgica», puse a sus palabras la música de «Imagine», de Lennon.

Cuando dijo «¿Y cómo vamos a conseguirlo?», yo oí: *¡Montemos un espectáculo!*

–¿Un tablero de noticias? –dijo una chica.

–¡Una hoja informativa! –cantó un pelota con ambiciones.

–¡Memos por e-mail! –proclamó mi voz, y me aprobaron en coro.

–Buena idea –dijo Joe, de pasota a pasota.

Cuando llamé a Neil, me preguntó si quería cenar con él el viernes, tres días después. Como él parecía haber eliminado la timidez de nuestro repertorio, le contesté con un «Sí» directo e inmediato.

–¿De verdad? –me dijo.

Cuando colgaba el teléfono, Joe apareció en mi puerta y me preguntó si estaba preparada para trabajar en toallitas para bebés.

Repetí la primera frase de un culebrón que veía de niña cuando estaba enferma y no iba al colegio: «Los días de nuestras vidas se deslizan como la arena de un reloj.»

Cuando le pregunté a mi madre por Lev Polikoff, me respondió en voz tan baja que tuve que aplastar el oído contra el auricular para oír lo que decía.

Pero la información que me dio no merecía tanto esfuerzo: Lev Polikoff vivía en Lamberville, Nueva Jersey, frente a New Hope, en la otra margen del río; seguía pintando, y se ganaba la vida como ilustrador.

No me di cuenta de que mi madre no quería hablar de Lev Polikoff hasta que por primera vez en mi vida me dijo: «Tengo que dejarte», y colgó ella antes que yo.

En las semanas siguientes, yo sólo le preguntaba si había hablado con él, y siempre me decía que sí.

Jack me había presentado a Mindy con menos alharaca que a sus predecesoras; no me había dicho, por ejemplo, que me iba a encantar. Apenas había hablado de ella, y por eso yo tenía la impresión de que era periférica y efímera.

En verdad, Mindy era todo lo contrario, como descubrí

317

cuando Jack me llamó para decirme que estaban comprometidos.

Me preguntó si tenía algo que objetar.

—No tengo ni idea. No la conozco —respondí.

Me dijo que Mindy era exactamente lo que aparentaba, y agregó:

—Lo que ves es lo que hay.

—De acuerdo, pero la he visto muy poco.

Quedamos en encontrarnos en un restaurante en la esquina de casa de Mindy, en el Upper East Side, a casi un día de viaje de donde yo vivía, el West Village. El restaurante era elegante pero informal, como mi hermano, que me esperaba en la barra e iba con tejanos, blazer azul marino, camisa blanca y una exquisita corbata verde con diminutas jirafas anaranjadas.

—Así que vas a casarte —dije.

—Sí.

Bebía un martini, que hacía juego con su corbata, y pidió otro para mí.

Mientras me servía el martini, el camarero le dijo a Jack que había llamado Debbie para avisar que Mindy llegaría unos minutos tarde.

—¿Quién es Debbie? —pregunté.

—Su A.P. —respondió.

—¿Su A.P.?

—Su asistente personal.

—¿Y ella será tu A.P. cuando os caséis?

—Es más probable que yo sea el A.P del A.P. de su A.P. —me respondió. Después hizo girar el taburete para quedar de cara a la puerta y poder ver a Mindy cuando llegara. Yo hice lo mismo con mi asiento y entonces vi un gigantesco arreglo hecho con unas bonitas flores azules.

—¿Sabes qué flores son ésas?

—Sólo sé que son flores —me respondió.

En ese momento entró Mindy y él se adelantó a recibirla.

Se besaron y Jack la ayudó a quitarse el abrigo; era de piel auténtica, y no lo había comprado en una tienda de segunda mano ni lo había encontrado en el armario de su abuela. Mindy estaba muy bonita con su ropa de trabajo —un traje claro, y una blusa de gasa— y caminaba con más gracia sobre sus tacones que yo descalza. Nos saludamos, y nos dimos la mano, y nos miramos como las cuñadas que muy pronto seríamos.

Nos sentamos en una mesa junto a la ventana; Mindy se disculpó por llegar tarde y también pidió perdón por adelantado por una llamada telefónica que iba a recibir durante la cena; estaba a punto de cerrar una gran operación. Trabajaba en la empresa inmobiliaria de su familia —The Bronstein Group— junto con su padre y dos de sus hermanos y alrededor de un millar de empleados.

Un camarero nos dijo cuáles eran los platos del día, le recomendó los que pensaba que le iban a gustar, y luego pedimos.

Mindy le explicó a Jack el negocio que tenía entre manos, y observé que él la escuchaba de verdad, sin fingir interés, ni intentar demostrar que era una persona que sabía escuchar.

Le pregunté a Mindy si le gustaba su trabajo y me respondió que le encantaba.

—¿Y qué haces, en concreto?

—Cada día es distinto. ¿A ti no te gusta lo que haces? —Y me di cuenta por como me lo preguntó de que ya sabía la respuesta.

Le expliqué que había aterrizado por casualidad en la publicidad y que no conseguía marcharme.

Como a una niña atrapada en el fondo de una mina, me dijo: «Nosotros te sacaremos», y yo escuché que en ese «nosotros» no sólo estábamos ella, Jack y yo, sino la totalidad del Bronstein Group, todos sus compradores e inquilinos, entre los cuales probablemente había personajes famosos, y todos sus contratistas independientes y sus transportistas. El «nosotros» de Mindy parecía incluir a todo aquel que tuviera poder –político, financiero o físico– en Manhattan, en la Tierra y en el Cielo. Se la oía tan fuerte, tan segura y tan decidida, que me vi en un futuro cercano fuera de la publicidad, y me dije: *Esto es lo que Jack ama en ella.*

Cuando nos trajeron las ensaladas, pregunté cómo le había pedido Jack que se casara con él. Sentía auténtica curiosidad, porque Jack nunca decía lo que se esperaba que dijera. Y si alguna vez lo hacía, era siempre con ironía, lo que en el caso de una propuesta matrimonial habría sido no sólo incorrecto, sino cruel.

Jack miró a Mindy, y volvió a preguntárselo: «Por favor, cásate conmigo.» Lo dijo sin ninguna ironía, y eso que ahora, en la repetición, podía permitírsela. «Y después le di el anillo.»

Entonces advertí mi descuido al no pedir ver antes el anillo; esto explicaba en parte por qué nunca me habían dado uno a mí.

Jack había diseñado el anillo con un joyero, un diamante engarzado en una banda de platino cuadrada; me lo estaba probando cuando llamaron a Mindy a su teléfono móvil. Se levantó y salió fuera para hablar.

Alejé la mano para mirármela, y le dije a mi hermano que si la cosa no funcionaba bien con Mindy, podía regalarme el anillo para mi cumpleaños.

–¿De verdad te gusta? –Jack me lo preguntó igual que cuando yo elogiaba uno de sus guiones.

–No seas tan inseguro.

Cuando le pregunté si Mindy se iba a cambiar el apellido, respondió que no, pero que quizá se lo iba a cambiar él. «Pero conservaré mi apellido de soltero», e imitando a los Monty Python, dijo con voz aguda y acento británico: «Jack Applebaum Bronstein.»

Le pregunté si ya tenían fecha para la boda y me respondió que sí, que sería dentro un año y medio, aproximadamente.

–La gente va a hablar –comenté.

Jack estaba mirando a Mindy por la ventana, y yo también miré. Ella caminaba por la acera. Encendió un cigarrillo, asintió una vez, y luego otra, y después se detuvo; entrecerró los ojos, sus labios formaron un arco hacia abajo y empezó a discutir.

Yo me daba cuenta de que Mindy era más dura que yo, y que Jack; me lo imaginé a él al otro lado de la línea.

Mindy nos vio en la ventana y nos saludó moviendo el meñique.

–Ésa es mi magnate –dijo Jack.

Neil, como si advirtiera mi miedo a que me dejaran plantada, me llamó el día antes de nuestra cita, y por la mañana del mismo día. Me pidió que nos encontráramos en Jules. Yo había oído hablar de ese restaurante; había abierto hacía poco y era imposible encontrar mesa. Pero Neil me explicó que Jules era hijo de uno de sus pacientes, y eso cambiaba las cosas.

El taxi paró delante del restaurante, y Neil estaba esperándome fuera.

Llevaba una trenka azul marino –de las que tienen botones ovalados de madera–, y era más alto y más flaco de lo que yo recordaba. Se movía como un adolescente, como si su cuerpo fuera una mansión que había heredado y a la que acababa de mudarse.

–¡Hola! –dijo, y me cogió de la mano y me llevó dentro. La *maître* no le hizo caso hasta que oyó que él le decía con tono amable: «¿Podría decirle a Jules que el doctor Resnick está aquí?»

Jules apareció un minuto después. Le dijo «¡Hola!» a Neil, y «Encantado de conocerte» a mí, y nos condujo a través del restaurante, por entre modelos, famosos, y guapos y guapas no profesionales, todos jovencísimos.

Yo estiraba el cuello para mirar, hasta que Neil me ofreció el asiento del espectador y él se sentó de espaldas a la pasarela.

—¿Te gusta el vino tinto? —me preguntó, y le dije que sí.

Yo ya sabía que Neil era judío, como yo; y que también había ido a la escuela pública y había crecido en un barrio residencial, aunque en su caso de trataba de Shaker Heights, en las afueras de Cleveland.

Cuando los dos pedimos bistec con patatas fritas, recordé que había leído un estudio que demostraba que cuanto más se parecían los miembros de una pareja, más posibilidades tenían de permanecer juntos para siempre.

Neil se había cortado el pelo y llevaba una corbata metida bajo un jersey de cuello de pico, un estilo que yo creía había estado de moda por última vez en 1947 en Main Street, USA. Pero cuando se lo alabé, me dijo que lo había comprado en una tienda que yo sabía que era el colmo de la modernidad en ropa de hombre, con sede en Londres.

El conjunto me había gustado más cuando no sabía que era de marca, pero luego Neil me contó que lo había comprado especialmente para nuestra cita y que estaba seguro de que había llevado exactamente la misma ropa en el instituto. Me confesó que tanto en el instituto como en la Facultad de Medicina él siempre había sido el menos guay entre los menos guays.

Yo, en el instituto, no había sido ni de lejos una chica guay ni popular. Pero me daba cuenta de que así me veía él y me seguiría viendo por mucho que yo insistiera. Cuando le conté que trabajaba en publicidad, me dijo que allí era donde iban a parar los chicos listos.

Le dije que estaba en lo cierto, y que seguían siendo tan inmaduros como antes. «Los tíos que no iban de guays en el instituto son los que quieres conocer ahora.»

Neil me dijo que él siempre había hecho lo que creía que esperaban de él, y que ahora comenzaba a darse cuenta de quién era y lo que de verdad quería hacer.

Había una chica tan delgada cerca de Neil que se la hubiera podido enviar por fax; luego se le unió un grupo de amigas muy parecidas a ella, y se doblaron como hojas dentro del reservado de al lado.

–Libros. Y películas. Y música. Antes no escuchaba música. En esto no nos parecíamos. A Neil le gustaba la música más nueva; me nombró bandas que yo ni siquiera había oído nombrar, y que él estaba seguro de que me encantarían, como los Silver Jews. Dijo que los iba a «tostar» para mí. Me llevó un minuto entender lo que quería decir: que me iba a grabar un CD. Le confesé que yo todavía escuchaba casetes y que muchas de mis canciones favoritas ya tenían un montón de años: «Tupelo Honey», de Van Morrison; «Mercy, Mercy, Mercy», de Cannonball Adderley; «Knockin' on Heaven's Door» y una docena de canciones de los primeros años de Bob Dylan.

–Tienes orejas grandes –dijo, y me explicó que en la jerga del jazz, se llamaba así a los *aficionados con buen gusto*. «Bugsy», dijo.

–También me gusta «You Sexy Thing» –dije.

Cantó: «I believe in meerkls since you came along», y pensé: *He aquí a un hombre capaz de cantar Hot Chocolate en la primera salida.*

Cuando nos trajeron los bistecs con patatas fritas dije que no había nada en el mundo mejor que una patata frita.

–Lo mismo digo. ¿Has probado las patatas del Corner Bistro? Sí, las había probado.

Probablemente las mejores fueran las del Pastis, dijo, aunque las del Four Seasons también le parecían inhumanas.

Pensé que quizá estaba tratando de impresionarme, lo que me parecía muy tierno, pero yo quería que él supiera exactamente quién era yo, y le dije la verdad: que me encantaban *todas* las patatas fritas, desde las del restaurante más sofisticado a las del bar más mugriento; que me encantaban grasientas, sin grasa, gordas, blancas y medio crudas, marrones y crujientes. En mi *Elogio de las patatas fritas famosas*, le hablé como si le estuviera desvelando mis creencias más profundas, y en cierto modo lo estaba haciendo.

Neil no se esperaba una ausencia de discriminación tan radical; tal vez eso no casaba con su idea de la chica guay y popular que en el instituto no se habría fijado en él. Me pareció que su cara me decía: *Esto va a ser más difícil de lo que yo creía.*

–De acuerdo –dijo, y percibí el acento de Cleveland en su voz–. Está bien.

Terminamos nuestras comidas idénticas exactamente al mismo tiempo, y pensé: *Vamos a estar juntos para siempre.*

Un momento después, se puso serio y dijo:

–Me imagino que Robert te habrá dicho que estoy divorciado.

Asentí.

–¿Y que tengo una hija? –Y ahora fue él mismo quien asintió.

Yo no veía a través de sus gafas y, como en nuestro primer encuentro, tuve la sensación de que no me miraba a mí sino que se estaba mirando a sí mismo.

Pidió otra botella de vino. Me contó que había estado dieciséis años casado y se había divorciado hacía tres. Su hija, que se llamaba Ella, tenía siete años.

–¿Te casaste en el jardín de infancia? –dije tras admitir que no soy buena en matemáticas.

Me contó que su mujer también era doctora, que se habían conocido en el posgrado en Yale y que ambos habían ido a la Facultad de Medicina de Harvard. Beth aún seguía ejerciendo en Boston. «Te gustaría –dijo–. Es muy inteligente.» Pero el matrimonio había ido de mal en peor y me dijo que él se defendía del desprecio de su mujer encerrándose en sí mismo.

–Apenas le oía la voz, era como si un interruptor me desconectara la personalidad –me dijo–. La verdad es que yo desaparecía.

Yo nunca había estado casada, pero pensé: *Yo también he hecho eso; yo he sentido lo mismo.*

–¿Y cuánto tiempo desapareciste? –pregunté.

—Dieciséis años, tal vez.

Respiró hondo, y luego supe por qué: «Tuve una aventura», dijo.

Pensé en decir *¡Taxi!* pero parecía demasiado apesadumbrado para que yo hiciera bromas.

Se quitó las gafas; cerró los ojos; negó con la cabeza. Me dijo que había cometido un grave error, lo oí en su voz. Oí que se había pasado horas y días y semanas y meses dándole vueltas en la cabeza a lo que había ocurrido una y otra vez. Era lo peor que había hecho en su vida, tal vez lo único malo. Y yo supe que Neil no volvería a hacerlo. Puede que parezca raro, pero la descripción que me hizo de su infidelidad me convenció de que nunca más sería infiel.

En ese instante sentí que era yo quien había tenido una aventura, y me perdoné a mí misma. Le cogí la mano y lo miré directamente a los ojos, esos ojos de terciopelo.

—¿Qué estás leyendo? —le pregunté.

Un momento después habíamos vuelto a la normalidad, como los novios que ya parecíamos ser, y el marido y la mujer que tal vez llegaríamos a ser.

Neil había terminado un libro de relatos que le había gustado y que también me gustaba a mí, y le recomendé otros libros de cuentos que pensé que le iban a gustar. También nos gustaban los mismos autores muertos: Hemingway y Fitzgerald, pero no Faulkner; ninguno de los dos había leído *Ulises*, y yo dije: «No lo leamos nunca», y nos juramos que pasara lo que pasase entre nosotros, nunca lo leeríamos.

—Me siento muy bien contigo —me dijo después que nos retiraron los platos.

Después del oporto, se inclinó y me besó en los labios.

Después de pagar la cuenta, me llevó a la calle y me abrazó.

Me habría parecido lo mejor, lo más natural del mundo, llevar a Neil a mi casa, si no hubiera hablado antes con mi amiga Kate: «Haz un esfuerzo por no precipitarte.» *¿Qué?* «No te acuestes con él en la primera cita.» ¿Estás loca? Y ella entonces había nombrado a algunos hombres del pasado.

—Yo bajo primero; el señor sigue —le dije al taxista.

Cuando entré en el piso, estaba sonando el teléfono. Era Neil, desde el taxi.

Volví a verlo unas noches después, y otras noches después, y otras noches después. Me llamaba al despacho todas las mañanas y todas las tardes, y yo, hasta una hora después de cada llamada, decía que sí a todo. Sí, revisaría los anuncios de otro redactor. Sí, iría a un almuerzo de trabajo con un grupo motivacional. Sí, el viernes Joe y yo nos reuniríamos con el cliente.

Joe entró en el despacho y dijo:

—¿Tú has dicho que el viernes estaríamos listos para reunirnos con el cliente?

—Sí.

—¿Estás loca?

—Sí.

—Les he dicho que se olviden de la reunión, que aún no tenemos nada hecho —dijo Joe.

—Fantástico.

Cuando Neil me invitó al teatro, traté de comportarme como si muchos, muchísimos hombres me hubieran llevado al teatro a ver infinidad de obras; entretanto, me sentía como si Neil me hubiera echado sobre los hombros un capa de armiño y me hubiera puesto un cetro en las manos.

Pero, embriagada como estaba, dije la verdad:

—A veces el teatro me da claustrofobia.

—No tenemos por qué ir, Bugsy.

—Pero quiero ir. —Y le dije que no habría problemas si me llevaba unos caramelos Life Saver—. No sé por qué, pero me dan la sensación de que podré escaparme por la boca.

Me dio el nombre y la dirección del teatro.

–Te esperaré con la alfombra roja.

Mi cerebro y las zonas inferiores reaccionaban ante Neil como una unidad: *Sí*, decían. Era un sí general, pero había desacuerdo con respecto a algunas cuestiones en particular. Mi cerebro, por ejemplo, quería que aún no me acostara con él; no por principio, sino porque: *¿Qué prisa hay?* La zona inferior, en cambio, decía que había prisa. *Cuando te has acostado con alguien* –decía el cerebro–, *ya nada vuelve a ser como antes.* Mi cerebro tenía un argumento sólido: ¿por qué no prolongar esta etapa de felicidad? Ya tendríamos muchos años para dormir juntos.

La mente dominaba al cuerpo, y yo no limpiaba el piso ni cambiaba las sábanas: así me aseguraba de que no llevaría a Neil a casa.

Antes de entrar en el teatro, Neil me dijo:

–Estás guapísima.

Vi en su expresión que lo pensaba de verdad, y eso me hizo sentirme guapa.

–Tú también estás muy bien –le dije yo, y no mentía; Neil llevaba una pajarita roja y un traje gris oscuro.

Cuando estábamos sentados en nuestro palco, me dio un paquete de Life Savers de cereza. Nos cogimos de la mano, nos acariciamos los brazos, y vimos la obra, o al menos lo intentamos.

Neil me llevó luego a los sofás blancos y las otomanas del bar del vestíbulo del Royalton, y cenamos.

Después de la tercera copa de vino le dije que sería mejor que esperáramos un poco antes de acostarnos.

–Creo que será mejor –le dije, aunque no podía recordar por qué–. Tendrá más sentido –añadí sin convicción.

–Si tú quieres, esperaré –contestó–. Respeto tus deseos. Pero yo ya estoy preparado.

—Perdona el desorden —le dije una vez en mi piso.

¿Estás bromeando?, dijo mi zona inferior.

—No me importa —dijo él.

Nos besamos largo rato en el sofá; nos echamos en el sofá; nos quitamos su pajarita, nos quitamos mi enagua, nos lo quitamos todo.

Y yo dije en broma:

—Otra razón por la pienso que deberíamos esperar...

Cuando nos levantamos para ir a mi habitación, no más grande que la cama, le dije que podíamos dormir con sábanas sucias o dejar el colchón al descubierto e imaginarnos que yo era una puta drogadicta.

—Una puta drogadicta —dijo él, y yo pensé que nunca había oído nada tan romántico.

De todos mis amigos, Adam era el que estaba más ocupado —de día trabajaba en una cadena de la televisión pública y de noche escribía obras de teatro— y me daba una gran alegría cada vez que me llamaba.

—¿Qué has fumado? —me preguntó después de hablar unos minutos.

Yo le hablé de Neil.

Me dijo que nunca me había visto —y oído— tan feliz, y eso que me conocía desde los veintidós años; habíamos trabajado juntos en una editorial.

—¿Y cuando estaba con Chris? ¿No parecía que me había drogado?

—Con Chris parecías enganchada a la heroína.

Después me dijo para qué llamaba. Yo le había pedido que me avisara si se enteraba de algún trabajo, y sabía de uno.

—Es para una serie sobre la naturaleza que produce la BBC. Necesitan escritores para americanizarla.

Le dije que no sabía nada de ciencia.

—No creo que sea necesario —me dijo Adam, y yo le contesté:

—Nunca palabras más dulces fueron dichas.

Me dijo que me llamaría cuando supiera algo más. Cuando colgamos, pensé: *Ya tengo un trabajo nuevo.*

Cada vez que tenía un novio nuevo, al cabo de un tiempo comenzaba a pensar en todas las chicas que me habían precedido; sentía su presencia, aunque sólo fuera en las cosas que él sabía hacer en la cama. Y me sentía muy sola, aunque mi zona inferior dijera otra cosa.

Con Neil, sólo estábamos él y yo.

Con Neil, podía creer que yo era la única mujer con la que se había acostado, y sabía que esto estaba bastante cerca de la verdad.

Yo voy a enseñarte todo —pensaba—. *Voy a enseñarte cómo ser cien amantes para mí, y yo voy a ser cien amantes para ti, y nunca necesitaremos a nadie más.*

Pero cuando dormía, Neil ya era un experto en algo imposible de enseñar: me abrazaba toda la noche, sus brazos alrededor de mi cuerpo, su pecho contra el mío.

Neil y yo pasamos juntos muchas noches, perdidos en el Triángulo de las Bermudas de los comienzos del amor.

Al cabo de un tiempo, tuve una gastritis y le dije que necesitaba pasar la noche sola.

—¿Tienes diarrea? ¿Tienes la caca floja?

—No pienso hablarte de mi caca.

Me trajo gaseosa de jengibre y me hizo tostadas. Me tomó la temperatura, me besó en la frente y me dijo: «Buenas noches, Bugsy.» Nunca me había sentido tan cuidada.

Adam llamó para decirme:

—No creo que te interese este trabajo.

—¿Por qué no?

—Es una serie política.

Iba a decir decir: *Pensaba que era sobre la naturaleza*, pero luego entendí el verdadero sentido de lo que decía Adam.
  –El productor ejecutivo se conforma con cambiar «la hora del té» por «la hora de la merienda». Pero el productor de la serie cree que el público norteamericano espera ver mucho más drama en la naturaleza que el inglés. –Y a continuación me explicó que tendría que trabajar mucho para solicitar ese empleo; me pedían que escribiera un guión nuevo para el primer episodio.
  –Tráelo. Estoy preparada.
  Me preguntó si podía hacerlo el fin de semana y le contesté:
  –Claro que puedo.
  Me envió la cinta y el guión con un mensajero. Me hizo feliz ver mi nombre impreso en la etiqueta con mi dirección. Pensé en todas las veces que había temido que me preguntaran qué hacía. Ahora podía decir en voz alta: «Trabajo para la PBS.»

  Neil dijo que habría querido ayudarme –le encantaban los programas sobre la naturaleza–, pero iba a pasar el fin de semana con su hija Ella en Boston.
  El argumento del episodio era un día en la vida de una charca.
  La voz de un inglés medio muerto de aburrimiento condescendía a narrar el programa, y volvía aún más plúmbeas frases tan poco excitantes como «Una araña cuida sus preciosos huevos» o «El remero peina la superficie en busca de presas».
  En las escenas tranquilas habían puesto música de arpa pensada para una ceremonia de té japonesa; en las violentas, los violines me recordaron la banda sonora de *Psicosis*.
  Llamé a Jack, y me sugirió que buscara los personajes más atractivos. Me gustaba el remero, o pulga de agua, pero este insecto no llevaba una vida llena de acción. La rana era carismática, pero era difícil perdonarle que se hubiera comido los huevos

que la araña había puesto jugándose la vida. La tormenta parecía un clímax, pero ¿de qué? Rebobiné la cinta, volví a verla, rebobiné, volví a verla, y cada vez me decía a mí misma: «¡Tú puedes hacerlo!» Pero no podía.

Había vuelto a la clase de ciencia, y estaba haciendo un examen para el que no había estudiado, y escogía la respuesta B sólo porque pensaba que no podía haber tres C seguidas. El sábado por la noche el guión tenía tantas anotaciones que ni siquiera yo podía leerlo, y cuando podía, no le encontraba sentido. Me decidí por la respuesta E. Nada de lo anterior. Lo borré todo.

El domingo por la tarde estaba cambiando otra vez *asesinar* por *matar* cuando se me ocurrió que prefería suicidarme antes que volver a ver la cinta.

Llamé a Kate; me dijo que si no podía reescribir el primer episodio tampoco podría –ni querría– rehacer los diez siguientes, y que no debía forzarme. Me dijo que lo que debía hacer era salir con ella a comer unas patatas fritas y tomar una copa de vino. Y es lo que hice.

Después, en casa, le escribí a Adam una nota de agradecimiento y de disculpa, y la estaba poniendo en un sobre junto con la cinta cuando llamó Neil.

–¿Cómo va la cosa?

Se lo conté y se ofreció a venir a casa y ayudarme con el guión.

Volví un instante a la charca.

–Gracias. Eres un encanto y te lo agradezco –le dije, pero mi tono de voz clamaba: *No, no, y mil veces no.*

–Puede que necesites un descanso –me sugirió.

Le dije que no iba a tener ganas de volver a ver el vídeo ni tras un descanso eterno.

–¿Estás segura?

Respondí parafraseando a Kate:

331

–No puedo hacerlo, no quiero hacerlo y no debo hacerlo.

–Un buen argumento. Pero ¿puedo ir, de todas formas?

Yo no soportaba volver a ver el vídeo, pero imité la voz en off para Neil. Él estaba leyendo el guión cuando llamó mi madre. Todavía recuerdo la exuberancia de su voz cuando dijo que por fin se había acostumbrado a vivir sola.

–En verdad, me gusta –dijo–. Me encanta.

Me sentía tan aliviada que reí a carcajadas.

Ahora pienso que aquél fue el fin de semana en que se reencontró con Lev Polikoff.

Cuando mi abuela tuvo su primer infarto cerebral, Robert fue a Filadelfia. Me llamó cuando ya la habían trasladado de Urgencias a la UCI, y luego a una habitación corriente. Mi hermano estaba sereno e infundía tranquilidad; explicó que se trataba de un derrame poco importante.

–¿Cómo se encuentra mamá? –pregunté.

–Mamá está... está estupenda –dijo Robert, y parecía desconcertado.

Neil trató de explicarme qué era un infarto cerebral, pero sólo oí «... vaso sanguíneo...» y «... lóbulo frontal...» hasta que me dijo que el tipo de derrame cerebral que había sufrido mi abuela era tan común que los médicos residentes lo llamaban O.A.D.C.: «Otra Anciana Desmayada en la Cocina».

Pero mi abuela tuvo otro pequeño infarto, y luego otro, y otro más.

En mi siguiente viaje, cuando fui a visitarla a su piso, la encontré en cama, hecha una viejecita, con un bolso de vinilo blanco apretado en la mano.

En realidad, yo había esperado durante largo tiempo que le fallara la salud, y no precisamente por la edad. Ella siempre había considerado que la gente que enfermaba o moría era débil y negligente, y esto, de acuerdo con los irónicos mandatos del destino, sería lo que provocaría su propia muerte. Tras el fallecimiento de mi padre, cuando ella anunció que hacía ejercicio y comía bien, mi madre le había respondido con una mueca, pero yo pensé: *¡Ya verás, Steeny!*

Me sorprendió verla tan envejecida, pero la imagen no era nada comparada con la banda sonora. «Adelante, bizcochito de miel», me dijo con tanto cariño que me volví para comprobar si detrás de mí había algún bizcocho de miel.

Tenía que sentarme. Llegué a rozar una silla con la parte de atrás de las piernas, pero la mujer que ocupaba el cuerpo de mi abuela dijo: «Siéntate conmigo.»

Mi madre y yo nos sentamos en la cama y mi abuela nos cogió las manos.

–¿Qué os puedo ofrecer, bonitas? ¿Una taza de té, o de café? ¿O una copa de jerez? –nos dijo. Luego nos propuso sopa, bocadillos, tarta y helado de crema. Y dijo que si no tenía lo que deseábamos, Laura, la amable mujer que la cuidaba, podía ir a buscarlo.

Mi madre dijo un seco: «Gracias, no quiero nada», y yo me pregunté si la repentina generosidad y el cariño de su madre le recordaban las largas décadas que había pasado sin ambos.

–A ti te gustaría un whisky –me dijo la abuela.

–Sí que me gustaría.

Llamó a Laura y dijo:

–Estás estupenda, Joyce.

Mi madre se limitó a asentir, como si hubiera escuchado cumplidos de su madre toda la vida, cuando era todo lo contrario.

–Sí, mamá, estás espléndida –le dije yo.

Esta vez se dio por aludida; le brillaron los ojos.

–¿De verdad?

–Claro que sí. Estás fantástica. –Era cierto; estaba menos demacrada, y tenía la tez sonrosada y no gris.

–¿Has cambiado de pintalabios? –preguntó la abuela.

–No, madre –respondió ella; con frialdad, pensé yo.

–Es bonito –dijo mi abuela. Ni ella ni mi madre parecían darse cuenta de que ambas habían cambiado.

Cuando Laura volvió con mi whisky, mi abuela dijo: «Tendrías que haberlo servido en una copa de cristal», pero fue la única aparición de la antigua Steeny.

–¿Por qué no me lo habías dicho? –le pregunté cuando estábamos en el ascensor.

–¿Qué?

–Que la abuela estaba así.

–Parece muy frágil, ¿no?

–Le ha cambiado la personalidad.

–Tiene bolsos de piel muy bonitos. No sé por qué se aferra a ese bolso de vinilo –reflexionó mi madre.

–Es muy simpática. Sí, se ha vuelto amable.

Mi madre asintió, pero no estaba de acuerdo, o no le importaba, y eso me parecía tan raro, tan llamativo como la transformación de mi abuela.

–¿Tú no has notado el cambio? –le pregunté.

–Sí que lo he notado. Se siente vulnerable. Está más vieja.

–¿Y eso te pone nerviosa?

–No, claro que no –dijo–. Laura es encantadora, ¿no crees?

Neil y yo nos fuimos a pasar el fin de semana fuera; un paciente le dejó su casa de campo en Connecticut. Neil alquiló un coche. Por el camino le pregunté qué deseaba ser de mayor, y contestó sin titubear: «Astronauta.» Me contó que había estado obsesionado con la NASA, que se había quedado pasmado cuando vio caminar a los hombres en la luna, y que había escrito a todos los astronautas.

–¿Te contestaron?

–Sí. No todos, pero algunos lo hicieron. –Dijo que tendría

que preguntarle a su madre si sabía dónde estaban las cartas, pero luego añadió–: Seguro que las ha tirado.

–¿Hablas en serio?

–Sí. Pero antes de reconocerlo me dejará que las busque durante horas. Y luego, para defenderse, hará que me sienta como un idiota por haber querido recuperar mis cartas.

–Qué encantadora. ¿Y tu padre?

–Veamos... –dijo Neil–. Te contaré la mejor anécdota: cuando el dentista de la escuela dijo que yo necesitaba un aparato corrector, mi padre me dijo que presionara los dientes con la lengua todos los días, que así se arreglarían mejor.

–¿Tu padre era...?

–¿Dentista? No. Era contable.

Neil paró en una tienda de antigüedades que tenía miles de tarjetas postales. Algunas no eran más que fotografías antiguas, retratos de personas que habían posado para un fotógrafo, convertidos luego en tarjetas. Neil dijo:

–Seguro que nunca pensaron que acabarían en una tienda de antigüedades.

–Nunca piensas que pueda sucederte a ti.

–¿Buscan ustedes algo en especial? –preguntó el propietario de la tienda.

–Me gustan las fotos antiguas de animales –dije.

Neil me miró como si jamás hubiera encontrado a nadie tan divertido y estrafalario.

El propietario bajó una caja del altillo: viejos zoológicos, un criadero de palomas, una bandada de avestruces. Las compré todas.

En el coche le dije a Neil que mi foto de modas preferida era la de una modelo llamada Dovima posando entre dos elefantes. Le conté que me había pasado la vida buscando su largo vestido negro, pese a que a Dovima no le había sido muy útil; según la nota necrológica que apareció en el *Times*, había acabado como «azafata» en una bolera.

Cuando giramos por el camino de entrada a la casa, Neil me pasó una bolsa gigante de Life Savers y dijo:

–Por si te sientes claustrofóbica conmigo. Lo que yo sentía era justamente lo contrario y se lo dije.

Me vino a la cabeza la expresión: *La abierta inmensidad,* que uno de mis ex novios había usado para describir el paisaje del Oeste que había perdido y añoraba.

La casa era antigua y acogedora, con suelos de madera pintada y una chimenea. Nos desnudamos mientras íbamos al piso de arriba y nos dirigimos directamente a la cama de dosel.

Cuando abrí los ojos, vi por la ventana los manzanos en flor.

En los últimos años, lo más parecido a cocinar para otro que había hecho era abrir un paquete de cigarrillos y vaciar un cenicero. Pero me apetecía cocinar para Neil. Puede que fuera porque me había contado que se había criado a base de platos congelados, y que él y su mujer siempre habían pedido comida a domicilio. Lo cierto es que cogí el coche y fui a comprar provisiones al mercado, y vino a la bodega.

Cuando regresé, Neil hablaba por teléfono; acababa de marcar el número, porque en ese momento decía:

–¿Puedo hablar con Ella, por favor?... De acuerdo, pues –dijo luego, y colgó. Trató de tomárselo a broma, e imitó a su ex mujer que le decía: «Ahora no está aquí», y le colgaba en las narices.

–¿Te ha colgado?

Volvió a imitarla.

–Creía que tenías una relación cordial con Beth –dije.

–La tenemos, pero todo es relativo.

–¿Y eso?

–Bueno, antes colgaba en cuanto oía mi voz –dijo, y trató de reír.

Me dijo que, de todas formas, se llevaban mejor que muchas parejas divorciadas.

Me dio la espalda y simuló buscar algo en un cajón. Fue a

la otra habitación y después al piso de arriba. Y entonces me acordé de que me había dicho que había desaparecido dieciséis años de los dieciséis que había durado su matrimonio.

Saqué de las bolsas lo que había comprado y lavé las verduras. Abrí la botella de vino y me serví una gran copa. Neil vino a la cocina cuando sonó el teléfono y yo lo cogí. Para entonces yo ya conocía a la operadora de su servicio de llamadas; era Helen. «¿Puedo hablar con el doctor Resnick?», dijo. Le contesté en broma: «Yo soy la doctora Resnick», y me alegró que Neil se riera.

«Hola», dijo Neil tras coger el auricular, y luego: «Muy bien, póngame con ella», y después: «Soy el doctor Resnick.»

Siempre recibía llamadas de pacientes porque sustituía a muchos de sus colegas, y en particular al doctor Glatz, siempre de viaje, y cuyos pacientes eran personajes famosos, y muy exigentes.

No me importaba. Para mí era un placer oír a Neil mientras hablaba con sus pacientes, tan seguro, tan sabio. Y me gustaba que ayudara a quienes lo necesitaban.

Cuando terminó con el último paciente y colgó el teléfono, se disculpó. Le dije que no tenía por qué hacerlo.

–No puedo creer que estés cocinando para mí –dijo.

–Yo tampoco.

Encendí las velas y adorné la mesa con mis tarjetas postales. El pollo no estaba mal y la ensalada era excelente.

Después de cenar revisamos el estante de las cintas de vídeo, y Neil se entusiasmó cuando encontró *2001: una odisea en el espacio*.

–Tenemos que verla –dijo.

–Es sobre el espacio, ¿verdad? ¿Y sobre el futuro?

–Ajá.

–Tengo malas noticias. Odio el espacio y el futuro.

–Por favor, no digas eso.

En la cama, Neil me preguntó si alguna vez había estado a punto de casarme.

Le hablé un poco de Chris: se había criado en Manhattan, había ido a Brown, y trabajaba como abogado para los sin techo. Le conté también que llevábamos comprometidos tres semanas cuando yo decidí que no quería seguir.

–¿Por qué?

–Me di cuenta de que la boda no iba a cambiar nada –le dije–. Sólo iba a ser más de lo mismo.

–¿Más de qué?

–De *¿Quién teme a Virginia Woolf?*

–Entonces, ¿no te arrepientes?

–Chris está muerto. Un accidente de coche.

–¡Por Dios! ¿Y cuándo fue eso?

–Alrededor de un año después.

–Es una historia muy triste –dijo Neil, y me abrazó.

Se quedó dormido y yo me quedé un largo rato a su lado. Después me vestí y bajé. Me serví una copa de vino y me la llevé al pequeño porche.

Había una luna muy bonita, no llena, pero bastante grande, e iluminaba los manzanos y los pétalos caídos.

Fumé un cigarrillo.

No le había contado a Neil que yo siempre había pensado que terminaría viviendo con Chris, incluso después de la ruptura, incluso después de su muerte.

Adam me había acompañado al funeral. Estaba lleno de gente, como casi siempre ocurre en el funeral de una persona joven. Nos sentamos al fondo, donde apenas se veía y apenas se oía.

Yo miraba a todas las mujeres. Sólo las veía por detrás, pero las estudiaba una por una, el pelo y la espalda. Los cuellos y los hombros. Los brazos. Y me preguntaba: *¿Y tú? ¿Se ha acostado también contigo?* Estaba en el funeral de Chris y no me abrumaba el dolor, sino los celos.

Adam me adivinó el pensamiento y me dijo que esas mujeres no habían significado nada para Chris. «Sólo mantenían caliente tu asiento», dijo.

Caminamos, como en procesión, hacia Central Park, más allá del tiovivo, hasta el campo donde Chris iba los domingos a jugar al *softball*. Sus cenizas estaban en una urna metálica; Adam y yo cogimos un puñado cada uno y lo esparcimos sobre el promontorio. Le dije en broma a Adam, como lo había hecho antes cientos de veces: «Dime la verdad, Adam: tú no crees que Chris y yo volveremos a estar juntos, ¿no?»

Adam rió, y yo también. Me abrazó, y creo que se dio cuenta de que yo estaba a punto de echarme a llorar, porque dijo: «¡Caray, me parece que te he echado un poco de Chis encima», y me quitó el polvo del abrigo.

Adam y yo nos dirigíamos al Boathouse cuando nos detuvo una mujer.

–No me conoces –dijo–. Me llamo Myla. Soy la que vino después de ti.

–¿Ves? –me dijo Adam cuando se marchó.

Eso no cambiaba nada.

La parte de mi cerebro inaccesible a la razón no creía que Chris hubiera muerto. Él había cambiado con otro paciente su pulsera de identidad, o la ficha médica, había anudado las sábanas, y se había escapado por la ventana. Lo buscaba en todas partes, como a un fugitivo escondido. Un pelo rubio y revuelto, una chaqueta tejana, y yo me decía: *Chris*.

Siempre había pensado en él como el tío que se rajó, pero en ese momento dejó de ser cierto. Ahora sabía que si Chris apareciera caminando por la hierba a la luz de la luna, se acercara al porche y volviera a pedirme que me casara con él, yo diría otra vez que no.

Me pregunté si estaría allí, es decir, en todas partes. Imaginé que sí. Imaginé que me preguntaba: *¿Quién es el tío que está dentro?*

Y como si me hubiera hablado de verdad, le dije con mi voz más dulce:

—Es el que vino después de ti.

Después de la muerte de mi padre, mi madre me había llamado primero todos los días, después, cada dos días, y luego con intervalos de unos cuantos días. Un domingo me di cuenta, con una punzada de culpa, de que hacía más de una semana que no hablábamos.

Contestó al teléfono con una voz tan ronca que le pregunté si estaba resfriada.

—No —respondió—. Me siento maravillosamente.

Le hablé de Neil, pero estaba distraída. Finalmente, dejé de hablar.

Le llevó un minuto darse cuenta. Luego dijo:

—Estoy muy contenta de que tú también tengas a alguien.

Un día que estábamos hablando por teléfono, me dijo: «Tengo una llamada en espera.» Se puso nerviosa, me pidió que no colgara, y desapareció.

Yo sabía que era Polikoff; lo que no sabía era si mi madre se había olvidado de mí o si había decidido dejarme esperando.

Me llamó una hora más tarde. «Lo siento mucho», me dijo, y no había duda de que era sincera.

Empecé a llamar a la versión nueva y corregida de la abuela como nunca lo había hecho con la original. Al principio sólo hablábamos unos minutos; yo la llamaba mientras esperaba para ir a una reunión, o cuando terminaba de comer. Ella me preguntaba por el trabajo y yo le respondía que muy bien, sin entrar en más detalles.

Pero una vez me dijo:

—¿En qué trabajas hasta las diez de la noche?

—Estoy tratando de escribir un folleto de lo más estúpido.

—¿Y por qué es tan difícil?

Le expliqué que la dificultad estaba en que había que dar la impresión de que no lo había escrito una persona; debía tener la autoridad de la voz de Dios o de la Ciencia. Me pidió que se lo leyera, y lo hice, aunque era largo. Me detenía a cada rato, pero ella decía: «Continúa» y «Nadie me está esperando para ir a un baile». Y cuando terminamos, para hacerme un cumplido, me dijo: «Jamás hubiera dicho que lo había escrito un ser humano.»

Adam llamó para decirme que habían vendido Steinhardt, la editorial donde nos habíamos conocido, y que probablemente desmantelarían el departamento de publicaciones. «Es el fin de una época», fueron sus palabras.

Le dije que yo pensaba que esa época había terminado hacía tiempo. Iba a preguntarle si conocía a alguien que aún siguiera trabajando allí, cuando me acordé de Francine Lawlor, y dije su nombre en voz alta.

Me felicitó por mi memoria, pero le dije que no tenía ningún mérito, que Francine me enviaba una tarjeta cada Navidad desde hacía catorce años.

Mientras yo estaba al teléfono, Adam buscó su nombre en la *LMP*, la guía de las editoriales.

—Todavía está allí.

—¿Cuánto hace? ¿Veinte años?

—Por lo menos.

—¿Y qué pasará con ella? ¿Tú qué piensas?

Adam no dijo nada.

—Vamos, contesta.

Me dijo que estaba pensando en el fin de «Bartleby, el escribiente».

—El cuento de Melville —añadió por si yo no lo sabía.

—¿Qué le pasó?

—Se niega a dejar su puesto y lo llevan a la cárcel.

–Y allí fue feliz por siempre jamás.

–¿Recuerdas la última frase?

–Lo leí en la universidad... si es que lo leí.

–«¡Ah, Bartleby! ¡Ah, humanidad!» –citó.

–¡Ah!

–¿No te alegras de que te haya llamado? –me preguntó Adam.

Neil y yo fuimos a cenar a casa de Robert, y también fueron Jack y Mindy. Nos sentamos en el salón mientras la niñera bañaba a los gemelos.

Robert preparó unos martinis perfectos, y Naomi pasó bandejas con unas tapas deliciosas, *bruschetta* con tomates y pesto.

–¿Esto lo habéis hecho vosotros? –preguntó Neil.

–Sí, trabajé como un esclavo yendo a buscarlos a Zabar's –bromeó Robert.

Me daba cuenta de que Neil estaba muy nervioso, y lo comprendía. Jack se mantenía neutro y distante; se podría haber puesto la toga que llevaba mi padre en el tribunal.

–¿Qué pasa con *El Show de Jack Applebaum?* –pregunté.

–No pasa nada –contestó Jack–. A los productores no les gustó el guión.

–Eso no es verdad –intervino Mindy–. Querían que hiciera unos cambios, pero él se negó.

–Eran ridículos –aclaró Jack.

–¿Y qué estás haciendo ahora? –pregunté.

–Estoy pensando en montar mi propia productora –respondió. Y explicó que la idea era hacer de enlace entre los proyectos y las personas–. Lo único que necesitas es una tarjeta, un teléfono y una dirección de correo electrónico.

Eso me sonaba a estafa, pero no se lo dije; lo habría hecho si hubiera estado a solas con él.

–Es decir que eres algo así como un intrépido hombre de negocios.

–Más intrépido que de negocios –replicó Jack.

Neil contó que uno de sus pacientes era director, y dijo un nombre muy famoso.

–¡Vaya! –exclamó Jack–. ¿Y cómo es?

–Está loco –respondió Neil.

–¿Tiene un tumor cerebral o algo por el estilo? –preguntó Jack.

Neil negó con la cabeza –ya había dicho todo lo que estaba dispuesto a decir– y me alegré de que así fuera.

Miré a Robert para ver qué le había parecido que Neil hablara de un paciente, pero era imposible saberlo.

Un momento después la niñera trajo a Isabelle y a Max al salón para que nos dieran las buenas noches, y Neil preguntó si podíamos llevarlos nosotros a la cama.

Naomi me sonrió.

–Claro que sí –dijo Robert.

Neil y yo nos acostamos con ellos –chico, chica, chico, chica; adulto, niño, adulto, niño– y los dos les leímos un cuento a los dos.

Cuando le tocó el turno a Neil, usó una variada gama de voces y de efectos sonoros –para los monstruos puso voz cavernosa, para los pasos golpeó con los dedos contra la pared, para el viento sopló con fuerza– y los gemelos quedaron encantados.

Y allí mismo algo pasó: veía a Neil desde fuera, como si fuera un extraterrestre que había aterrizado, yo no sabía bien cómo, en la cama de mis sobrinos.

Pero me sacudí la telaraña: la extrarrestre era yo, que venía a sabotear un momento encantador, y mi novio sólo trataba de mostrarme que era un buen padre. Si se comportaba como un comicastro, o hablaba de un famoso sin venir a cuento, era sólo porque quería gustar a las personas que yo amaba.

Durante la cena, Jack describió el loft que Mindy había encontrado para que Rebecca y su nuevo novio lo rehabilitaran. «Es un ático con vistas al río», explicó.

Pregunté si era el nuevo novio del que habíamos hablado hace tiempo, y Jack dijo que no, que éste era aún más nuevo.

–Es ingeniero –dijo–. Un buen tipo.

–Y millonario –agregué yo.

Mindy explicó que se trataba de un espacio vacío y había que hacerlo absolutamente todo, y que estaba situado en una zona bastante mala, al final de West Chelsea. Pero dijo que el loft iba a quedar espléndido, y que Rebecca se había ofrecido a hacer allí la fiesta de compromiso de ella y Jack.

–No hagáis planes para Año Nuevo –dijo Jack.

Neil me apretó la mano bajo la mesa, y yo le respondí de la misma manera.

–¿Y podrías encontrar un espacio vacío en una zona mala para mí? –pregunté.

Jack contestó que sí, si estaba dispuesta a que la tía Nora se quedara en mi casa una vez por semana.

Durante el postre, Neil hizo un verdadero esfuerzo para hablar con Jack, y por fin encontró que tenían un interés en común –la música– y un grupo que les gustaba a ambos. Neil dijo que había comprado su último CD y que era fantástico.

–¿Hablas en serio? –preguntó Jack.

–Sí.

–Vamos, comparado con el anterior es una mierda.

La cara de Neil se congeló en una mueca despectiva.

–¿Qué es lo que no te gusta de ese disco?

–¿Qué es lo que no me gusta? Es una mierda. Suenan como un grupo de garaje.

–Pero ésa es su intención –dijo Neil; sonaba pedante, pagado de sí mismo, y por un momento se me hizo cuesta arriba pertenecer a su equipo.

–Me parece que la intención no importa mucho si la música es una mierda –dijo Jack.

–A mí el último CD me gusta –intervino Mindy, y yo la hubiera besado.

–Allá tú –dijo Jack–. Ya sabes, sobre gustos...

Cuando Jack se levantó, fui tras él.

–¿Qué estás haciendo? –le dije delante de la puerta del baño.

–¿Qué dices?

–¿Por qué atacas a Neil de esa manera?

–Sophie, la discusión es una manera de relacionarse entre los hombres heterosexuales.

–Ah.

–Ve con cuidado o conseguirás que Neil se vuelva aún más calzonazos de lo que es.

–Te odio.

–Si no te importa, quisiera hacer pipí.

Un segundo después apareció Mindy, me pidió disculpas y entró en el baño con Jack.

–¡Eh! –le oí decir a mi hermano–. El baño es un lugar privado.

Cuando volvieron a la mesa, Jack le dijo a Neil:

–Lo siento, me he comportado como un gilipollas.

–No tiene importancia, no te preocupes –respondió Neil.

–Jack es demasiado protector –dijo Mindy.

Robert contó entonces la historia de mi graduación en el instituto, cuando Jack me pilló besando a mi novio y dijo: «¿Qué le está haciendo ese tío a nuestra hermana?»

Naomi comenzó a hablar sobre la importancia de la siesta.

–Los gemelos no son los mismos cuando no duermen la siesta –dijo–. Y, sin embargo, hay muchos padres que no dejan que sus hijos duerman por la tarde.

A partir de ese momento la reunión decayó, como solía suceder en las cenas con Naomi, pero cuando volvíamos caminando a su piso, Neil me dijo que lo había pasado muy bien. «Me encantó leerles un cuento a Max y a Isabelle», comentó, y yo volví a oír sus soplidos.

–¿Qué nombres de niño te gustan? –me preguntó luego.

Me cogió tan desprevenida que contesté: «Me gusta Ella.»

–No puedo tener dos hijas que se llamen Ella –dijo riendo.

–Albertine, entonces –dije–, y Cleo.

–¿Y si es un chico?

–George.

–Sí, a mí también me gusta George –dijo.

Habíamos ido al piso de Neil porque estaba cerca de West End Avenue. Rara vez íbamos allí. El salón estaba lleno de muebles traídos del trastero de la casa de los padres de Neil, en Shaker Heights. Y allí tendrían que haber seguido.

La única habitación acogedora del piso era la de Ella. Neil le había dejado a ella el dormitorio principal, aunque los fines de semana él iba a visitarla a Boston, y en verano la llevaba a Cape Cod. La habitación de Ella era grande y luminosa, y estaba decorada por el propio Neil: un tocador, cortinas fruncidas de tela de algodón que hacían juego con la cama de dosel, que era muy parecida a la que yo tenía cuando era niña.

La habitación de Neil era pequeña y desnuda –una moqueta de lana color marrón, un futón, y un reloj sobre una caja de madera que servía de mesita–, una habitación que hizo que tuviera ganas de apagar las luces.

Nos besamos en la oscuridad.

–Naomi es tan, tan lenta hablando –dije muy, muy lentamente.

–Sí. Me he dado cuenta –dijo Neil cinco minutos después.

En mi despacho, Joe estaba diseñando el paquete de regalo para las madres entusiastas que habían marcado el recuadro: «¡Sí! ¡Envíenme las toallitas para bebé GRATIS!»

–¿Te das cuenta de lo que estamos haciendo?

–Claro que sí –respondí.

–Pues no pareces sufrir tanto como debieras.

–Sufro en silencio –dije.

–No, estabas silbando –replicó, con aire de estar realmente preocupado por mí–. Te he oído silbar.

Jack me dijo cuando estábamos desayunando que Neil le había caído muy bien a Mindy.

—Me alegro —dije.

—Estoy seguro de que a mí me habría caído mejor...

Yo esperaba que dijera: *si no hubiera sido tu novio*. Pero se quedó un momento callado, y luego dijo:

—El último novio de Mindy era médico. Esa mujer tiene algo con los médicos. Es una «medicófila». —Y luego añadió—: ¿Sabes a quién me recuerda Neil? ¿Cómo se llamaba aquel amigo de Robert que venía a estudiar a casa en pijama y bata?

—Ivan Tarsky —dije.

—Ivan Tarsky —repitió.

—A mí me encantaba Ivan Tarsky.

—¿Y cómo son los amigos de Neil? —preguntó Jack.

Pensé en el único que había conocido. ¿Cómo era Jules? Nos había conseguido mesa en su restaurante sin hacernos esperar ni un minuto.

—Son simpáticos —contesté.

—Eso es bueno —dijo, y parecía que se alegraba de verdad por mí. Me contó que a él gustaban los amigos de Mindy y sonrió, tal vez pensando en los que más le gustaban—. Lo único que tengo que decir de Neil —dijo luego— es que parece demasiado joven.

—Tú te has hecho adulto hace quince minutos. Con Mindy.

—Es verdad, he madurado con Mindy.

—¿Y cómo fue eso?

—No tengo ni idea. Puede que ya estuviera preparado para hacerme mayor. En todo caso, ya era hora.

—Así es como me siento yo.

—No, tú sólo lo dices porque lo he dicho yo.

Neil había conocido a muchos de mis amigos, y yo no quería preguntarle directamente por qué no me había presentado a los suyos. Esperé hasta que estuvimos en la cama y con las luces apagadas. Entonces le dije: «Salgamos una noche con tus amigos, si quieres.»

No dijo nada.

Ya estaba casi dormida cuando le oír decir: «Yo era amigo de otras parejas. Pero cuando Beth descubrió mi historia con Darcy...» Y yo me pregunté: *¿Quién es Darcy?* Él nunca me había dicho su nombre.

—¿Eres amigo de Glatz? —le pregunté a Neil cuando colgó el teléfono después de atender al segundo paciente de Glatz de la tarde y volvió a la mesa a terminar la cena que yo había preparado: costillas de cerdo marinadas y guisantes con menta.

—¿Bromeas?

—¿Y por qué lo sustituyes siempre?

Se encogió de hombros.

—Es un rollo —dijo—. Y no se puede decir que gane dinero con esto.

—¿Y no puedes decir que no?

Antes de que me contestara, ya sabía lo que diría: «De todas formas, Glatz tiene algunos pacientes muy interesantes.» Neil mencionó a un famoso cantante de rock con el que había hablado, y soltó una risita, y sacudió la cabeza, como diciendo: *¡Habló conmigo! Con Neil Resnick, el plasta del instituto de Shalker Heights.*

—Neil —dije—. No me pareció bien que le hablaras a Jack de ese paciente.

La satisfacción desapareció de su rostro.

—¿Porque es paciente de Glatz?

—Porque mencionaste a alguien famoso para impresionarlos —dije, y él asintió, no para que prosiguiera, sino para que me callara.

Luego continuó sin hablar, y se mantuvo ocupado recogiendo la mesa, y haciendo correr el agua del fregadero.

—¿Podemos dejar los platos para mañana? —preguntó.

—Claro que sí.

–Estoy molido. Demolido. Es hora de que alguien recoja los pedazos.

No sabía si él siempre había hablado de esta manera y yo no me había dado cuenta ahora. Pero me irritó, y me sentí triplemente irritada conmigo misma por estar irritada. Él estaba nervioso y yo pensé: *Es lógico*. Yo me estaba comportando como una de esas chicas listas que me daban miedo en el instituto. Me estaba comportando como mi abuela antes de sufrir el infarto, cuando nos miraba como si ninguno de nosotros fuera lo bastante bueno para pertenecer a su familia.

–Te irrito, ¿verdad? –me preguntó cuando me acosté.

–No, no eres tú. Soy yo, que estoy nerviosa. Discúlpame.

–No. Soy irritante. Ya lo sé.

Estábamos en Jules, y Kate me dijo:

–Vas a tener un hijo con ese tío.

Ella misma estaba tratando de tener un hijo sola, y sugirió que coordináramos nuestros embarazos.

Habíamos terminado de comer y estábamos tomando el café; Neil había salido a hablar por teléfono.

–Parece muy buena persona.

–Lo es.

Pero oyó en mi voz o vio en mi expresión lo que yo estaba pensando: *No lo amo como amaba a Chris*. Me miró. Inclinó la cabeza. Estaba escogiendo sus palabras.

–Neil es un buen hombre –dijo por fin–. Es alguien con quien podrías tener una familia.

Me estaba diciendo: *Ésta es tu oportunidad*.

Jules se detuvo ante nuestra mesa y preguntó:

–¿Cómo está todo?

–¡Muy bien! –respondí.

–Muy bien –dijo Jules, y fue a otra mesa; alcancé a oír débilmente los ¡Muy bien! ¡Muy bien!

–Lo siento –se disculpó Neil cuando regresó, y nos dijo

349

que había tenido que coger la llamada, que era muy importante. Estaba radiante y esperé que dijera el nombre famoso.

–Era Ella. –Y, dirigiéndose a Kate, le explicó–: Es mi hija. Más tarde, en el taxi, me dijo que estaba impaciente por presentármela.

En la cama, recordé las palabras de Kate: *Neil es alguien con quien podrías tener una familia.* Me imaginé a Kate ante su ordenador, leyendo en internet las descripciones de los potenciales donantes de esperma, donde informaban sobre su color de pelo y sus aficiones, y, junto con esta imagen, me llegaron los murmullos de voces cuya autoridad y veracidad era incontestable: las estadísticas de *Newsweek,* los cotilleos de las chicas que yo había evitado en el instituto y que hoy ya estaban casadas, y los consejos de mi abuela Mamie: Ya era hora de que dejara de buscar un alma gemela y me contentara con un compañero; el tiempo se te acaba, Sophie, y aquí tienes un espécimen muy aceptable, y que además es médico, y que además es judío.

Las voces decían: *Ésta es tu oportunidad,* e insistían: *No la dejes pasar.*

–¿Cómo está Neil? –me preguntó mi abuela Steeny.

–Muy bien.

–¿Te lo pasas bien con él?

Le respondí que sí, pero me acordé de la noche antes, en la cama: Yo había intentado decirle a Neil cómo quería que me acariciara, y sus esfuerzos me habían recordado a los míos cuando trataba de conectar y programar mi vídeo con la ayuda de un manual de instrucciones mal traducido. «Pero entre nosotros hay algo más que diversión, ¿sabes?», y le conté que habíamos hablado de tener hijos.

–Ah.

–Pareces decepcionada.

–No, sólo que me da pena que no te diviertas más.

Mi madre mencionaba a Lev delante de mis hermanos y de mí, pero sólo de pasada: la había llevado al teatro; había cocinado para ella; había pintado su retrato. Ella misma tomaba clases de arte. Cuando la visité en junio, había terminado *La casa de la alegría* y ya estaba por la mitad de *La edad de la inocencia*. Había empezado a trabajar como voluntaria en el Hogar Judío de Ancianos, donde era la encargada de las actividades recreativas. Había contratado un monitor de gimnasia que hacía ponerse de pie a todo el mundo y levantar las manos. Cuando me lo contaba, ella también levantó las manos y movió los dedos.

El domingo fuimos en coche al centro, a visitar a la abuela. Cuando nos detuvimos delante de su casa, mi madre preguntó:

–¿A qué hora quieres que te pase a buscar? ¿A las cuatro?

–¿Tú no subes?

–Voy al museo –dijo–. ¿Está bien a las cuatro?

Faltaban tres horas para las cuatro, y mi visita iba a ser la mas larga en la historia de los Applebaum-Parker. La miré: *¿Has quedado con Lev?*

–¿A las cuatro, entonces?

–De acuerdo.

Laura me hizo pasar y me dijo:

–La señora Parker se alegrará mucho de verla.

Mi abuela estaba sentada en la cama.

–¿Dónde está tu madre?

–Ha ido al museo.

–Eso es fantástico –dijo, y yo habría querido pensar lo mismo.

Robert y su familia la habían visitado el fin de semana anterior, y mi abuela no se cansaba de decir lo encantadores que eran los gemelos.

Sí que lo eran, aunque yo nunca hubiera pensado que mi abuela iba a ser sensible a su encanto. Estaba convencida de que no le gustaban los niños; uno de mis recuerdos más antiguos era mi abuela diciendo: «Los niños no tienen la culpa; la culpa la tienen los padres.»

Yo me preguntaba de qué habían sido culpables mis padres, pero no me atreví a preguntárselo; tenía miedo de que si se lo recordaba, volviera a ser la implacable abuela de antaño.

Fui a buscar té para ambas, y mientras esperaba que hirviera el agua, me quedé en el salón y contemplé el retrato que mi madre admiraba. Pensé por primera vez en el testamento de mi abuela, y me pregunté si le dejaría el retrato a mi madre.

Cuando llevé el té, la abuela volvió a preguntar dónde estaba mi madre, pero esta vez dijo:

—¿Dónde está Joyce?

—Está en el museo —respondí.

—Le encanta trabajar allí —dijo.

Me quedé callada: ¿Le encanta?

—Joyce sabe mucho de pintura.

Reconozco que, puesto que estábamos en el pasado, se me ocurrió que podía preguntarle por Polikoff. No iba a traicionar a mi madre; sólo lo mencionaría a él como de pasada. Pero no lo hice, y en cambio me mostré de acuerdo con ella en que mi madre sabía muchísimo de arte.

—Ella admira muchísimo ese retrato.

—¿Cuál?

—El que está encima del sofá —dije.

—Lo encontré en el trastero, ya te lo he dicho —dijo mi abuela.

—A mi madre le encanta, le encanta ese retrato.

—Sí, es muy bonito —aceptó mi abuela.

Mi madre llegaba tarde. Estaba esperándola en el vestíbulo del edificio cuando entró la madre de Dena.

—¡Sophie!

—¡Hola! —le dije.

Busqué en ella alguna señal de que se sentía decepcionada

porque yo había abandonado a Dena, o porque había dejado que Dena me abandonara a mí.

—¿Cómo está usted? —le pregunté.

—Voy tirando —dijo, pero su tono dejaba traslucir una situación más feliz. Me contó que su madre vivía ahora allí y que ella también se había venido a vivir al centro.

—¿Ha vendido su casa?

Asintió.

—Me encantaba esa casa —dije, y me acordé de cuando fui a visitarla, el año en que murió mi padre, y bebimos bourbon junto al fuego.

—A mí me gustaba cuando las chicas vivían allí —dijo la madre de Dena—. Pero era demasiado grande para una persona sola.

Me parecía una manera muy exagerada de decir que el doctor Blumenthal nunca estaba en casa, aunque fuera verdad.

La señora Blumenthal advirtió mi reacción.

—Nos divorciamos. Hace dos años.

No sabía qué decir; ella no parecía lamentarlo, y pensé que no era pertinente que yo le dijera que lo sentía.

—Vivo cerca de Rittenhouse Square —dijo—. Tienes que venir a verme.

Me inquietaba preguntar por Dena, pero al fin lo hice:

—¿Cómo está Dena?

Estaba bien. Seguía trabajando en planificación urbana en Roosevelt Island.

—Pero ahora es ella la que manda.

—Genial.

La señora Blumenthal dijo: «Está siempre con Richard» muy rápido, y me di cuenta de que no tenía que hacer ninguna pregunta.

Yo aún no estaba preparada para hablar de mí misma, así que le pregunté cómo estaban las hermanas de Dena.

Estaban casadas, y cada una tenía tres niños.

—¿Y a qué se dedican?

—Crían a sus hijos. —Y no había en su respuesta ni aprobación ni reproche–. ¿Y tú? ¿Qué haces?

—Yo sigo trabajando en publicidad.

Dijo «Ah», y su tono reproducía el mío. Si el mío hubiera sido más alegre, el de ella también lo habría sido.

—Aún no he encontrado mi vocación –dije; aquélla era una expresión que yo nunca usaba. Sonaba religiosa y pasiva a la vez, pero mi elección de las palabras no bastaba para explicar el malestar que sentí en ese instante. Me di cuenta de que, desde que estaba con Neil, no había vuelto a pensar en mi profesión.

—Muy pocos la encuentran –dijo ella–. Yo pensaba que mi vocación era ser la mujer de un médico –añadió riendo.

En el coche le pregunté a mi madre si se había enterado del divorcio de los Blumenthal.

—No –respondió–, pero no me extraña. Yo siempre pensé que Stevie era una mujer muy fría.

—A mí me gusta.

—Para bailar el tango se necesitan dos.

—O cuatro, o catorce, o cuarenta –le dije.

—¿Perdón?

—Tú decías que el doctor Blumenhal era un mujeriego.

—Algunos matrimonios son más complicados que otros –dijo mi madre.

Miraba a mi alrededor en el trabajo y en la calle, en el metro y en el autobús, en los restaurantes, farmacias y tintorerías, y pensaba: *Muy pocos la encuentran*. Casi nadie. Robert había descubierto que su vocación era ser médico; Francine Lawlor, editora; Adam siempre había sabido que quería ser dramaturgo. Pero eran excepciones. Yo era como todos los demás; encontraba un trabajo, y trabajaba. No era un error desear algo más, pero sí lo era confiar en que te sería dado.

3

Antes de que mi abuela sufriera su infarto cerebral, yo nunca le había dicho que la quería, ni ella me lo había dicho a mí, porque no nos queríamos; ahora, en cambio, nos lo decíamos cada vez que hablábamos.

Yo lo decía porque pensaba que se iba a morir pronto, y en eso pensaba precisamente cuando Laura me llamó un sábado por la mañana muy temprano y me dijo que estaba preocupada.

La señora Parker no es la misma de siempre.

Di por sentado que mi abuela había vuelto a ser la bruja de toda la vida.

–¿Está otra vez insufrible? –pregunté.

–¿Insufrible? No, en absoluto. Ha pasado una mala noche. Y esta mañana no me ha reconocido.

–¿Ha llamado al médico?

–Sí, nos ha dicho que la cuidemos como siempre, y, sobre todo, que esté tranquila –explicó Laura–. Ella no quiere volver al hospital.

–¿Está allí mi madre?

–He tratado de llamarla, pero siempre comunica.

Le dije que iba enseguida.

Habría querido que Neil me acompañara, pero estaba en Boston; o que Robert viniera conmigo, pero estaba en el hospital.

No pensé que Jack pudiera estar en su casa, pues vivía prácticamente en casa de Mindy. Pero cuando iba a dejarle un mensaje en su contestador automático, mi hermano cogió el teléfono y su voz de verdad interrumpió a su voz grabada.

Le conté todo lo que había pasado.

–Coño. El primo de Mindy se ha llevado mi coche –dijo.

Me quedé muda por un momento –Jack nunca me había prestado su coche–, pero reaccioné de inmediato.

–Estoy segura de que Robert me puede dejar el suyo.

355

Esperaba que Jack me preguntara si quería que me acompañara. Pero sólo dijo:

—¿Irás a Surrey a buscar a mamá?

—Sí —respondí, y colgué rápidamente para que no advirtiera mi decepción.

Naomi me abrió la puerta y me dio las llaves, los papeles del coche y la dirección del garaje donde estaba aparcado. Tenía en brazos a Isabelle, que se dio la vuelta y me saludó con un «¡Hola, tía Thophie!» en su media lengua.

Me pareció tan bonito que anuncié que iba a decirle a todo el mundo que me llamara así.

—Me gustaría ir contigo —me dijo Naomi.

—A mí también me gustaría que vinieras.

—Ya, pero estará tu madre.

Era un día particularmente cálido y húmedo, incluso para junio. Conduje lo más rápido que pude. No podía quitarme de la cabeza la imagen de mi abuela sola en su gran cama, aferrada a su bolso de vinilo blanco y preguntándole a Laura quién era.

Cuando llegué a Surrey ya era mediodía. Aparqué en el camino de entrada, detrás de un coche que me era desconocido, un sedán azul claro. Sólo cuando vi la matrícula de Nueva Jersey pensé en Lev Polikoff.

La puerta de atrás estaba completamente abierta, pero no entré. Golpeé en el marco de metal de la puerta mosquitera. Esperé. «¿Mamá?»

Me quedé allí un momento. No quería sorprenderlos. Decidí volver a la parte delantera de la casa y tocar el timbre. En eso estaba cuando oí la voz de mi madre en el porche. Me detuve, a pesar de la prisa que tenía. Nunca la había oído hablar con una voz tan joven, tan increíblemente joven, la voz de alguien más joven que yo. Así debía hablar la Joyce Parker de veintitrés años que se escapaba de su madre para ver a su novio artista, de barba, y un mal partido.

Fui hacia el porche y llegué antes de lo que hubiera deseado. Subí los escalones de pizarra. Llamé a la puerta con los ojos cerrados para no ser testigo de mi invasión.

Me pareció oír un susurro y después oí con claridad una voz de hombre que decía: «No.»

–Lo siento. He tratado de llamar –dije cuando mi mano hizo girar el picaporte. Mi madre llevaba el pelo recogido en una coleta, pantalones cortos de cuadros, y estaba descalza.

–No, no importa –dijo mi madre–. No seas tonta.

Lev Polikoff tenía una barba blanca, y cuando se levantó vi que no era más alto que mi madre. Juntos parecían personajes de un cuento de hadas: había una vez una pareja que vivía en un viejo bote de maíz, su cama era una goma de borrar; la manta, una hoja, y una mosca su mascota.

–Él es... –empezó a decir mi madre, y titubeó.

–Soy Sophie –dije, y entonces caí en la cuenta de que no era yo la persona que mi madre no sabía cómo presentar.

Lev Polikoff me tendió la mano y yo le di la mía. La retuvo un momento mientras decía primero mi nombre y luego el suyo. Tenía los ojos azules y límpidos, y las cejas muy pobladas.

Lev me gustó. Me gustó que me mirara a los ojos, y que pareciera considerar importante nuestro encuentro, mientras que mi madre intentaba hacer como que allí no pasaba nada. Él estaba tranquilo y ella muy agitada.

Nos sentamos los tres en las incomodísimas sillas de hierro del porche.

Les expliqué el motivo de mi presencia allí, y lo hice deprisa porque mi madre parecía muy incómoda, como si la hubieran descubierto haciendo algo malo. La palabra que me vino a la mente fue *culpable*. Pero era más una untuición que una certeza.

Hasta que descubrí la explicación: Lev Polikoff llevaba alianza.

Me fui lo más deprisa que pude, y ya estaba en la autopista

cuando se me ocurrió que mi madre y yo podríamos haber hecho todo ese camino juntas.

Mi abuela tenía el aspecto de un pajarillo pocho, sólo pico y huesos. Me metí en la cama con ella.

–Me han dicho que has tenido una mala noche –le dije, acariciándole el brazo.

Respiraba con dificultad.

–He visto al abuelo –dijo ella–. Estaba sentado allí. –Y miró a la butaca de orejas.

–¿De verdad?

–Me dijo: «¿Por qué tardas tanto?», y yo le contesté: «Yo podría preguntarte lo mismo.»

–¿Y qué querías decir?

–Que por qué me había hecho esperar tantos años.

–No entiendo.

–Y mis padres preguntándome todo el tiempo que cuándo me iba a proponer matrimonio.

Le cogí la mano, pero ella estaba muy agitada y se soltó enseguida.

–Yo estaba en la bañera –dijo, y advertí que el recuerdo era tan vívido que mi abuela volvía a ser aquella jovencita–. Y entonces pensé: *¿Por qué no?*

–¿Por qué no... qué? –pregunté.

–Por qué no terminar de una vez.

¿Terminar...?

–Con mi vida –dijo–. Era terrible.

–Terrible –repetí.

–Yo no sabía qué hacer.

Entrelazó sus dedos con los míos y nos quedamos así un momento. Yo pensaba que se había quedado dormida, pero volvió a hablar.

–Le escribí a su madre. –Me apretó la mano–. Le escribí una larga carta –dijo, y sonrió, feliz de su victoria.

Por fin se quedó dormida. Yo desenredaba mis dedos de los suyos cuando entró mi madre. Estaba demudada: creía que su madre había muerto.

Mi intención era detenerme un momento en casa de Robert y devolverle las llaves, pero en la puerta empezamos a hablar de Lev, y terminé echada en el sofá.

—¡Qué mal rollo! —dijo Robert.

—No va a ser fácil para tu madre —dijo Naomi.

—¿En qué sentido?

Naomi era tan ruidosa para respirar como lenta para hablar; inspiraba y espiraba exclusivamente por las fosas nasales, probablemente por principio. Mientras ella pensaba la respuesta, yo imaginé que era su paciente y traté de interpretar su respiración: *¿Aburrimiento? ¿Impaciencia?*, y me di cuenta de que estaba proyectando mis sentimientos. Naomi dijo por fin lo que era evidente:

—Ella ha sido siempre esposa y madre. —Pasó una semana más mientras elegía las palabras—. Ser la amante la confundirá, tendrá problemas de identidad.

Miré a Robert y le dije:

—Mamá es una querida.

Robert, el único heredero de la ecuanimidad de mi padre, asintió.

—Es muy raro poner *mamá* y *querida* en la misma frase. Es como el conejo y el pato, ¿te acuerdas?

No lo recordaba.

Yo me refería a un dibujo en el que se podía ver a un animal o al otro pero no a los dos al mismo tiempo.

—Creo que era en *Highlights*, una revista de nuestra infancia.

—Me debí perder ese número —dijo Robert—. Pero pregúntame cualquier cosa de «Goofus and Gallant».

Cuando llegué a casa, Neil estaba dormido en mi sofá. Lo desperté y le dije que tenía mono de pizza. La pedimos por teléfono. Sabía que pronto estaría desnuda, pero comí todo lo que pude.

En la cama, Neil me preguntó:

—¿Quieres contarme lo que ha pasado?

Hacía mucho tiempo que no le contaba nada importante, y una parte de mí tampoco quería hacerlo ahora. Tenía miedo, temía que analizara mi personalidad bajo un microscopio, como yo hacía con la suya.

¿Quién era capaz de sobrevivir bajo una mirada tan fría?

Eso era lo contrario al amor, pero yo no me oponía al amor, sino a los murmullos que decían: *Ésta es tu oportunidad,* que me parecía la amenaza de una puerta que se cerraba y no la promesa de una puerta que se abría. Juzgar a Neil había sido mi manera de decir que estaba en mis manos abrir la puerta o no hacerlo; y que aquí era yo quien elegía las puertas; y que habría otras puertas que llevarían a otras puertas, y a otras. Entretanto, había convertido a Neil en una puerta.

Al principio me fue difícil hablar, pero se lo conté todo, empezando por el sedán azul de Lev Polikoff en la entrada de la casa de mi madre. No me importó parecer una niña. Por la mañana volvería a hablar como una adulta, y tendría sentimientos de persona mayor; por la mañana comprendería la historia desde el punto de vista de mi madre.

—Hay cosas que no quieres que haga tu madre. No quieres que tome drogas. Y no quieres que salga con un tipo casado —dije.

—Lo siento —dijo Neil, y yo supe que no estaba pensando en mí, sino en lo que él, el hombre casado, le había hecho a su propia hija—. No estoy preparado para presentarte a Ella —dijo después. Su voz era tranquila, hablaba pausadamente. Me dijo que no sabía cómo ser padre de una niña y novio de una mujer al mismo tiempo. Quería aprender, me dijo, pero eso le llevaría tiempo.

—Está bien —le dije.

Neil estaba acostado de espaldas, a mi lado, los brazos pegados al cuerpo. Me vino a la mente la expresión *La abierta inmensidad,* pero ya no como posibilidad sin límites, sino como un inmenso espacio entre nosotros dos. Y si luego me acerqué a él, no fue porque era mi novio, o porque éramos una pareja, sino porque lo veía a él y me veía a mí como lo que éramos, almas en pena, exploradores del deseo que se habían perdido.

–No, no estamos preparados –dije.

Él asintió, pero no estaba segura de que me hubiera oído; se retiraba para protegerse del desprecio que imaginaba que yo sentía por él.

Hablé en voz tan baja que yo misma casi no me oía.

–¿La querías? –le pregunté.

–Sí.

–¿Quién era ella?

–Cantaba en un grupo –respondió con una voz más baja aún que la mía.

Mi madre esperó ocho días para llamar.

–La abuela está mucho mejor –dijo.

Yo lo sabía, pues ya había hablado unas ocho veces con mi abuela, pero dije:

–¡Qué bien!

–Lo siento... –Y la entonación prometía más, pero sólo repitió un «lo siento» más definitivo.

–Si no pasa nada.

Ella titubeó un instante, y luego dijo:

–Le has gustado a Lev.

–Él también a mí.

–¿De verdad? –preguntó con voz de jovencita.

–Sí –respondí, directa como un hombre–. Pero, aparte del asesinato, ¿qué le ha parecido la obra de teatro, señora Lincoln?

–Te refieres a que está casado –dijo suavemente.

–Exacto –dije, y me pregunté por qué me empeñaba en

361

amargarle su viaje de placer con mis multas por exceso de velocidad.

—Le he pedido que se quite el anillo.

Lo dejé pasar. Pero de ella había aprendido lo que era la fidelidad, y por eso le dije:

—Yo creía que tú pensabas que el matrimonio era sagrado.

Por un instante, mientras esperaba su respuesta, me sentí una mujer más joven, y ella envejeció; yo era la hija y ella la madre.

—Yo quería decir que *mi* matrimonio era sagrado —dijo, pero su voz era débil, como si esperara que ésa fuera una buena respuesta pero sospechara que no lo era.

—¿Y qué pasa con su mujer?

—Eso es asunto de él —respondió—. No sé si es una enferma mental...

Tuve que contenerme para no decirle: *¿Te crees que eres Jane Eyre?*, y en cambio le pregunté:

—¿Tienes algún motivo para pensar que es una enferma mental?

—Llevan vidas completamente separadas.

Yo iba a oír tantas veces esta frase que acabaría siendo lo que en publicidad se llama un eslogan: «La chispa de la vida», «Y duran, y duran, y duran» o «¿A que no puedes comer sólo una?».

Robert se lo contó a Jack, que dijo: «No quiero pensar en eso.»

Para entonces, toda su vida era Mindy, Mindy, Mindy, Bronstein, Bronstein, Bronstein, y no cabía en ella nada más.

Yo apenas lo veía. Cada vez que hacíamos planes para quedar, me decía que tenía que consultarlo con Mindy: «Ella lleva mi agenda.» Y después me llamaba para decirme que estaban ocupados. Tenían una cena, o tenían entradas para el teatro con los hermanos y las cuñadas de Mindy; los padres de ella los habían invitado a una subasta, a una cena de etiqueta o a una actuación en beneficio de una compañía de ballet, de la asociación de lucha contra la leucemia, o de Israel. Los fines de semana cogían el avión para ir a Martha's Vineyard. Iba toda la familia de Mindy –padres, hermanos y cuñadas, sobrinos, tíos y primos–, y también un montón de amigos que eran como de la familia.

–¿Nunca tenéis ganas de estar solos?

Al parecer, jamás había contemplado esa posibilidad.

–Es una finca muy grande. –Y me dijo que había tres casas.

–Aun así.

Estábamos desayunando en un bar muy cerca de su piso; Jack estaba en la ciudad porque tenía que ir con Mindy a una boda en Scarsdale. Debía de echar de menos las tres casas, porque las dibujó en una servilleta. Mi hermano era un gran artista y me gustaba verlo dibujar; podía convertir una servilleta en un objeto muy bonito.

Por desgracia, mientras dibujaba, hablaba del complejo Bronstein. Y olvidándose de que no me interesaba la arquitectura, hablaba de arquitectura.

Me animé cuando le oí decir: «... macho en la ranura...». Pensé que hablaba de sexo, pero luego dijo: «Fue construido sin un solo clavo.»

Volví a dormir con los ojos abiertos hasta que llegó a la piscina invisible, porque parecía desaparecer en el océano.

–Espera. ¿Están en el mar? –pregunté.

Hizo un esfuerzo por no reírse, pero no lo consiguió.

–¡Uau!

–Así es.

–¿Y cómo puede desaparecer la piscina en el mar?

–No tiene bordes. El agua rebosa.

–Parece un derroche –dije.

Jack sonrió.

–¿No crees que es un exceso de arrogancia borrar los límites entre tu piscina y el océano? ¿No pretendió Ícaro algo equivalente?

Jack tenía la sonrisa fácil de un hombre que pasa los fines de semana flotando en una piscina oceánica, y aproveché ese momento de euforia para hablar de la razón por la que había quedado para desayunar con él.

–¿No irás a ver a mamá ni un sola vez este verano?

–¿No está con ese tipo?

–Claro, pero no todos los fines de semana.

–La veré en casa de Robert dentro de quince días –dijo, aludiendo a la fiesta de cumpleaños de los gemelos.

Hacía como que seguía dibujando, aunque ya lo había terminado; agregaba puntos a la arena de la playa y algún hierbajo más a las dunas. Cuando le quité el dibujo, dijo:

–Lo llaman «el Shtetl», ¿sabes? Como los antiguos asentamientos judíos en Rusia y en Europa.

Le dije a Neil que no se sintiera obligado a ir a la fiesta de cumpleaños, pero me respondió: «¿Bromeas?» Le encantaban las fiestas de cumpleaños infantiles.

Robert nos abrió la puerta. Después de saludar, me advirtió que había venido Mamie, nuestra abuela paterna. Yo la había evitado desde la ceremonia de circuncisión de Max, en que me acorraló en la cocina y me soltó a bocajarro: «Dime, Sophie, ¿es que no piensas casarte?»

Chris había muerto hacía pocas semanas y yo sólo conseguí decir: «No lo sé.» Pero ella insistió: «Dime, ¿quieres volver sola noche tras noche a un piso oscuro y solitario?»

Ahora Neil y yo cruzamos el gran salón, y allí estaba ella, sentada sola, hundida en el sofá.

Me incliné y la besé.

–Hola, abuela.

–¿Eres tú, Sophie? –dijo sin dirigirse a nadie en particular. Según Robert, estaba casi ciega–. Apenas te conozco la voz. Hace tanto tiempo que no te veo –dijo.

–Pues aquí estoy. Y éste es mi amigo Neil.

—¡Hola! —dijo Neil, inclinándose también él—. ¿Cómo está usted?

—Bien, hola —respondió mi abuela con una sonrisa.

Nos invitó a sentarnos con ella en el sofá, pero sólo Neil aceptó la invitación; yo aún no podía soportar tanta cercanía. Intentaba convencerme a mí misma de que debía sentarme, cuando la oí exclamar un alegre: «¡Ah!», y adiviné que Neil le había dicho que era médico.

Seguramente fue una casualidad que ella en ese momento me mirara a los ojos, pero mi primer pensamiento fue que mi doctor le había curado la ceguera.

—Vamos a tomar una copa —dije—. ¿Tú qué quieres, abuela?

—No, no quiero nada —dijo ella—. Quédate un minuto con tu abuela.

—Ve tú —le dije a Neil, y ocupé su lugar en el sofá.

—Bien, Sophilla, ¡un médico!

—Ajá.

—Dime, ¿ya has conocido a tu suegra? —me preguntó.

—¿Estás segura de que no quieres tomar nada?

Cuando me levanté, Neil estaba allí.

—¿Estás bien?

—Supongo que sí —contesté.

Comimos perritos calientes y patatas fritas y presenté a Neil a los padres de Naomi, que también hablaban muy lentamente; mientras nos saludábamos, sentía que pasaba el tiempo y yo envejecía. El hermano de Naomi pasó por allí y la madre explicó que se dirigía al dormitorio a ver cómo iba el partido de béisbol.

Había una docena de niños del parvulario de Max e Isabelle y otros tantos padres, entre ellos, era de suponer, los enemigos de la siesta que Naomi tanto criticaba.

Mindy estaba rescatando del Túnel Mágico a un niño que lloraba.

Jack, a cuatro patas, daba un paseo a caballo a Max, y relinchó cuando nos vio:

–¿Queréis que os lleve a dar una vuelta?

Neil, tan buen chico, ofreció también su espalda. Jack se puso de pie y preguntó:

–¿Sabes si ya ha llegado mamá?

–No –respondí.

Naomi se asomó desde la cocina y dijo:

–Sophie, ¿puedes echarme una mano?

–Por supuesto –le contesté. Y le dije a Jack–: ¿Crees que estoy obligada a hacerlo?

–Sólo quería decirte que Neil nos gusta mucho. –Y su «nos» me hizo pensar en: *Nosotros, el Jurado.*

Pero Robert, tan perspicaz como siempre, la interrumpió:

–¿Por qué no tomáis una copa? –Y empezó a prepararnos un Bloody Mary.

–¿Mamá no ha venido? –pregunté.

Naomi negó con la cabeza y me miró como para que ambas desaprobáramos al unísono.

–Cinco minutos más y enciendo las velas –anunció Robert.

Cuando me dio la copa, de repente me vino a la mente la cara de Robert cuando era niño y miraba fumar a nuestros padres.

Me fui con mi Bloody Mary al dormitorio, donde el hermano de Naomi seguía ante la televisión. Llevaba media hora allí, pero dijo:

–Sólo quiero saber cómo va el partido.

–¡No estoy vigilándote! –le dije yo, y llamé por teléfono a mi madre.

Respondió al primer timbrazo, y su «Hola» sonaba muy alegre.

–Mamá, ¿dónde estás?

–Pero si eres tú la que me ha llamado –respondió, desconcertada ante mi pregunta.

–Estoy en casa de Robert, en la fiesta de cumpleaños de los gemelos.

–¡Dios mío! –exclamó, y me sentí aliviada de que fuera un olvido y no que mi madre hubiera escogido estar con Lev antes que con nosotros. Pero él estaba allí, el ruido de fondo de la conversación de mi madre era el mismo partido que estaba viendo el hermano de Naomi.

–Pensaba que era el próximo sábado –dijo, y me pidió que le dijera a Robert que se pusiera al teléfono.

Cuando cantamos «Cumpleaños feliz», Neil se sentó con mi abuela y yo me quedé de pie junto a Jack, que imitaba a Dean Martin. Los gemelos soplaron las velas, y él, como un cantante de casino de Las Vegas, preguntó: «¿Qué tal está el bistec?» y «¿No hay nadie de Jersey aquí?».

–No puedo creer que mamá no haya venido –dijo luego.

Se me ocurrió que estaba enfadado con ella sólo porque tenía un novio; para mi hermano ésa era una conducta poco maternal. Que Lev estuviera casado sólo agravaba la falta de mi madre, y le permitía a Jack reprochársela.

–Se ha confundido de fecha –dije, dando a entender que su ausencia no tenía nada que ver con su novio y que seguía siendo la misma madre que conocíamos, que queríamos y que a veces nos irritaba.

–Yo quería traer a los padres de Mindy –dijo, sin asimilar nada de lo que yo había dicho–. Habrían venido si no hubieran tenido que ir a un bar mitzvah.

–Pero ¿qué pasa con esa gente? –pregunté–. ¿Todas las semanas hay que ir a la cincuncisión, al bar mitzvah o a la boda de un Bronstein?

–Es una familia muy grande y les gusta reunirse –respondió Jack.

–Eso no es sano –dije.

Steeny oscilaba entre la coherencia y la confusión. A veces parecía que contaba un sueño en el que estaba inmersa. Podía repetir lo mismo dos, tres, o cuatrocientas veces en una misma conversación. Ahora veía regularmente a mi abuelo; era como si ella viajara casi todos los días al otro mundo o como si él viniera a éste.

—¿Y te ha contado cómo es aquello? –le pregunté.

–Se lo pregunté, y me dijo: «Deja de preguntar tanto y ven de una vez» –me contestó mi abuela, y así era como hablaba mi abuelo.

Cuando estaba lúcida, yo la interrogaba (¿se veía como una persona diferente después de los derrames cerebrales? ¿Por qué siempre había preferido a mi tío?), pero sus respuestas, que a menudo se reducían a un escueto: «Se hace lo que se puede», no eran las revelaciones que yo había esperado oír.

Pero yo insistía.

–Antes, cuando decías: «Los niños no tienen la culpa...»

–La culpa es de los padres –me interrumpió, y completó la frase.

–¿Qué querías decir con eso?

–Que los padres son los culpables.

–Pero ¿de qué?

–Tenías siempre el pelo tan revuelto –dijo con una aspereza que yo ya había olvidado.

Mi tío Dan viajó a Filadelfia el Día de Acción de Gracias para darle una sorpresa a mi abuela, y mi madre se unió a la fiesta en torno a la cama.

Jack iba a ir a celebrarlo a casa de los Bronstein, y Neil y yo a casa de Robert. Fui temprano para ayudar a rellenar el pavo, o lo que hiciera falta, pero Naomi había encargado la comida en una charcutería *kosher* del East Side. Ella y sus padres habían ido a buscarla. Su hermano estaba viendo la televisión. Los gemelos dormían la siesta. Ayudé a Robert a guardar la ropa limpia.

Estaba muy callado, y le pregunté si algo iba mal.

–No, sólo estoy pensando.

Dejé pasar quince minutos.

–¿En qué estás pensando? –le pregunté.

–Naomi quiere que yo hable más de mis sentimientos –dijo después de un momento de vacilación.

–¡Uau! Uno pensaría que ya tiene bastante con sus pacientes.

Sonrió. Era la primera vez que hablaba conmigo de Naomi, y no iba a decir nada más.

–Improvisa. O inventa. Es lo que yo hago con mi psicoanalista –le dije.

Se volvió hacia el monitor para bebés; había oído el ruido casi imperceptible de uno de los mellizos que se despertaba. Me dijo que todavía le quedaban tres minutos de civilización antes de la invasión de los simios.

–¿Quieres que ordene un poco? –le pregunté; todo estaba cubierto de juguetes; las mesas, las sillas y el suelo.

Negó con la cabeza y mencionó a Sísifo. Tres minutos, dijo Robert, era lo que hacía falta para preparar un martini perfecto.

Mi madre no quería ir a casa de mi abuela, pero hizo un esfuerzo.

–¿Quieres que conduzca yo? –le pregunté.

Dijo un seco «sí», como si estuviéramos en medio de una discusión.

–Lo haré con mucho gusto.

Para entonces me había dado cuenta de que su cólera no tenía nada que ver con la transformación del carácter, o el empeoramiento de la salud de su madre. ¿La verdadera razón?: su madre no la había dejado casarse con Lev cuando podía hacerlo.

Yo habría querido recordarle que si se hubiera casado con Lev, Jack, Robert y yo no existiríamos, pero no era yo quien debía decirlo.

Mi madre se sentó en la butaca de orejas, al otro lado de la habitación, mirando hacia la puerta, como una adolescente enfadada. Y poco después se levantó y salió de la habitación.

Yo estaba rascándole la espalda a mi abuela.

–¿Qué le pasa a tu madre? –me preguntó ella.

Me impresionó que lo hubiera advertido, y le dije que lo averiguaría.

Mi madre estaba en el salón, pero no miraba el retrato, sino el osito de peluche que estaba en el sofá, debajo del cuadro.

–Voy a dar un paseo –dijo, y se marchó.

Yo, como siempre, pensaba que tal vez fuera la última vez que veía a mi abuela. Como siempre, me pregunté qué era lo que quería decirle; como siempre, le dije:

–Te quiero mucho, abuela.

–Yo también te quiero. ¿Cómo está Neil?

–Bien.

–Un buen hombre es difícil de encontrar.

–Y que lo digas –dije.

Y ella repitió:

–Un buen hombre es difícil de encontrar.

Pensé: *La anciana dama no ha perdido el sentido del humor.* Después repitió unas diez veces: «Un buen hombre es difícil encontrar.» Pensé que yo también saldría a dar un paseo, cuando la oí decir:

–Y es aún más difícil encontrar una buena mujer.

–¿Has dicho «Y es aún más difícil encontrar una buena mujer»?

Asintió.

La miré y le pregunté:

–¿Y qué quieres decir?

–Quiero decir lo que he dicho.

Fue entonces cuando por fin me atreví a decirle:

–Abuelita, creo que estaría muy bien que le dejaras el retrato a mamá.

Asintió, pero apretó las mandíbulas de tal manera que comprendí que me había oído, y no le gustaba lo que yo había dicho.

No pude hablar durante unos minutos.

–¿Por qué has sido tan dura con mi madre? –le pregunté luego.

–Siempre quieres lo mejor para los que amas.

Éramos pocos en el entierro. Mi tío Dan lloraba más que nadie, más que yo incluso, y me pregunté si mi abuela había sido con él siempre tan cariñosa como lo había sido en los últimos tiempos con nosotros.

En una ocasión, hacía años, yo había comentado la falta de disimulo con que mi abuela manifestaba su preferencia por Dan.

–¿Y no era duro para ti, mamá?

–También lo era para mi hermano –me respondió en aquella ocasión.

–Sí, claro, los dueños de los esclavos también lo pasaban mal.

Unas semanas después del funeral, fui con mi madre al piso de la abuela. Nos detuvimos en el salón y miramos la pared donde había colgado el retrato.

Me imaginé que la abuela se lo había dejado a mi tío.

–Lo siento por ti, mamá.

Pero mi madre me dijo que en el testamento no se mencionaba el retrato.

–Le dije a Dan que podía quedarse con él –dijo.

La miré fijamente.

–Es lo que ella habría querido –dijo mi madre.

Revolví los cajones de la mesilla de noche, del escritorio y de la cómoda, algo que siempre había querido hacer. Mi abuela lo guardaba todo. Encontré en un cajón todos los dibujos que mis hermanos y yo habíamos hecho para ella, todas las postales y todas las cartas que le habíamos enviado, y se me ocurrió que, incluso en su época de bruja malvada, nos quería mucho más de lo que habíamos imaginado. Claro que esta bonita idea podía no ser más que una ilusión, porque mi abuela también guardaba cupones de descuento de productos desaparecidos hacía mucho tiempo, talonarios de recetas de mi abuelo, calendarios de compañías de seguros y de bancos, y un rastrillo para el jardín que hacía más de veinte años que no tenía. Llegué a contar diecinueve costureros y veinticuatro barajas de cartas.

Había esperado toda mi vida para abrir los estuches de alhajas cerrados con gomas elásticas, y los dejé para el final. Me emocionó cortar las gomas, pero dentro no había nada que yo quisiera; la mayor parte de las cajas no tenían nada más que un trozo de algodón en el fondo.

Mi madre cogió el bolso blanco de vinilo que su madre había apretado en las manos en los últimos meses.

–¿Qué hay dentro?

Sacó un pañuelo de papel tras otro.

Me senté a su lado, en la cama.

Negaba con la cabeza, y por fin habló: Lev nunca iba a dejar a su mujer.

–¿Te dijo que lo haría?

–No, nunca.

Pensé: *Eso está bien*. Pero sólo dije: «Ah, mamá», y ella dejó que la abrazara.

Y luego se sentó muy erguida, y dijo:

–Vámonos.

–¿No vas a llevarte nada?

–No, eso haría que me acordara de ella.

Meses más tarde, cambió de idea. Contrató una empresa de mudanzas e instaló en nuestra casa el piso de su madre: caoba, cobre, cretona y terciopelo. Sobre mi cómoda se paseaba entonces una belleza china vestida con falda con miriñaque y bombachos. El oso de peluche de mi abuela se arrellanaba sobre la cama de Robert, y recordaba sus días de gloria en el sofá de seda.

Le pregunté a mi madre a qué hora comenzaba la subasta.

Me contestó que le gustaba vivir con las cosas de su madre. «Tengo recuerdos entrañables», dijo.

Después me contó que estaba muy contenta con su trabajo en el Hogar Judío de Ancianos. Había organizado todo para que en Nochebuena un grupo de girl scouts fuera a cantar villancicos.

–Pero ¿los ancianos judíos no son judíos?

–A todo el mundo le gustan los villancicos –me contestó. Y añadió que muchos de los residentes eran sordos, y otros sufrían demencia senil.

Estaba haciendo la maleta para regresar a Nueva York cuando mi madre llamó a mi puerta y me dio un sobre. Reconocí la letra de Francine Lawlor, tan bonita y legible que podría haber pertenecido al mejor alumno de una clase de caligrafía. La tarjeta era la fotografía de una flor de Pascua con las palabras *Feliz Año* en letras doradas. No traía ninguna noticia, ni de Steinhardt ni de ella. Sólo había escrito el típico «Mis mejores deseos para el Nuevo Año» y había firmado con su nombre completo. Le di la vuelta al sobre para ver si todavía vivía en el mismo piso de Carteret, en Nueva Jersey, y sólo entonces advertí que había escrito la dirección del remitente con especial esmero. Hasta ese momento no se me había ocurrido que esperaba que le respondiera con otra tarjeta.

Cuando regresé a Nueva York, llamé a Adam a su casa. No lo hacía casi nunca; los fines de semana él se dedicaba a escribir. Le dije que sentía molestarlo, y me replicó: «¿No me conoces, Bert?», su frase preferida de *Qué bello es vivir.* «¿Qué pasa?»

–Estoy preocupada por Francine.

–Estoy seguro de que está bien.

–¿Qué te hace pensar eso?

–Es una buena editora.

Me dijo que había pensado llamarme por un trabajo en un nuevo programa de entrevistas en la PBS. Yo me encargaría de investigar sobre los invitados y de escribir las preguntas para el presentador del programa. Adam me dijo que estaba seguro de que yo era muy buena para eso. «Tú siempre has sido muy preguntona.»

La calefacción de mi piso estaba demasiado alta, y no podía dormirme en la cama con Neil ni en el sofá. Pensaba en Francine. En una especie de mezcla de pesadilla y ensoñación, la veía en Steinhardt, en la sección donde trabajaban los asistentes editoriales –la llamábamos la Cueva–, y su flexo era la única luz en medio de la oscuridad.

La fiesta de Navidad de la agencia de publicidad era grande y horrible: luz estroboscópica, un DJ, y barra libre. O sea, una de esas fiestas donde para sobrevivir tienes que beber y beber. Me fijé en Ian porque era muy elegante en un ambiente donde abundaba la falta de elegancia, porque era muy alto, muy delgado y muy sexy; me fijé en él porque él se fijó en mí.

Entró en el bar y cuando se presentó fue como si hubieran desplegado una pantalla de seda sobre el resplandor del anochecer. Era de la filial de Londres y su acento inglés le hacía difícil de entender, y más seductor.

Puede que no oyera sus palabras con precisión, pero podía verlas: llevaba escrito ¡Peligro! y ¡Cuidado! en todo el cuerpo, él mismo parecía una calavera con tibias cruzadas. Me gustaba hablar con él, no obstante, y no sólo porque fuera inteligente y divertido, impasible y reservado. Era exactamente el tipo de hombre que me había atraído antes de Neil, y que no me atraería nunca más.

Me eché hacia atrás y mi codo no acertó a apoyarse en la barra.

–No estoy borracha –dije–. Sólo soy torpe.

Él, de todas formas, sugirió que me vendría bien comer algo.

–Eres tú el que necesita comer –le dije.

Me sentía tan a salvo y tan tranquila como si estuviera en casa leyendo una novela sobre un canalla dispuesto a abusar de una ingenua. Gozaba sintiéndome superior, no a él, sino a mí misma, a la presa fácil que había sido en el pasado.

La víspera de Navidad llamé al servicio de información de Nueva Jersey y conseguí el número de teléfono de Francine en Carteret.

–¡Hola! –dijo, y su voz, en esa única palabra, me trajo a la memoria lo pálida y demacrada que era.

–¡Hola! Soy Sophie Applebaum.

–¡Sophie! –dijo. Y se quedó callada. Pensé que quizá le sorprendía oírme, pues nunca la llamaba.

–Sólo quería desearte feliz Navidad –dije.

–Gracias.

Me había olvidado de lo difícil que era hablar con Francine, y lamenté no haber pensado antes qué decirle.

–Y quería darte las gracias por tu tarjeta de Navidad. *Las tarjetas de los últimos quince años.*

–No tienes por qué darme las gracias.

–Y quería saber cómo estabas.

–Estoy bien.

–Me alegro. –Esperé un momento para darle una oportunidad de preguntar cómo me encontraba yo, pero no lo hizo–. Y también quería decirte que lamento mucho lo que ha pasado con Steinhardt.

–Gracias.

–Ya sabes, si puedo ayudarte en algo –dije, aunque no estaba segura de qué podría ofrecerle.

–Gracias. Me las arreglo muy bien.

Y así fue como me enteré de que cuando vendieron Steinhardt, Adam la había llamado para preguntale si estaba dispuesta a colaborar con el antiguo jefe de él, que estaba en un aprieto: Wolfe necesitaba con urgencia un corrector de estilo bueno de verdad, y que trabajara por cuenta propia.

Sabía que ahora me tocaba hablar a mí, pero no pude. Sólo podía pensar: *¡Ah, Adam! ¡Ah, humanidad!*

Por fin salí del paso con un:

–Qué bien, cómo me alegro.

Se sorprendió de que Adam no me lo hubiera contado.

–Yo creía que erais muy amigos –dijo, y yo pensé: *No has perdido tu puntito de maldad, Francie.*

–Bueno –dije, y decidí olvidar la historia y relajarme.

–Wolfe trabaja en Knopf –dijo, y había orgullo en su voz.

–Es fantástico, Francine –dije.

–Bueno, ahora tengo que volver a trabajar. Muchas gracias por llamarme. Y feliz Hanukah.

Fui sola a la fiesta de compromiso de Jack. Neil iba a pasar la Nochevieja con Ella. Se había ofrecido a pedirle a Beth que le cambiara las fechas de visita de Ella, pero dijo que su ex mujer no estaba nada dispuesta a hacerle favores, y yo sabía que Neil tampoco deseaba pedírselos.

Yo había vivido lo bastante en Manhatan para no dejarme impresionar por la palabra loft, pues con frecuencia era como vivir en un garaje. El de Rebecca estaba en West Chelsea, o sea el lejano oeste, cerca del río, en una calle oscura después de un taller mecánico que ofrecía presupuestos gratuitos. Llamé al interfono de Goldberg, y Goldberg me abrió. En el ascensor pulsé el botón A de ático, y en el vestíbulo colgué el abrigo en un largo perchero.

Y entonces entré en el blanco sueño inspirado por la palabra loft.

Estaba tocando un conjunto de jazz.

Era una gran fiesta, una fiesta llena de gente que bailaba, hablaba, bebía... y yo. Huí a la cocina, donde unas mujeres con camisa blanca y pantalones negros cargaban y descargaban bandejas de canapés.

–¿Puedo ayudar en algo? –pregunté.

–Creo que todo está bajo control –dijo una mujer muy amable–. ¿Qué tal una copa de champán?

La cogí y le di las gracias.

Me quedé de pie delante de la nevera, con mi copa en la mano, mirando las fotos de Antes y Durante la rehabilitación del loft; trataba de comportarme como si estuviera muy interesada, como si yo misma estuviera planeando rehabilitar un piso. Y puse cara de: *¡Vaya, vaya! ¿Cómo lo habrán hecho?* Me preguntaba por qué no había colgado Rebecca las fotos de Después. Y entonces me di cuenta de que yo estaba en la foto de Después, y también en medio del camino de las camareras. «¿Sabe usted dónde está el aseo?», pregunté.

Estaba al final del pasillo. Mi apartamento no tenía pasillo; mi apartamento era un pasillo.

En el espejo, mi tez mostraba la palidez verde grisácea que yo siempre había pensado que tenían los heroinómanos. «Sophie necesita ayuda», dije, imitando un anuncio contra la droga.

Encontré en un pequeño cesto muestras de maquillaje. Me puse colorete, y me pinté los labios.

Cuando volví al mundo de la fiesta, mi madre acababa de llegar. Parecía asustada, quizá porque nunca había conducido sola hasta Nueva York, o porque estaba a punto de conocer a los Bronstein.

–¿Qué tal? –le pregunté–. ¿Cómo estás?

–Muy bien –respondió, pero sus ojos me pedían: *¡Sálvame!*

La cogí de la mano y empezamos a dar la vuelta por el salón. Hablamos con Robert y Naomi, que esperaba su tercer hijo y se le empezaba a notar.

Los grandes, corpulentos, imponentes hermanos Bronstein –dos de ellos empresarios del negocio inmobiliario y el tercero, la oveja negra de la familia, banquero– se presentaron y presentaron a sus respectivas esposas; al parecer, dos de ellas llevaban el mismo nombre, Julie.

Se acercó Mindy, la más guapa de todas las novias. Todos nos besamos y nos dijimos cosas bonitas. Mindy llevaba un largo vestido negro con un ancho cinturón blanco igual al de la foto de Dovima. Y en ese momento advertí que mi búsqueda, a lo largo de tantos años, había sido errónea; lo que yo en verdad deseaba no era el vestido de Dovima, sino los elefantes.

Sandy y Ellis, los padres de Mindy, se presentaron unos minutos más tarde. Sandy llevaba un vestido de lentejuelas, y los ojos de mi madre se llenaron de lentejuelas al mirarla. Cuando mi madre se decía: «¡Ahora verás!», algo que ocurría sólo con algunas mujeres y nunca con hombres, echaba hacia atrás la cabeza y levantaba la barbilla, y eso es lo que hizo.

–Estoy encantada con Mindy –dijo.

–Nosotros no podemos estar más contentos con Jack –contestó Sandy.

Ahora todos los Bronstein estaban allí, y papá Ellis rodeaba con su brazo los hombros de Jack. Yo sabía por mi hermano que los Bronstein eran ricos y poderosos, pero eran más ricos y más poderosos de lo que me había imaginado: eran una familia. Y eso era lo que quería Jack. Estaba dispuesto a asistir a todas las ceremonias de circuncisión y a todos los bar mitzvahs. Un sábado no pudo ir al cine conmigo porque tenía que llevar a la abuela de Mindy al oftalmólogo. Se iba a esforzar para pertenecer a la familia de Mindy como nunca se había esforzado para formar parte de la nuestra. Claro que entonces nadie se lo había pedido.

Rebecca se unió a nosotros; venía de la mano de un hombre, y lo presentó como su novio; se llamaba Eugene, y era aún más pálido que ella. Rebecca abrazó a mi madre, y la llamó «tía Joyce», y a mí me dijo «prima Sophie», como si estuviéramos en un encuentro de cuáqueros.

Y en eso estábamos cuando llegó su madre, aún más tensa de lo que yo recordaba. Yo no me suscribía totalmente a la teoría de que cuando envejecemos, nos volvemos aún más lo que somos, sin corregir y aumentado, pero el rostro de la madre de Rebecca parecía esculpido en piedra como un mandamiento que dijera: *Jamás te relajarás*.

–¡Sophie! –exclamó–. ¡No puedo creerlo!

¿Qué?, me hubiera gustado preguntar: *¿Qué es lo que no puedes creer?* Pero sólo le dije: «¡Hola!» Me había criado llamándo-

la tía Nora, pero en ese preciso instante decidí que ya no tenía por qué hacerlo.

Me abstuve de preguntar dónde estaba el padre de Rebecca porque me di cuenta de que la pregunta tenía un cariz teológico, pues había muerto unos años antes que el mío. Mi madre nos había arrastrado a su funeral y yo recordaba que, en el coche, Jack había dicho: «Tío David, apenas te conocíamos», porque aquel hombre nunca nos había dicho una sola palabra.

Los Bronstein ya habían recorrido el loft, pero Rebecca preguntó si mi madre y yo también queríamos conocerlo. Claro que sí.

Yo iba detrás de Rebecca, que ejercía como terapeuta y aplicaba la danzaterapia, y aún mantenía el porte de bailarina, como cuando era niña: los hombros hacia atrás, los pies como los de un pato.

Cuando cruzábamos el salón vi a Pete, el amigo de Jack que vivía en Martha's Vineyard, solo como una isla.

Le hice una señal para que se uniera a nosotros; *Ven*, dijo mi mano, y él vino.

–Así que estás en publicidad –decía mi ex tía Nora–. ¿Te gusta?

Pensé: *¿Y a ti qué te importa?*, pero no le contesté, y ella no se dio cuenta. Nora Goldberg no tenía «orejas grandes», así que me guardé mi jazz.

Tras una rápida mirada al aseo, pasamos al dormitorio principal y el cuarto de baño. La madre de Rebecca dijo que el segundo dormitorio era su *pied-à-terre*, y mi madre le preguntó:

–¿Vienes con frecuencia?

–Una vez por semana. –Rebecca estaba fuera, en el pasillo, pero su madre bajó la voz–. Y espero compartir esta habitación dentro de poco tiempo.

Me llevó un momento darme cuenta de que no hablaba de la habitación como futuro nido de amor, sino como el dormitorio del nieto más pálido del mundo.

Pero mi madre no se dio cuenta, y le preguntó:

–¿Tienes un novio?

Su amiga rió y dijo:

–No, por Dios. ¿Y tú?

–No, no, no –dijo mi madre. Nadie conocía su historia con Lev, y advertí ahora que eso la aislaba. La vi intentando ser la Joyce Applebaum que los demás conocían, pero aquella Joyce Applebaum no se llevaba bien con la actual, y el resultado fue una imitación verosímil, pero vacía.

Ojalá hubiera sabido yo lo que iba a pasar, y se lo hubiera podido decir: aunque Lev Polikoff se negaba a dejar a su mujer, ella enfermó de cáncer un año después, y lo dejó a él y a todos los demás. Y mi madre le fue enviando pieza a pieza a su hermano el bronce y la porcelana de su madre. Y ella y Lev recorrieron mercadillos y anticuarios en busca de botellas azules, esas que dicen que traen buena suerte, y él la convenció de que las colgaran en un árbol del jardín.

Rebecca nos dijo que si queríamos salir a la terraza nos pusiéramos el abrigo. Ayudé a mi madre con el suyo, un viejo abrigo de pieles de mi abuela, que en algunos lugares había perdido el pelo.

–Parece que ha llegado la época de la muda.

En voz baja, Pete me dijo: «Sé más amable.» Se había puesto sobre el traje de pana un plumón rojo remendado con cinta aislante plateada.

Salimos a la terraza, y cuando vi el Hudson que se extendía ante nosotros, se me escapó un: «¡Dios mío, qué maravilla!»

Rebecca dijo: «Sí que lo es», y lo dijo como si aquella vista maravillosa también fuera mía.

–Bien, chicos –dije–, me imagino que ya nunca más volveréis a tener ese sueño sobre la vivienda en Nueva York.

–¿Qué dices? –preguntó Rebecca, una versión atenuada de su manera de hablarme cuando éramos más jóvenes.

—Ya sabes —le explicó Eugene—, encuentras una puerta que no sabías que existía, y esa puerta te lleva a una terraza o a un salón enorme, o a otro piso que resulta que también es tuyo.

—Yo nunca he soñado eso —dijo Rebecca.

—Pues no es un mal sueño —dije yo.

Mi madre dijo que tenía frío y que iba a entrar, y luego Rebecca, su madre y Eugene dijeron que ellos también entraban.

—Voy con vosotros —dije, pero no fui.

Pete se quedó en la terraza conmigo. Después de unos minutos, dijo:

—A ti no te gusta trabajar en publicidad, ¿no?

—No —respondí, y le conté que había presentado mi candidatura para un trabajo como documentalista en la televisión pública, pero que también había pensado en dibujar cómics, escribir canciones, dedicarme a la fotografía submarina, luchar por la paz en el mundo, o trabajar en un buen parque zoológico, uno de esos donde los animales hacen cola para que los encierren.

Pasaría de una profesión a otra, y no pararía hasta que encontrara la que me gustara de verdad. Estaba dispuesta a ser la versión profesional de un monógamo en serie.

Estábamos de pie junto a la baranda, y me alegraba que Pete estuviera allí. No había nadie con quien fuera más fácil estar sin hablar, y yo había pasado con él muchas horas felices en silencio, buscando almejas, y pescando y nadando; él sólo hablaba para hacer algún chiste bueno de verdad, o cuando tenía algo interesante que decir, o veía que me iba a arrastrar una ola. Yo creía que nadie sabría apreciar aquella vista mejor que Pete, pero se dio la vuelta y se puso a observar a la gente de la fiesta. Después recordé que Pete era Pete solamente en Martha's Vineyard. Cuando estaba en cualquier otro sitio, sólo esperaba el momento de regresar.

—¿Qué te pasa, Peter? ¿Nuestras estrellas no brillan lo suficiente para ti? —le pregunté.

Y entonces me hizo una pregunta que jamás habría esperado de él.

–¿Cuánto crees que cuesta este piso?

–Sólo cuesta un dólar y un sueño –dije recordando un anuncio de la lotería de Nueva York–. Más un millón y medio de dólares, me imagino.

Por un segundo sentí una punzada de envidia, pero luego me acordé de que este loft cumplía también era el *pied-à-terre* de Nora Goldberg.

Pete estaba tiritando. Él, el hombre que cada Navidad se bañaba en el Atlántico con su perra de Terranova. Se me ocurrió que si hablábamos de Martha's Vineyard entraría en calor.

–¿Te acuerdas de los pececillos plateados que vimos aquella vez?

–No –dijo.

–En Lucy Vincent Beach –dije–. Eran muchos, y saltaban fuera del agua.

No lo recordaba porque había visto miles de pececillos cientos de veces, y porque para él aquello no significaba lo mismo que para mí.

–Soph –dijo Pete–, los pececillos sólo saltan fuera del agua cuando los persigue un pez gordo. ¿Tú no tienes frío?

Sí que tenía frío, pero negué con la cabeza.

–Nos vemos luego, allá dentro –dijo Pete. Y entró.

Con tanto cielo y tanto río, no podías evitar ver la grandeza de las cosas. Ya la conocías, pero hacinados en el metro o corriendo para ir a ver una película, sólo la veías un segundo, y desde demasiado cerca. Y yo ahora la contemplé largamente. Siempre había oído decir que en Manhattan era imposible ver las estrellas debido a las luces. Pero allí estaban todas. Allí estaba mi noche con su brillante armadura.

Un lugar maravilloso

Seth quiere convercerme para que vayamos a una fiesta en Brooklyn. Dice que podemos pasar por allí. Yo le digo que una fiesta en Brooklyn es un compromiso. Hay que esforzarse. Es como una boda, no puedes aparecer sin más.

–Podemos pasar por allí –repite, y me lanza una mirada que significa: *Podemos hacer lo que queramos.*

Será la primera fiesta a la que vamos como pareja.

–Ya verás, será divertido.

Mi novio tiene diez años menos que yo; está lleno de esperanza.

Vamos a Brooklyn en su viejo descapotable Mustang, y con la capota bajada.

No podemos hablar por el viento, y porque estoy sentada del lado del oído malo de Seth. No puedo hablar yo, en verdad. Pero él me cuenta que vamos a Williamsburg, la sección de Brooklyn que llaman el Nuevo Centro. Después de la fiesta podemos dar un paseo y cenar en un restaurante que su amigo Bob va a abrir en el barrio. Bob nos ha dicho que si le ayudamos a elegir el nombre del restaurante, nos dejará probar todos los platos de su futuro menú. Los finalistas son The Shiny Diner, Bob's y The Wonder Spot.[1] «Empieza a pensar», dice Seth, y lo hago.

Del otro lado del puente y en territorio de Brooklyn circulamos bajo pasos elevados y por calles tan oscuras y desiertas que

1. En castellano, «El Lugar Maravilloso». *(N. de la T.)*

sabes que sólo las usan para perderse, y echo de menos Manhattan, donde nunca estoy a más de una manzana de un colmado, ni a más de un brazo de distancia de un taxi. Pero damos la vuelta a una esquina y –*¡Luces! ¡Gente! ¡Acción!*– aparcamos.

Mientras vamos caminando a la fiesta, le hablo a Seth de otro Williamsburg que conozco, en Virginia. Imagino que ha oído hablar de él; mi novio es canadiense, pero conoce los Estados Unidos mejor que yo. Pero no lo conoce. Le cuento que cuando yo fui, tenía cinco o seis años y no entendía el concepto de reconstrucción histórica; yo creía que habíamos encontrado un sitio donde las mujeres usaban cofia y batían mantequilla, y los hombres llevaban calzones largos y herraban caballos. Le cuento el verdadero drama del viaje: perdí el dólar que mi padre me había dado para la tienda de regalos.

Estoy tan a gusto que me olvido de la fiesta hasta que estamos en el ascensor.

–Creo que deberíamos tener una señal en clave que signifique «quiero irme».

Empieza a hacer un chiste, pero cuando ve que hablo en serio me aprieta tres veces la mano. Y le digo que esa señal me parece bien.

La puerta del ascensor se abre directamente al interior del loft. Yo voy contando los escasos segundos de pasillo que nos quedan antes de enfrentarnos a la fiesta, esa fiesta en la que estamos y de la que somos parte, esa fiesta con gente que habla, ríe, se divierte. Y pienso: *Soy un sólido que trata de comportarse como un líquido.*

Bromeo sólo en parte cuando aprieto tres veces la mano de Seth. Él aprieta la mía cuatro, y antes de que pueda preguntarle qué significa la cuarta vez, la anfitriona sale a recibirnos. Es alta y felina, con el pelo supercorto y un piercing de oro en una de las perfectas fosas nasales. Siento que me pesa cada kilo de mi cuerpo y cada año de mi vida hasta que Seth le dice:

–Ésta es Sophie, mi novia.

386

Le sonrío a mi hombre, que es pálido como un fantasma y dulce como una tarta.

–¿Qué quiere decir cuatro veces? –le pregunto cuando nuestra anfitriona se escabulle para saludar a otros invitados.

–Quiere decir: «Yo también te quiero.»

Quisiera sentirme feliz de oír estas palabras –es la primera vez que las decimos con un apretón de manos–, pero me siento tan cerca de él que le digo la verdad:

–Me siento vieja.

Cuando me pone su abrigo sobre los hombros y dice: «¿Mejor así?», me doy cuenta de que le he hablado a su oído malo.

Asiento y nos zambullimos en la fiesta. Me presenta como su novia a cada uno de los amigos con los que nos cruzamos, y todos parecen encantados de conocerme, y yo pienso: *Soy Sophie, su novia. Soy su novia. Soy Sophie, la novia de Seth.* Me siento bien, incluso muy bien, hasta que se marcha a buscarme una copa de vino. Entonces miro a mi alrededor, y hago lo mismo que en todas las fiestas: pongo cara de que podría estar hablando con cualquiera de los presentes si quisiera, pero que en este preciso momento estoy demasiado absorta observando a la multitud. Las mujeres son jóvenes, muy jóvenes, jovencísimas, líquidas y dulces; ellas son la mezcla y yo ya soy el bizcocho, y no saben que un día ellas también lo serán. Me quedo donde estoy, un bizcocho solitario pegado al molde.

En ese momento veo a Vincent; está de espaldas y ha pasado mucho tiempo, pero sé que es él.

Le he hablado muy poco a Seth de mis ex amantes. Ahora va a conocer al que me dijo que mi cabeza era demasiado grande para mi cuerpo.

Cuando Seth vuelve con mi copa de vino, me pregunta si todavía tengo frío y me frota la espalda.

Una pandilla nos rodea: el batería del grupo de Seth y sus acompañantes, novia, hermano y novia del hermano. Se esfuerzan por hablarme, y yo me esfuerzo por responderles. Una de las novias, no sé de quién, trabaja en la radio pública. Yo soy una gran aficionada a la radio pública, y puedo mantener la conversación sin que decaiga, programa por programa, hasta que ella me pregunta qué hago.

Le explico que trabajo de documentalista para un programa de entrevistas en una cadena de la televisión pública, la PBS, pero añado que lo que más me gusta en este momento, y soy cada día mejor, es la práctica del olvidado arte de recortar siluetas. Hago el gesto de cortar, y a mi alrededor se hace un silencio posnuclear.

Pero la chica que trabaja en la radio pública pregunta:

–¿Recortas siluetas de personas?

–Sí, y de animales –respondo.

–Parece divertido.

–No, es estresante –le digo, y ella ríe y ya somos amigas.

Después las novias volvemos con los novios. Me planto junto a Seth como un árbol, de espaldas al lugar donde me imagino que está Vincent.

Pero no está allí, sino al otro lado del salón, con el brazo apretado como un cinturón alrededor de las caderas de una chica. Ella es modelo, lo veo de inmediato. Tiene el pelo largo y lacio que yo siempre he deseado tener, y unas piernas larguísimas que puedo ver a través de las medias de red.

Vincent, tal como ocurría en los malos tiempos, no me reconoce. Pero después recupera la memoria.

Aprieto sin querer la mano de Seth y él sonríe sin mirarme, como si tuviéramos un lenguaje secreto. Y ojalá lo tuviéramos.

Veo a Vincent que se acerca con su novia.

Se ha dejado crecer el pelo y lleva una barba luciferina, y bigote. Y una camisa con un cuello con puntas que caen como colmillos sobre la chaqueta.

Cuando se acerca a nosotros, le digo:

–Feliz Halloween.

–¡Hola, Sophie!

–Seth, éste es... –empiezo a presentarlo.

Pero Vincent me interrumpe y se presenta a sí mismo:

–Enzo.

–¿Enzo? –pregunto, sorprendida.

No me contesta, y recuerdo que sus amigos de Nueva Jersey le llamaban Vinnie y él los corregía con firmeza: «Vincent.»

Vinnie-Vincent-Enzo pone a su modelo en primera fila y dice:

–Ésta es Amanda.

–Y yo soy Sophie. Y éste es Seth, mi novio.

–¡Hola! –Amanda es una mezcla de tía distante y simpática, y parece una chica dura. «Nos conocemos», le dice al hombre que le he presentado como mi novio, y le da un beso. En la mejilla, pero tan atrás que sus morritos parecen viajar desde el cuello hasta la oreja.

La miro fijamente, aunque me digo que no debo hacerlo. Caigo bajo el hechizo no de sus ojos, sino de sus cejas, finas y de arco perfecto. Que me hacen pensar en las mías, tan espesas y salvajes. Mis cejas son un bosque y las de Amanda, un sendero.

Cuando salgo del trance, oigo que Vincent dice:

–Cada vez que alguien decía: «El mundo es un pañuelo», Sophie le replicaba: «No, es una sábana.»

–Yo tenía once años cuando conocí a Vincent –digo. Y después, hago de buena anfitriona, como me enseñó a ser mi madre–. Vincent, perdón, quiero decir *Enzo*, también es músico –digo.

–Lo era –dice él, y nombra al grupo más conocido de todos aquellos en los que tocó, aunque yo sé que sólo estuvo con ellos durante quince minutos. Y después le pregunta a Seth–: ¿Y con quién tocas tú?

Seth le dice el nombre del grupo, y me doy cuenta de que Vincent está impresionado pero no quiere que se note, y empieza a hablar a toda velocidad de sus proyectos: un estudio de grabación on line, un centro de distribución en tiempo real, un sello musical virtual. Y habla y habla en el más puro estilo Vincent, grandilocuente e imposible de entender.

–En resumen, menos enseñar en un parvulario, tú haces de todo –digo.

–También en esto hay un componente educativo –argumenta Vincent.

Seth me aprieta tres veces la mano.

–¡Vaya! –exclamo, y busco en mi muñeca un reloj que no llevo puesto–, nosotros tenemos que irnos.

Y me gusta cómo suena la palabra *nosotros,* y me encanta que sea Seth el que se quiere marchar, y me encanta todavía más que nos vayamos.

Vincent dice que ellos se van a otra fiesta. Me besa en ambas mejillas –ése debe de ser ahora el beso Enzo– y me mira como si yo fuera muy importante para él, una mirada que nunca me dirigió cuando estábamos juntos. Y Seth lo ve, y yo pienso: *Ahora Seth va a pensar que otro hombre me amó; va a pensar que soy una mujer fácil de amar, una mujer a la que un hombre tiene que amar mucho y bien si no quiere que otro ocupe su lugar.*

–Estás estupenda, Sophie –me dice Vincent, y yo estoy pensando decirle: *Tú en cambio estás un poco raro,* pero me conformo con un: «¡Hasta la vista, Vinnie!»

Unos cuantos saludos más, y Seth y yo estamos en el ascensor, solos, y apretamos el botón de la planta baja.

–Menos mal que sólo era una modelo –digo. Estoy un poco mareada, y hablo muy rápido, y me siento feliz–. No sé qué habría pasado si hubiera sido una supermodelo.

Seth me mira sin saber muy bien qué quiero decir.

–Por cierto, ¿de qué la conoces? –le pregunto cuando estamos en la calle, y de inmediato me arrepiento.

–No la conozco de verdad –me dice Seth–. Vino a verme después de un concierto hace unos días.

Y yo pienso: *¿Fue a verte, o fue a ligarte?*, pero adopto el aire despreocupado y alegre de una espectadora ansiosa por saber un poco más acerca de las extrañas coincidencias de la vida.

–Me preguntó si podía ayudarla a celebrar su medio cumpleaños –dice, y su tono me da a entender que estaría loca si pensara que él podría interesarse por ella.

Por desgracia, en este momento estoy loca y tengo que contenerme para no decirle: *¿Quieres decir que no has comido su pastel de medio cumpleaños?*

De repente siento que soy Mary Poppins, y vuelo con un paraguas y una cucharada de azúcar sobre la ciudad del sexo, habitada por un millón de modelos con cortísimos pantalones cortos y cabelleras largas y lacias, labios carnosos y larguísimas piernas con medias de red.

De allí paso directamente a: *Esto no irá bien. A él lo buscan las modelos después de los espectáculos para ligárselo. Tendrá cuarenta y nueve años cuando tú estés a punto de cumplir los sesenta. Es joven y moderno, mientras que tú ya ni siquiera conoces la palabra guay para decir guay. Tu sitio está en casa, y a la cama con un libro.*

Me recuerdo a mí misma que esto es lo que siempre digo, y lo que hago. En cuanto tengo una relación seria, dejo que el miedo me domine. Y el miedo sólo apaga luces, cierra puertas, acaba con todo.

Estoy tan absorta en mi debate interior, que por poco no oigo a Seth cuando me dice:

–Sophie.

Me detiene en plena calle y me da la vuelta para que lo mire. Su rostro brilla de puro blanco; él siempre parece un fantasma, pero ahora es como el fantasma de ese fantasma.

–¿Cuándo saliste con él? –me pregunta.

–Hace tanto tiempo que hasta tenía otro nombre.

–¿Belcebú?

Le digo que cuando lo conocí, Vincent todavía estaba en el purgatorio.

–¿Pero te ha molestado verlo esta noche con otra?

–No –respondo, un poco sorprendida.

No parece muy convencido.

–¿Y por qué has dicho que menos mal que sólo era una modelo? –me pregunta.

–Las modelos siempre me molestan –digo–. Y me ha molestado aún más cuando ha empezado a besuquearte en la mejilla.

Y después de soltarle esto quiero explicarle que nunca uso la palabra «besuquear», que es una palabra de los años cincuenta, de la generación de mi madre, pero él niega con la cabeza, y me doy cuenta de que no está pensando que parezco vieja, que hablo como una vieja o que soy vieja.

–Ese tío todavía siente algo por ti, es evidente –dice Seth, y traga dos veces, como si quisiera eliminar un mal sabor–, te miraba de una manera...

Se me escapa un *¡Uf!* que me hace ruborizar.

–Esa mirada era para fastidiar a Amanda –le digo, y sé que es verdad. Por un segundo, soy la hermana mayor de mi yo más joven–. Y si ella le dice algo, Vincent le dirá que está loca.

–Muy bonito –dice Seth, y su tono me dice que no quiere saber nada más de Vincent y de Amanda, que no le importan, y que desearía que yo no le importara tanto.

Me da miedo. Y luego, de repente, todo está muy claro para mí: *Él es como yo, sólo somos diferentes en las pequeñas cosas.*

Tiene los ojos cerrados y pienso que tal vez me esté imaginando con Vincent o con otro hombre con el que cree que me he acostado, o que he amado. Puede que se esté diciendo que es demasiado alto o que no oye bien.

Casi siempre es Seth quien me abraza, pero esta vez yo tomo la iniciativa. Lo abrazo muy fuerte, y nos quedamos así, su mentón en mi cabeza y mi cara contra su pecho.

Me imagino a Amanda en otra fiesta con Vincent, y siento pena por ella. Se me ocurre que si yo fuera tan hermosa como Amanda, me resultaría cada vez más difícil celebrar mis medio cumpleaños. Pero sobre todo me siento feliz de no ser ella, y de que nosotros no seamos ellos, y de estar aquí, en la calle, respirando el aire dulce de Williamsburg y la libertad poscolonial. Caminamos un rato en silencio. Empiezo a ver dónde estamos. Pasamos delante del Miss Williamsburg Diner, de pequeñas librerías donde podría pasarme la vida. Dejamos atrás una galería de arte donde se exhiben móviles suspendidos sobre un estanque que los refleja.

Después estamos en un parking, y Seth me dice que allí al lado está Bob's. Yo estoy diciendo que a fuerza de vivir en Manhattan hemos aprendido a valorar los aparcamientos cuando Seth saca algo del bolsillo y me lo pone en la mano. Es una moneda de un dólar.

–Para gastar en la tienda de regalos –me dice–. No lo pierdas.

Con la misma mano de la moneda aprieto la mano de Seth unas treinta y siete veces, y le digo todo lo que siento.

–¿Eso qué significa? –pregunta.

–Que tengo hambre.

Lo que siento es: *Ahora, en este momento, frente a The Shiny Diner, Bob's o The Wonder Spot, con mi dólar para gastar y la cena que estamos a punto de tomar, tengo la vida que deseo.* Probaremos todos los platos del menú. Después iremos a buscar el coche, y cruzaremos Brooklyn, y cogeremos el puente en dirección a Manhattan y hacia allí iremos. Encontraremos una plaza para aparcar cerca de mi piso en la calle Diez, y compraremos leche y el periódico de mañana. Y nos desnudaremos y nos iremos a la cama.

ÍNDICE